Pruskui-thuuuu

MH octobre/novembre
2001

25, RUE SOLIMAN PACHA

DU MÊME AUTEUR

Un personnage sans couronne, roman, Plon, 1955.
Les Princes, roman, Plon, 1957.
Le Chien de Francfort, roman, Plon, 1961.
L'Alimentation-suicide, Fayard, 1973.
La Fin de la vie privée, Calmann-Lévy, 1978.
Bouillon de culture, Robert Laffont, 1986.
(En collaboration avec Bruno Lussato)
Les Grandes Découvertes de la science, Bordas, 1987.
Les Grandes Inventions de l'humanité jusqu'en 1850, Bordas, 1988.
Requiem pour Superman, Robert Laffont, 1988.
L'Homme qui devint Dieu :
1. Le Récit, Robert Laffont, 1988.
2. Les Sources, Robert Laffont, 1989.
3. L'Incendiaire, Robert Laffont, 1991.
4. Jésus de Srinagar, Robert Laffont, 1995.
Les Grandes Inventions du monde moderne, Bordas, 1989.
La Messe de saint Picasso, Robert Laffont, 1989.
Matthias et le diable, roman, Robert Laffont, 1990.
Le Chant des poissons-lunes, roman, Robert Laffont, 1992.
Histoire générale du diable, Robert Laffont, 1993.
Ma vie amoureuse et criminelle avec Martin Heidegger, roman, Robert
    Laffont, 1994.
29 jours avant la fin du monde, roman, Robert Laffont, 1995.
*Coup de gueule contre les gens qui se disent de droite et quelques
    autres qui se croient de gauche*, Ramsay, 1995.
Tycho l'Admirable, roman, Julliard, 1996.
La Fortune d'Alexandrie, roman, Lattès, 1996.
Histoire générale de Dieu, Robert Laffont, 1997.
Moïse I. Le Prince sans couronne, Lattès, 1998.
Moïse II. Le Prophète fondateur, Lattès, 1998.
David, roi, Lattès, 1999.
Balzac, une conscience insurgée, Édition° 1, 1999.
Histoire générale de l'antisémitisme, Lattès, 1999.
Madame Socrate, Lattès, 2000.

Gerald Messadié

25, RUE
SOLIMAN PACHA

Roman

JC Lattès

« On n'est pas toujours du pays
où l'on naît. »

Théophile Gautier

Scène liminaire

LE TREIZIÈME MORCEAU

Le Bosphore était indigo. À la lumière des photophores sur la table, le jus de carcadet évoquait du rubis fondu. La soirée serait fraîche. Un cargo passait nonchalamment et je me demandai si je n'aurais pas été plus heureux à bord que dans ce décor et ce contexte tellement chargés de souvenirs que j'en avais mille ans.

La princesse Rechideh Noureddine se tourna vers moi. Son col de cygne, que j'avais tant admiré dans ma jeunesse, était intact. Ses cheveux, jadis noirs et désormais d'un blanc neigeux, semblaient appartenir à la légende des femmes qui ne peuvent jamais cesser d'être belles. La pénombre effaçait l'empâtement du menton et les ridules dérisoires que j'avais aperçues tout à l'heure, dans les lumières du salon. La voix était à peine un peu plus grave. À soixante-seize ans, elle me rappela qu'elle avait à jamais gravé dans mon cœur d'adolescent l'image de la beauté féminine ; et que j'avais cru défaillir quand, jeune homme, à une fête, une des innombrables fêtes de notre jeunesse, elle s'était un soir penchée vers moi, sa haute et souple silhouette drapée dans un fourreau de crêpe de Chine noir, ses épaules d'ivoire poudrée à portée de main, et qu'elle m'avait dit avec cette grâce ironique, mais au fond impériale :

« Je vois que vous mourez d'envie de m'inviter à danser. »

Elle me questionna :

« Et vous êtes retourné en Égypte ?

— Non, répondis-je. Je n'y connais plus personne. Je n'y retrouverais que mes souvenirs. »

Un silence passa.

« Je me suis souvent demandé, dit-elle dans ce français impeccable et chantant qui m'avait bercé tant d'années, s'il vaut mieux à la fin du séjour avoir des souvenirs charmants que n'en avoir pas. »

La fin du séjour. Le séjour. L'expression était tellement ornée que je ne pus m'empêcher de sourire.

« Ils sont tous encore vivants, dit-elle comme pour elle-même. Je le vérifie à chaque fin d'année, quand ils m'adressent leurs vœux. Ismaïl, comme vous le savez, est ambassadeur à Rome. Sybilla. Nadia Abd el Messih, que vous trouviez si jolie. Soussou, sa sœur, qui devrait épouser Siegfried Alp, me dit-on, et qui vit en tout cas avec lui entre Londres et New York. Et vous. Et moi. »

Elle éclata de rire. Je me forçai à sourire, à cet humour de catacombes.

« Personne ne comprendra jamais, murmurai-je. Ce que nous avons vécu…

— Je me demande même s'ils l'ont eux-mêmes compris, dit-elle. Et vous, vous l'avez compris ? »

Je demeurai perplexe. Parlions-nous bien du même sujet ? Croyait-elle que j'évoquais l'indécente facilité de vivre qui avait été la nôtre dans Le Caire et l'Alexandrie de la monarchie ? Ou bien de la folle, l'arrogante, la grandiose illusion qui avait gâché le reste de tant de vies ?

« Que croyez-vous que nous avons vécu là-bas ? reprit-elle.

— L'illusion.

— L'illusion. Je ne suis pas sûre que j'aime le mot, même s'il est exact, rectifia-t-elle. Je préférerais un mot qui évoque également la griserie. Nous avons cru à l'amour. L'amour de Dante et Béatrice. D'Ophélie pour Hamlet. D'Isis et d'Osiris. Nous y avons tous cru. Vous aussi », dit-elle en se tournant vers moi.

Que pouvais-je répondre ? Moi aussi, certes.

« Toutes ces vies-là ont été commandées par la certitude de l'amour. Et la réalité a fait irruption, ajouta-t-elle d'un ton presque théâtral.

— Vous voulez parler de l'incendie du Caire ?

— Pas seulement. La politique aussi. La politique surtout. La réalité. La société, qui est une forme de la réalité, n'admet pas l'amour. Vous connaissez l'histoire d'Isis ? »

Je hochai la tête.

« Elle aimait Osiris, dit la princesse. Mais Osiris a dû se battre avec son frère Seth, qui lui disputait son empire. La lutte pour le pouvoir a brisé le couple. Seth a tué Osiris et l'a démembré. Isis est partie à la recherche des fragments du cadavre de son aimé. Elle les a réunis, mais elle n'a jamais retrouvé le treizième morceau.

— Le treizième morceau », répétai-je.

La princesse ne releva pas le détail. Le treizième morceau était, en effet, le phallus d'Osiris.

« Ce qui signifie qu'il n'y a pas d'amour heureux, repris-je.

— Non, Osiris est devenu le dieu des morts. L'amour est dans l'au-delà. Il est toujours dans l'au-delà. Ismaïl, Sybilla et les autres sont des enfants d'Isis. Ils ont recommencé sa vie. Ils l'ont répétée à leur insu.

— Ils n'ont pas retrouvé le treizième morceau, dis-je par provocation.

— Ne soyez pas licencieux, répliqua-t-elle sur un ton de reproche. Il n'y a pas que le treizième, mais les douze autres aussi. »

Je me demandai si Rechideh Noureddine n'idéalisait pas l'Égypte que nous avions connue. L'amour existait ailleurs. Mais à la faveur de ses réflexions infinies sur le passé, au bord du Bosphore, la princesse avait pourtant débusqué une vérité à laquelle je n'avais pas songé ; la réalité avait brisé les vies de ces gens qu'elle avait cités. La réalité ? Ou bien la politique, comme elle l'avait justement précisé ? Pareille à un gigantesque python soudain pris d'un spasme apocalyptique, tel le serpent Apopis de la mythologie égyptienne, l'Égypte avait dans ses convulsions pulvérisé la serre chaude où ces gens vivaient. J'évoquai Nadia, par exemple, qui survivait à Paris en fabriquant des fleurs artificielles, mélancolique symbole de sa vie. Sybilla, exilée dans son propre pays, à Londres, et qui n'existait plus que pour son fils. Soussou, qui traînait sa fortune solitaire dans les palaces... Les vers de Rimbaud me revinrent à l'esprit, *Ces milles raisons, qui se ramifient, n'amènent au fond qu'ivresse et folie.* L'heure s'avançait. J'annonçai qu'il me fallait prendre congé et me levai.

« Vous partez ? dit-elle en se levant aussi. Vous devriez réfléchir. »

Les lumières du salon éclairèrent indiscrètement son visage majestueux, les yeux naturellement grands effilés jusqu'aux tempes, le grand nez aux narines délicates, la bouche souriante comme celle des déesses antiques de l'Orient, le teint d'inaltérable ivoire.

« Vous êtes écrivain. Vous devriez raconter leurs vies.

— Mais que sait-on d'une vie ? objectai-je, me dérobant.

— Je vous connais assez, dit-elle en riant et posant sa main sur mon bras. Vous en savez bien plus que vous le prétendez. »

Elle esquissa un rire pour atténuer l'indiscrétion. Mais, sur le pas de la porte, elle ajouta avec une certaine gravité :

« Il y a une leçon dans ces vies. Vous auriez tort de ne pas la transmettre. »

Un taxi me ramena au Midan Taksim et de là, je descendis la grande rue Istiklal, vers mon restaurant favori, Hadji Baba. Je dînai seul d'un pigeon grillé, de salades et de vin d'Anatolie.

Comment raconter ces vies ? Car ce n'étaient pas des vies seulement qu'il me fallait reconstituer, mais tout un monde aussi bien.

I

DERNIERS NÉNUPHARS DE L'ÉTÉ

1

1940 : des roses et du soufre

La vaste cuisine était inondée de lumière par six fenêtres. Les cuivres et les étains étincelaient sur les murs. La pièce était assez grande pour y traiter vingt personnes assises, et verrouillée par une formidable serrure. Catherine Portilacqua l'avait fait installer pour protéger le genre d'opérations auquel elle se livrait ce jour-là ; elle surveillait d'un regard bleu pâle un alambic posé sur un socle de bois. L'appareil gargouillait au-dessus d'un réchaud à alcool. Catherine s'était enfermée là avec sa sœur Alice, une femme épaisse aux cheveux de lin frisottant et aux yeux tellement faits qu'on ne distinguait plus que les prunelles entre les paupières charbonneuses de kôhl ; Alice se tenait assise sur un tabouret de paille bas, les mains nouées sur un abdomen déjà opulent. Son majestueux séant posé sur un autre tabouret, vêtue comme à l'accoutumée, et comme les Égyptiennes veuves et d'un âge certain, d'une ample robe de soie noire, Catherine observait les gouttes cheminer dans la buée qui opacifiait la spirale de verre et tomber dans une bouteille. L'âme des roses rouges était transparente, n'était-ce pas étrange ?

Elle avait déjà rempli quatre bouteilles, dûment bouchées ; huit autres attendaient. Chaque année, Catherine achetait un plein couffin de têtes de roses rouges, quinze *okes*, soit une vingtaine de kilos, qu'elle effeuillait et faisait bouillir ; puis elle introduisait peu à peu dans l'alambic le liquide huileux ainsi obtenu. Le distillat servait pendant toute une année à parfumer les pâtisseries qu'elle confectionnait en quantités prodigieuses. À embaumer aussi l'eau des gargoulettes pour la maison, à remercier les voisines d'un service rendu, à témoigner de respect et de bienveillance aux innombrables religieux auxquels tout Égyptien avait immanquablement affaire un jour ou l'autre, bonnes sœurs d'un ordre ou de l'autre, prêtres coptes, grecs-catholiques, grecs-orthodoxes, coptes orthodoxes, coptes catholiques, maronites, arméniens catholiques, arméniens orthodoxes, melkites, syriaques, nestoriens, sans oublier l'imâm de la mosquée voisine et un rabbin à la fois mélancolique et malicieux, qui était un jour venu rendre visite aux voisins pour la récitation d'un kaddish funèbre.

L'eau de rose servait aussi à se calmer les nerfs. Car elle était presque aussi apaisante que l'eau de fleur d'oranger que Catherine distillerait deux mois plus tard, à Pâques. L'air alentour fleurait donc la rose, purifiant les narines, angélisant les âmes et, à la fin, répandant sur le monde les senteurs suaves de la vertu.

Peut-être cette cérémonie annuelle célébrait-elle symboliquement et secrètement la mémoire de feu le mari de Catherine, Antoine Archenholz, prussien pur jus mort, sept témoins, y compris le prêtre de la paroisse de Bab el Hadid, en avaient juré devant l'évêque, en odeur de sainteté. Une odeur de roses. Telle était la raison pour laquelle un dossier en béatification attendait les décisions du Vatican, bien que, détail dirimant et dissimulé, Antoine eût été protestant. Mais c'était là une autre histoire et comme le savent les gens d'expérience, quel que soit le sujet dont on parle, c'est une autre histoire. Bref.

En dépit de la porte fermée, le parfum filtrait par-dessous, se répandait jusqu'à l'autre bout de l'appartement, jusque dans les deux salles de bains où, assuraient les pieuses filles, nièces et servantes de Catherine, le Diable rôdait à certaines heures. La senteur rose débordait même par les fenêtres et, bien que la possession d'un alambic fût considérée comme illégale, mais qu'est-ce qui était illégal dans l'Égypte monarchique ! les voisins savaient, rien qu'à s'aérer sur la cour, que Catherine Portilacqua distillait de l'eau de rose.

Ils n'en soufflaient mot, certains qu'une bouteille leur serait réservée, tout comme, plus tard, une bouteille d'eau de fleur d'oranger. Chaque année, Catherine tirait ainsi des essences cristallines d'une mer de sang et d'une autre de neige.

« Il m'a emprunté cent livres », dit Alice, reprenant la conversation. Elle s'exprimait en arabe, bien qu'elles parlassent toutes deux italien quand elles ne voulaient pas être comprises.

« Cent livres ! s'indigna Catherine.

— Il m'a dit que c'était ça ou le déménagement.

— Il a essayé de les emprunter à Michel, qui les lui a refusées, observa Catherine.

— Je sais, je sais ! Et le résultat est que c'est moi qui ai payé.

— Il est fou », dit Catherine en plaçant prestement une bouteille vide sous le bec de l'alambic et en bouchant celle qu'elle venait de remplir. « Notre frère est fou », répéta-t-elle sans conviction. Le sujet, en effet, était épineux. Tous les Portilacqua étaient fous. Religion, alchimie ou sexe, seul variait l'objet de leur folie. Mais cela aussi était une autre histoire.

Alice allait répliquer quand des cris indistincts emplirent l'interminable couloir qui longeait la cuisine. Accompagnés d'exclamations et de hoquets, ils paraissaient faiblir, puis reprenaient de plus belle.

« Qu'est-ce qui se passe ! » maugréa Catherine en se levant péniblement pour aller déverrouiller la porte.

Entourée par les domestiques et des femmes de la

maisonnée, Angèle et Adèle, les filles d'Alice, et Jean-
nette, la fille de Catherine, Amina, l'esclave géante, se
convulsait, se frappait la vaste poitrine qui eût allaité
cent marmots, puis se giflait les joues et roulait des
yeux.

« Qu'est-ce que tu as ? s'exclama Catherine, exaspérée.

— J'ai vu le Diable, *ya sett* ! J'ai vu le Diable !

— Le Diable ? demanda Catherine, décontenancée.

— Le Diable ! reprit l'esclave, tête renversée en
arrière, haletante. *El Afrit !*

— Où ?

— À la cave ! »

Les servantes, les femmes et les filles et même le
chef de la domesticité, Sayyed, étaient pâles d'émotion.

« Tu as vu ta sottise, oui ! » cria Catherine en se
haussant sur les orteils pour appliquer une gifle à l'esclave. Ce fut la foudre qui résout les nuages en pluie ;
Amina fondit en larmes et se calma progressivement,
néanmoins s'obstinant, hoquetant : elle avait vu le
Diable, oui, le roi de l'Enfer, tout noir avec des yeux
rouges et un rire effroyable. Le Diable !

Zebeida, l'autre esclave, une Noire décharnée jadis
rachetée et affranchie par Antoine Archenholz, et qui
était assise par terre dans le couloir, lui dit qu'elle avait
peut-être vu le voisin descendre un meuble à la cave.

« Non, pleurnicha Amina, c'était le Diable ! Le vrai
Diable ! *El afrit howa zatou !*

— Tu as dû fumer du haschisch », suggéra Sayyed.

Siegfried Alp, le petit-fils de Catherine, arriva sur ces
entrefaites. Il déjeunait parfois chez sa grand-mère ; on
lui réservait toujours un accueil débordant. L'agitation,
les exclamations de ses cousines, de leurs amies présentes et de la voisine attirée par les clameurs, l'alarmè-
rent. Il s'enquit des causes de l'émoi. Rien, répondit
Catherine en l'embrassant, Amina avait eu une crise de
nerfs. Elle le fit servir. Il passa donc dans la salle à manger « de tous les jours » – l'autre, « la grande », n'était

ouverte que pour les fêtes – où ses cousines le rejoignirent. Puis Catherine retourna dans sa cuisine.

« On ne peut pas travailler en paix », grommela-t-elle, retirant la bouteille qu'elle avait laissée abouchée au bec de l'alambic pendant cet intermède sulfureux, et qui commençait de déborder.

Alice verrouilla de nouveau la porte. Pendant ces opérations délicates, presque magiques, qui exigeaient la pureté du souffle, aussi bien que lorsqu'elle cuisinait des œufs et du poisson, denrées ô combien exposées aux pestilences du mauvais esprit, Catherine n'admettait que les gens de son sang ou bien un homme, Sayyed, le chef des domestiques. Mais surtout pas les esclaves, les deux affranchies Amina et Zebeida, et particulièrement Zebeida qui avait le mauvais œil. Zebeida faisait tourner le lait et puer le poisson, et son seul regard, assurait-on, fêlait le cristal.

« Le Diable ? » demanda Siegfried en touillant le ragoût d'agneau aux okras dont Sayyed avait garni son assiette. « Il ressemble à quoi ? »

Ses cousines se mirent à rire. « Toi, évidemment, tu ne crois à rien ! » lui lança Thérèse.

Et il se dit, mais il était jeune, que le Diable était fait pour les gens incultes. Il chiffonna dans son plat. Il adorait sa grand-mère, mais ces mômeries l'exaspéraient.

En quittant l'appartement de Catherine, il s'arrêta dans l'escalier. Une voisine jouait une mazurka de Chopin. Maladroitement sans doute, mais joliment. C'était bien la troisième fois depuis quelques jours que, visitant des maisons, il entendait jouer du Chopin. Toute l'Égypte, décidément, jouait du Chopin. Enfin, une certaine Égypte.

Mais cela aussi était une autre histoire.

2

1951 : le musée du Caire

Trois corps debout, grandeur nature, droits, lisses, d'une plénitude conquérante. Nus sous le pagne et la robe sans doute tissée d'air, révélant les formes fortes et tendres, pleines de jus noir et de parfums violents. Chair ferme, oui, sang brûlant, oui, force douce sous le granit noir. Le pharaon, au milieu, coiffé de sa couronne phallique, le pschent, épaules larges et déployées, pectoraux épanouis, hanches étroites, ventre plat mais modelé, jambes puissantes, pieds nus, les femmes de part et d'autre révélant leurs corps sveltes et dodus sous les robes plissées ; le triangle pubien bien renflé, les seins ronds et hauts, les jambes longues et fines des peuples nilotiques, les visages sereins. Une des femmes est coiffée de cornes enserrant la Lune. Parce que la splendeur de ces humains s'élève jusqu'aux cieux.

Et ces lèvres gonflées, mais ciselées, souriantes.

La découverte du trio royal troubla Sybilla, Lady Hammerley ; prise en traître, elle inspira profondément. Elle n'avait pas ressenti d'émotion comparable depuis qu'elle avait vu les marbres du Parthénon, au British Museum, en 1938 ou 1939, bref à la veille de la guerre.

Elle avait alors dix-sept ou dix-huit ans. Ces corps, inno-
cents, beaux, impudiques... Mais dans ce groupe-là de
granit noir elle percevait encore plus de vigueur, une
vibration dans l'immobilité. Une saveur de miel musqué
semblait se dégager de la pierre polie. Elle évoqua l'invitation à la danse d'Ariel dans *The Tempest* :

> *Come unto these yellow sands,*
> *And then take hands ;*
> *Courtsied when you have, and kiss'd,*
> *The wild waves whist...*

Son compagnon, Rupert Gardiner, deuxième secrétaire à l'ambassade de Grande-Bretagne au Caire, se pencha vers la notice explicative et lut : « Triade de
Mykérinos... IVe dynastie. » La femme de gauche, coiffée
de la Lune, était Hathor, précisa-t-il, la déesse parfois
représentée sous les traits d'une vache, celle de droite,
la personnification du Chien Noir. Qu'était-ce donc que
le Chien Noir ? se demanda Sybilla. Elle détailla le corps
de l'homme. Elle n'en avait jamais rencontré dont il éma-
nât tant de force et, autant se l'avouer, de sexualité. Ces
pieds nus sur le sol... Confiance, plénitude et possession. Elle les eût léchés. Un roi pieds nus ! Phallique du
pschent jusqu'au bout des orteils. Une sensation fulgurante de manque la traversa en traître.
 « Quand on pense que les Arabes actuels descen-
draient de ces gens-là », dit Gardiner avec un petit rire.
 Il disait « les Arabes » pour désigner les Égyptiens.
Sybilla évoqua involontairement le jardinier dont elle
avait aperçu le torse de bronze pendant qu'il faisait ses
ablutions à la fontaine du jardin, en fin de journée. Des
images imprécises l'assaillirent et elle les chassa comme
des mouches. Mais les images avaient quand même pris
forme et elle osa se dire que ni Charles, son mari, ni
Gardiner ne pouvaient se flatter de corps comparables,
fût-ce de loin, à celui de Mykérinos. Elle avait vu la car-
casse de Gardiner à la piscine du Mena House : plat du
haut, bedonnant et ridouillé au centre, grêle et plutôt

variqueux en bas, l'ensemble de surcroît congestionné par le soleil. Quant au corps de Charles... N'eussent été les vêtements, il eût été difficile de nourrir pour ces hommes le moindre sentiment érotique.

« Heureusement qu'on éteint l'électricité », songea Sybilla. Mais la réflexion était académique, car elle n'avait pas fait l'amour avec Charles depuis un temps indéfini.

Depuis cinq mois que Charles était en poste au Caire, Sybilla n'avait guère prêté d'intérêt à l'art égyptien, sauf lors de la visite traditionnelle aux Pyramides et au Sphinx sous la conduite d'un mondain rencontré à l'ambassade de France, un certain Ernest Gacheux, égyptologue amateur. La visite au musée résultait d'un désœuvrement fortuit : Gardiner avait eu deux heures à tuer avant un rendez-vous officiel et lui avait proposé de visiter le musée en sa compagnie.

« Un grand art, vraiment », émit pompeusement Gardiner, que le silence de sa compagne semblait contrarier, car une dame ne garde le silence que si elle est offensée. « La beauté à l'état pur. »

Ces platitudes agacèrent Sybilla. Qu'aurait donc été la beauté à l'état impur, par exemple ? Gardiner était un de ces Oxoniens qui ressemblent à la dernière tasse au fond de la théière : tiède et un peu amère.

Au même moment, Siegfried Alp visitait aussi le Musée, en compagnie d'un photographe américain de passage. Lui non plus n'avait manifesté qu'un intérêt de convention pour l'art égyptien. Non qu'il fût insensible à la beauté, mais celle-ci était un peu rude pour son gré de décorateur. Car Siegfried gagnait à la fois de l'argent et une raison sociale dans la décoration en amateur. Il était certes conscient de son statut mineur dans la société égyptienne. Il eût voulu imposer un style ultra-moderne, dans le sillage de Frank Lloyd Wright et de Marcel Breuer, mais les angles coupants de la décoration moderne horrifiaient sa clientèle de parvenus, qui n'aspiraient à rien d'autre qu'aux symboles de la fortune ancienne et qui s'efforçaient, dans ce climat tropical, de reconstituer Blenheim Palace ou Topkapi. Pour satisfaire aux goûts antiquisants de ses clients, il cultivait donc un syncrétisme britannique, *Colonial Victorian*, disait-il sous forme de plaisanterie : petits meubles en acajou et grands drapés de soieries syriennes, sans négliger une camelote aux prétentions florentines, torchères et autres négrillons laqués et photophores.

Parvenu devant l'une des quatre têtes gigantesques d'Aménophis IV, au rez-de-chaussée, il eut toutefois le souffle coupé. Cette bouche évoquait un sexe en plein milieu du visage. Et ce sourire charnu, sinueux, ciselé, ces yeux de félin !... Rencontrer cela ! Non sans contrariété, Siegfried s'avoua que l'un des domestiques nubiens de son immeuble possédait une tête comparable et qu'il ne l'avait qu'à peine remarqué. Ce fut ainsi que, d'après les effigies d'un personnage révolutionnaire, l'inventeur présumé du monothéisme se trouva ravalé au rang d'un gigolo idéal une bonne vingtaine de siècles plus tard par un jeune homme maigre et mal fortuné. N'importe, le jeune Turco-Allemand éprouva un creux à l'estomac.

À la porte, sous les flamboyants qui longeaient le Nil et répandaient un parfum amer et des pétales orangés, il se heurta presque à Sybilla. Il lui avait été présenté au Guézireh Sporting Club. Ils échangèrent des aménités élégantes. Gardiner et Siegfried se dépiautèrent du coin de l'œil et aucun des deux ne trouva chez l'autre le reflet de ce qu'ils avaient admiré à l'intérieur. Gardiner était mou de haut en bas, et Siegfried Alp, maigre comme un chat de gouttière. Après maints sourires et salutations, Sybilla et Siegfried se séparèrent dans la chaleur parfumée par les eucalyptus et rougie par les pétales des flamboyants, l'un et l'autre songeurs.

Sybilla coula un regard vers le Nil. Elle eut le sentiment que rien que regarder ce fleuve était indécent. Une mer de sang, de sperme et de merde mélangés, un déluge à la fois calme et cataclysmique par laquelle s'écoulaient toutes les grasses menstrues de l'Afrique. Frottée de lavande, elle frémit d'horreur et de fascination. Mais il suffisait de songer aux animaux produits par ces flots des origines du monde, crocodiles, hippopotames, cobras, pour comprendre sa violence profonde, sa nature infernale et charnelle, mais aussi son énergie sexuelle. Ce fleuve clamait le sexe jusque dans les raideurs érectiles du cobra et les masses mafflues et grasses des hippopotames. Il n'était pas mystérieux que les anciens Égyptiens eussent choisi le cobra pour emblème royal, c'était une métaphore du membre masculin !

Des pétales rouges de flamboyant tombèrent sur son épaule et elle sursauta.

« Je deviens folle », se dit-elle en riant.

Siegfried et l'Américain partirent en quête d'un taxi. Siegfried donna son adresse, 25, rue Soliman Pacha.

« Et qui donc était Soliman Pacha ? demanda le photographe, examinant la façade haussmanienne de l'immeuble devant lequel ils s'arrêtèrent.

— Un Français.

— Un Français ?

— Le colonel Joseph Sèves. Il s'était mis au service d'Ibrahim Pacha, le fils du fondateur de la dynastie égyptienne, Mohamed Ali », expliqua Siegfried.

L'Américain s'émerveilla qu'un Français pût s'appeler Soliman et être devenu pacha.

« Il avait conquis la Syrie, expliqua Siegfried. Comme il était officier dans l'armée de Mohamed Ali, il se convertit à l'islam et prit le nom de Soliman. Sa bravoure lui valut le titre de pacha.

— Quel mélange que ce pays ! observa l'Américain dans l'ascenseur. Et vous-même, vous êtes ?...

— De père turc, de mère allemande, répondit Siegfried tout en introduisant la clef dans la serrure de l'appartement.

— Et vous parlez anglais ! s'écria l'Américain admirant le déconcertant mélange de styles de l'appartement, le salon Queen Anne, les miroirs français et la vaste fresque qui représentait le port de Constantinople.

— Je parle aussi français, allemand et arabe », dit Siegfried.

Ils sortirent sur le balcon. L'Américain avisa une enseigne de l'autre côté de la rue, La Potinière.

« Qu'est-ce que c'est ? Qu'est-ce que ça veut dire ?

— C'est un cinéma. Une potinière est une boîte à ragots. »

L'Américain s'esclaffa.

« Mais est-ce qu'il y a quelque chose d'égyptien au Caire ?

— Sam, vous connaissez l'apophtegme de Rudyard Kipling ? *East is East and West is West and never the twain shall meet ?* »

L'Américain hocha la tête.

« Eh bien, Sam, Kipling s'est trompé. L'Est et l'Ouest se sont fondus dans l'Égypte. »

Ils se mirent à table.

« Sam, vous me ferez un cadeau, voulez-vous ? demanda Siegfried. Je voudrais un gros plan de la bouche d'Akhenaton, rien que la bouche. »

Il ne parvenait pas à oublier cette bouche. On ne fréquentait pas impunément l'art de l'Égypte antique.

3

Sybilla et les magnolias

Ce n'était pas du tout de l'« ouvrage de dames » que la peinture de Nata Lovett Turner, même si elle figurait chaque année aux cimaises du Cairo Women's Club, dans le voisinage d'innombrables huiles, aquarelles et gouaches, essentiellement florales, poinsettias, bougain-villées, flamboyants et autres jacarandas, dont la confection occupait les loisirs des Cairoises cultivées. Non, c'était une peinture grasse et sombre, évoquant, par exemple, Vlaminck. Quand elle peignait des magnolias, par exemple, et c'était justement une composition de trois magnolias qu'observait Sybilla, elle peignait de la chair. L'une des fleurs s'était effeuillée. Les deux qui étaient restées fermes évoquaient des seins, dans la soie pourpre qui embrasait le tableau de ses reflets.

Les salons archaïques du Cairo Women's Club, boi-series chocolat et planchers ternis, étaient peuplés de quatre ou cinq douzaines de visiteurs conviés au vernis-sage des sociétaires. Le public était donc composé de dames, de leurs parentes et amies, assorties d'un délégué du ministère de l'Instruction, de deux ou trois potineuses de presse qui caquetaient en anglais avec un accent absurdement pointu, de quelques messieurs aux allures de boulevardiers du début du siècle, chaussés de guêtres et gantés de daim gris en dépit d'une température plus que clémente. Il y avait là aussi Ismaïl Abou Soun, l'aîné des deux enfants de Tewfick Abou Soun pacha, gouverneur de province et chef du Parti constitutionnel ; Ismaïl était venu là sur les instances pressantes de sa sœur Timmy, Eetemad de son vrai nom, sociétaire et exposante.

Sybilla émergea de la contemplation des magnolias pour aller s'informer auprès de la secrétaire et trésorière du club, Miss Soussou Abd el Messih, du prix du tableau. Chemin faisant, elle croisa Ismaïl, qu'elle ne connaissait pas.

« Vingt-cinq livres, Lady Hammerley », susurra Miss Abd el Messih en se gargarisant des syllabes vocatives. Elle eût vendu, outre son âme et sa vertu poilue, son père, le vénérable Mourad, juge de première instance, sa mère, à laquelle elle devait son teint noiraud, et tout le vétuste mobilier de la familiale Villa Arsinoë d'Héliopolis pour s'appeler Lady Hammerley ou porter un titre approchant, et surtout pour ressembler à Sybilla. Mince, blonde cendrée, les yeux gris, les cheveux au vent, l'Anglaise possédait une élégance désinvolte qu'il eût été périlleux d'imiter. Une simple robe de lin bleu lavande, un manteau de sport gris à grosse martingale, une écharpe de mousseline bleu marine dénouée et surtout une insolente absence de maquillage suffisaient pour camper une silhouette à la fois aristocratique et juvénile. S'y fût-elle risquée que Soussou eût eu l'air échappée d'un désastre.

Miss Abd el Messih observa surtout les chaussures, des *no-nonsense brogues*, talons bas et carrés qui eussent conféré un air godiche à toute autre. Elle rêva que, tout à l'heure, Lady Hammerley s'habillerait pour assister à l'un de ces dîners élégants auxquels, elle, la petite Égyptienne humble et copte rêvait d'être invitée. Et pourquoi, d'ailleurs, ne l'eût-on pas invitée ? Elle appartenait à la bonne société, elle maîtrisait parfaitement l'anglais,

appris chez les Sœurs de la Délivrande et soigneusement
astiqué par la suite, d'abord par la fréquentation assidue
des cinémas anglais, ensuite par celle des spectacles de
l'Ensa. Elle avait ainsi applaudi Donald Wolfit dans *Hamlet*, oui, Wolfit lui-même, elle lisait Forster et Waugh dans
le texte. Elle eût été aux anges qu'on la priât de son opinion sur le théâtre élisabéthain. Qu'on l'interrogeât donc
sur John Ford ! Mais la question ne lui fut évidemment
pas posée. Lady Hammerley, Sybilla donc, répéta le prix
des magnolias, puis rougit sans savoir pourquoi.
Miss Abd el Messih admira aussi cette vivacité du teint
britannique. Il lui eût été difficile de rougir : elle avait un
teint de bois de teck.

« Eh bien, je le prends, dit Sybilla.

— Oh, je suis si contente ! » s'écria Miss Abd el Messih sans expliquer le motif de sa félicité. En réalité, elle
était ravie d'avoir échangé quatre mots avec l'Anglaise
de ses rêves. Elle l'eût mangée crue, elle fût devenue
lesbienne pour elle.

Sybilla retourna examiner ses magnolias, tandis que
Miss Abd el Messih s'affairait à appliquer sur le cadre
la pastille adhésive rouge indiquant que le tableau était
vendu. Elle trouva Ismaïl Abou Soun campé devant le
tableau. Elle sentit son regard l'effleurer ; elle tourna la
tête vers lui et il dit en français, avec un sourire, que
c'était beau. Nonobstant le degré zéro de la banalité, elle
manqua en perdre le souffle. Elle avait, en effet, découvert les yeux d'Ismaïl comme on découvre soudain la
rue du haut d'un échafaudage sans rambardes. Des yeux
d'une couleur inusitée, ambre vert eût-elle dit, brillants
et garnis de cils ourlés, d'une longueur insensée, féminine. Elle détailla aussi le nez droit et vigoureux, les
narines gonflées, l'arc ciselé de la lèvre supérieure et la
pulpe dodue de la lèvre inférieure, fendue au centre. Une
fente qui, de surcroît, faisait écho à une fossette au
menton.

« Je ne connais rien en peinture », ajouta-t-il en français, le regard toujours posé sur Sybilla qui l'affronta

enfin et le sentit descendre sur son décolleté, heureusement modeste. « Mais c'est beau, je ne sais pas pourquoi.

— Alors, vous essayez de vous initier ? s'enquit
Sybilla, également en français.

— J'accompagne ma sœur. Permettez-moi de me
présenter et de vous présenter aussi ma sœur. »

Où donc ces Égyptiens apprenaient-ils un français
aussi correct ? s'interrogea Sybilla.

« Voulez-vous me montrer vos peintures ? demanda
Sybilla à la jeune Timmy, pour faire diversion.

— Ce ne sont que des aquarelles, rien d'aussi
important que les peintures de Mme Turner », répondit
Timmy, confuse.

C'étaient en fait de petites lavasses parfaitement
insipides, mais Sybilla tourna un compliment sur la fraîcheur des tons. Timmy était jolie fille et, de surcroît, bon
genre, mais Dieu savait pourquoi elle gâchait du papier
et des couleurs.

« Il faut que je rentre », dit Sybilla, tout à trac, jetant
sur Ismaïl Abou Soun un regard d'une inexpressivité calculée. Lui n'avait pas détaché le sien, ce qui était mal
élevé. Elle esquissa un sourire et gagna la sortie ; elle y
fut rejointe par Miss Abd el Messih, essoufflée. Le
tableau, faudrait-il, à la fin de l'exposition, le faire livrer
à la résidence ? Ou bien faudrait-il le tenir à disposition ?
Quelle résidence ? se demanda Sybilla. La prenait-on
pour l'épouse de l'ambassadeur ? Elle se retourna en faisant effort pour ne pas jeter un regard sur la salle.

« Non, je passerai moi-même le prendre », répliqua-
t-elle.

Sur le palier, elle se trouva nez à nez avec les deux
Abou Soun, qui s'en allaient aussi.

« Nous permettez-vous de vous raccompagner ? proposa le jeune homme.

— Je vous remercie, j'ai ma voiture. »

Elle le regretta, d'ailleurs, elle regretta même de
l'avoir dit. Elle eût admiré un moment de plus le visage
qui lui rappelait le roi Mykérinos. Mais eût-elle laissé la
voiture en ville que Charles s'en serait étonné.

« Peut-être alors aurons-nous la chance de vous revoir au Guézireh ? suggéra Ismaïl Abou Soun, soudain volubile et, même, avantageux.

— Oui, sans doute », répondit-elle, avec la raideur qui s'imposait, juste assez vague pour rester dans les limites de la décence, mais assez souriante pour ne pas rebuter le jeune homme. Et elle descendit d'un pas mal assuré l'admirable escalier en volute, sans savoir qu'il était l'œuvre d'un architecte italien soudain saisi, au début du siècle, là, en Afrique, par le génie de sa culture ancestrale, un escalier digne d'un *palazzo* de la Renaissance.

Dans la rue, elle consulta sa montre : quatre heures moins le quart, ce qui lui offrait le temps de prendre un thé au club avant de rentrer s'habiller pour le dîner. Elle retrouva sans coup férir le chemin de Guizeh et, parvenue sous les frondaisons de l'une des trois banlieues élégantes de la capitale, engagea la Humber marron, *puce* comme eût dit sa mère, dans l'allée qui menait à l'entrée.

Elle claqua la portière avec lassitude, gravit le perron du secrétariat et feignit de consulter, près du bureau de l'entrée, le tableau des candidatures, des admissions d'office, réservées au corps diplomatique, et des festivités prochaines. Elsie Treeten, la secrétaire, l'observa obliquement. Sybilla se ressaisit et tourna la tête vers elle et fut rassurée de retrouver ce visage de souris couronné de cheveux grisonnants ; Elsie représentait un morceau d'Angleterre, un point d'ancrage dans cette mer de désarroi où elle vaguait. Elle eut envie de la prendre dans ses bras et de pleurer sur son épaule.

« Pardonnez-moi, dit Elsie, mais auriez-vous l'obligeance de rappeler à Sir Charles la réunion du comité demain après-midi ? Je m'y suis prise trop tard et j'ai téléphoné à son bureau, mais on m'a répondu qu'il était absent jusqu'à demain. Or, je ne voudrais pas l'importuner chez lui. »

Sybilla assura que le message serait transmis. Donc, déduisit-elle, elle serait seule jusqu'à l'heure du dîner. Heureusement qu'ils étaient invités en ville, car elle ne se sentait pas capable de supporter un tête-à-tête conjugal. Elle passa au salon de thé et, comme elle souhaitait de la compagnie, elle accepta l'invitation de l'épouse du chargé d'affaires des Pays-Bas.

Des objets de fouilles jonchaient la table, entre la théière et l'assiette de cake, leurs emballages frissonnant dans la brise tiède de l'après-midi.

« Mes emplettes de cet après-midi, expliqua Greta Van Oop. Je suis assez contente du grand oushebti », dit-elle en tendant l'objet à son invitée. Une sculpture de momie miniature recouverte d'émail turquoise et d'hiéroglyphes. Le contact lisse troubla Sybilla.

« Quel beau bleu, commenta Sybilla en reposant l'objet.

— Charles Eid m'en a garanti l'authenticité. Parce qu'il y a des faux étonnants. »

Quelle importance ? pensa Sybilla. Si l'objet est beau, c'est l'essentiel. Au fond, je me contenterais d'un moulage de la statue de Mykérinos. Elle dévora deux *crumpets* d'affilée, se tartina généreusement une tartine de marmelade et but trois tasses de thé.

« Contente de voir quelqu'un qui a faim, remarqua Greta Van Oop.

— J'ai acheté une peinture », dit Sybilla, comme si cela expliquait sa fringale. Puis elle continua de parler pour ne rien dire avant de s'en aviser ; la raison était qu'Ismaïl Abou Soun traversait le salon de thé ; il alla s'asseoir à distance, mais face à elle. L'impudence ! songea Sybilla. À court de banalités, elle prit congé de la Hollandaise et décida de rentrer.

Elle trouva, dans la chaleur de l'après-midi, Ismaïl qui la devançait vers la voiture, garée sous les faux acacias. Elle suspendit son pas, puis décida d'être brave. Il ouvrit la portière pour elle, elle le considéra avec surprise et même, frayeur, puis s'assit, ferma la portière et tira le bouton du contact. Le moteur poussa un hennissement discret avant de ronronner. Le jeune homme s'était voûté pour s'appuyer à la portière et lui parler.

« *Hullo* », dit-il.

Menacée de panique, elle ne répondit pas. Les vibrations du moteur lui semblèrent se communiquer à son corps. Le regard du jeune homme lui chauffait la joue.

« Je voulais vous parler, dit-il.

— Eh bien, c'est fait, répliqua-t-elle en le dévisageant : pas trace de doute, mais l'assurance du désir et de la séduction.

— Je peux vous inviter chez moi ?

— *You're raving mad ! I hardly know you, Sir !* rétorqua-t-elle entre ses dents tout en engageant la première vitesse.

— J'habite juste de l'autre côté du champ de courses », ajouta-t-il, mais elle était déjà à plusieurs mètres de lui et se dirigeait vers l'allée, la seconde enclenchée. Si quelqu'un les avait vus !

Les Hammerley habitaient un faux chalet suisse à brève distance du club. Charles arrosait les hortensias. « Le sentiment de la nature chez l'Anglais en exil », songea-t-elle. La chamade au cœur, elle rentra la voiture au garage. Le chien Oliver jappa. Elle inspira profondément et marcha vers son mari.

« Passé une bonne journée ? » demanda-t-elle, escortée par l'épagneul, dont l'agitation bondissante lui offrait une contenance. Mais un regard sur le visage de Charles l'informa qu'en dépit de son apparente placidité, il était contrarié.

« Le jardinier a oublié d'arroser ?

— Le temps était plus chaud que d'habitude et j'ai trouvé la terre trop sèche, déclara Charles, en enroulant le tuyau. Et j'ai mal calculé l'emplacement des hortensias. Le soleil tombe droit dessus vers trois heures. »

Elle monta à l'étage. Athina, la femme de chambre, l'aida à se défaire de son manteau, s'en empara, le brossa, l'examina et alla le pendre dans un placard. Sybilla se déchaussa, puis enleva sa robe, dont la femme de chambre s'empara aussi pour la placer sur un cintre. Enfin, elle enfila un déshabillé. Charles toqua à la porte.

« Athina, je vais dormir une heure, dit-elle en nouant

la ceinture de son déshabillé, mais c'était à l'intention de Charles.

— Où est le carton d'invitation ? s'enquit Charles.

— Sur le secrétaire comme d'habitude, je suppose.

— Est-ce qu'ils ont dit "cravate noire" ou "tenue de ville" ?

— Cravate noire, répondit-elle en s'allongeant et en se saisissant de l'*Egyptian Gazette*.

— Fatiguée ?

— Un rien de migraine.

— Je te laisse te reposer. »

Elle trouva bizarre le comportement de son mari. Les cartons d'invitation étaient par principe sur le secrétaire. Charles cherchait donc un prétexte de conversation ; il était troublé et cela signifiait qu'il avait un souci. Elle aussi. Elle tenta de s'intéresser aux nouvelles, puis alla droit à la bande dessinée de Beatrix Potter, Winnie the Bear. La vie avait jadis été simple. Elle ferma les yeux et s'endormit d'un coup sur le souvenir du visage d'Ismaïl Abou Soun.

Elle fut réveillée par Athina, qui voulait savoir si elle devait faire couler le bain. Elle se leva, l'esprit absorbé par le souvenir d'un collier de pierres-de-lune qu'elle n'avait pas porté depuis longtemps. Elle le chercha dans les tiroirs de son chiffonnier et tomba sur un calepin oublié, à la reliure de carton brun, rudimentaire journal intime dans lequel elle avait inscrit les mots suivants à la date du 2 décembre 1949 : « *Chapter closed, thank God.* » C'était l'épitaphe de sa vie sexuelle, après sa rupture avec Lesley. Cela faisait donc deux ans et quatre mois qu'elle n'avait pas fait l'amour, si l'on exceptait deux séances, comment les appeler autrement ? avec son mari. Au terme de ces efforts, ils étaient convenus, elle et lui, de ne pas recommencer, sauf à éprouver une pulsion irrésistible. Or, il était douteux que ce pauvre Charles inspirât un sentiment de cet ordre, et il devenait de plus en plus improbable qu'elle lui en valût un. En dépit des premiers émois apparents de leur mariage, force était de conclure que Charles était impuissant ou plus probablement pédéraste. « On ne dit pas "pédéraste", Sy, on dit quelque chose comme "homosexuel", *queer* ou *bimetallist*. Les pédérastes sont ceux qui courent après les enfants, à la rigueur les adolescents. Or, je ne crois pas que ce soit le cas de Charles », lui avait dit jadis son cousin Lesley en ajustant ses fixe-chaussettes tandis qu'elle paressait nue sur le lit. Deux ans et quatre mois, la veille de son départ pour l'Égypte.

L'homosexualité ne la scandalisait pas ; elle l'ennuyait ; ces gens étaient comme une secte interdite aux femmes. Et quelle était donc leur activité, grand ciel ? Se livrer à des parodies amoureuses en minaudant ! L'image de Charles roulant des yeux de merlan frit devant un godelureau la fit glousser. Elle évoqua le visage de Lesley, doux et fin, mais un peu fade, à moins qu'il ne fût affadi par le souvenir. Rien qui pût se comparer à... Elle retrouva le collier, soupira en caressant les pierres bleutées. « Ça ne peut pas continuer comme ça », se dit-elle, quand Athina annonça que le bain était prêt.

« Athina, sortez ma robe du soir bleu pâle et les escarpins assortis. »

Elle se laissa glisser dans la baignoire et perçut le crépitement de la douche à l'étage. Elle tendit la main vers le flacon de sels de lavande, dont elle versa une généreuse portion dans l'eau. « Lady Hammerley a besoin d'un amant », songea-t-elle, ce qui la fit rire. Elle se savonna, se rinça et se sécha, enfila son peignoir et s'assit devant la coiffeuse.

« Madame est belle comme le printemps, dit Athina en mauvais anglais, avec un bon sourire qui montrait ses dents gâtées.

— Merci, Athina. » C'était vrai, elle se trouva un éclat particulier. Elle insista sur le mascara.

Au volant, Charles bougonna. « Un dîner ridicule de plus ! J'avais envie de rester à la maison, de lire et de me coucher tôt. Et il faut aller faire de la figuration chez ces parvenus dérisoires. Et les entendre parler de leurs branches aînées et de leurs branches cadettes, comme si c'étaient les Marlborough ou les Buccleugh !

— Cessez d'être grincheux, Charles. Le claret chez eux est très bon et ils nous inviteront sans doute cet été dans leur villa d'Agami. La maison est un rêve, convenez-en.

— Vous êtes de bonne humeur, je vois.

— J'ai acheté un tableau.

— Un tableau ! s'écria Charles. Le peintre est-il beau ?

— C'est une femme que je n'ai jamais vue, Nata Lovett-Turner. Vingt-cinq livres.

— Vous avez souffert d'un égarement.

— Pas du tout. On peut s'intéresser aux beaux-arts sans souffrir d'égarement, répondit-elle en riant. On peut aussi avoir besoin de beauté. »

Il coula vers elle un clin d'œil oblique.

« Qu'est-ce que représente votre tableau ? Une scène de bazar, je suppose.

— Pas du tout. Des magnolias.

— Magnolias, hein ? murmura Charles distraitement. – Il avait décidément l'esprit ailleurs. – De quoi va-t-on parler à ce dîner ?

— Du bal de la princesse, je suppose.

— Le bal, oui, hein. Quand on pense qu'en Angleterre ils en sont toujours à faire la cour aux Américains pour avoir du chocolat...

— Remerciez le Seigneur d'être en poste au Caire et de manger à satiété des choses exquises.

— Dans quoi ont-ils fait fortune, ces Pamphilopoulos ? Après tout, c'est à vous que je dois d'être invité et vous les connaissez mieux que moi.

— Dans la caque et le hareng, jadis, comme tout le monde ici, et maintenant, dans le bois et le coton. »

Elle n'osa pas ajouter que Byron Pamphilopoulos avait aussi gagné beaucoup d'argent pendant la guerre en fabriquant des cercueils pour les cadavres de soldats des armées alliées, parce que cela aurait excité le chau-

vinisme de Charles et l'aurait lancé dans des discours
assommants.

« Byron Pamphilopoulos ! marmonna Charles en
garant la voiture. Pourquoi pas Shelley ? Ou Wordsworth ? Shelley Pamphilopoulos vous présente son fils
Wordsworth ! »

Elle pouffa et lui rappela que les Grecs vénéraient
Byron et pas Shelley. « Bref, se dit-elle, nous sommes
devenus tout à fait des camarades. L'ennui est que je
m'ennuie. » Mais ils arrivèrent chez leurs hôtes d'excel-
lente humeur. Des cris d'enthousiasme les accueillirent,
indiquant qu'ils étaient les vedettes de la soirée. Sans
doute un photographe viendrait-il pour immortaliser sur
la gélatine le passage de Sir Charles et Lady Hammerley
dans la demeure.

Celle-ci était au goût du jour de la société européenne d'Égypte, que dictait un décorateur français en
renom : du faux Louis XV laqué ivoire, des murs blanc
cassé et des Chine de bazar. Sur les murs, des tableaux
déguisés en toiles de maître, une copie de Canaletto, un
Renoir douteux, une scène de genre hollandaise et
ennuyeuse. Heureusement pour Sybilla, cette peste de
Chester Lamotte comptait parmi les invités.

Petit jeune homme à la mèche rebelle, attaché au
British Council, Chester avait acquis une certaine notoriété dans les milieux anglophones du royaume égyptien
par un essai sur les dandies d'Oxford au siècle précédent, les Macaronis. Il présentait pour Sybilla l'intérêt de
ne pas la forcer à parler une autre langue que l'anglais,
et il déversait dans un débit précipité une pleine besace
de ragots et d'impertinences. Sans égard pour le maître
de céans, il ouvrit le feu de ses drôleries avec l'histoire
d'un prêtre grec-orthodoxe un peu illettré qui admirait
le petit bout de ruban pourpre arboré au revers par certains militaires, mais dont il ignorait la signification. Un
jour, cet ecclésiastique passe devant le tailleur militaire
Managos – « C'est là que je fais couper mes culottes de
cheval », interrompit Pamphilopoulos – et avise dans la
vitrine, parmi toute une panoplie de décorations des

Forces alliées, le fameux ruban pourpre. Il entre et en achète une longueur que le tailleur, très empressé, propose de lui coudre sur-le-champ à la soutane. Le prêtre, ravi, accepte, paie et sort. Les militaires qui le croisent lui font le salut militaire. « Ils sont charmants », se dit le prêtre. Un officier l'arrête respectueusement dans la rue et lui demande où il a obtenu sa distinction. « Managos », répond le prêtre, qui est arrêté illico pour port illégal de la décoration militaire du Purple Heart.

Charles éclata de rire, Sybilla sourit avec gêne, les Pamphilopoulos s'efforcèrent de trouver l'histoire drôle. L'attaché culturel français rit aussi. On passa à table. On parla évidemment du bal. Charles et Sybilla partirent raisonnablement tôt. Le claret porta rapidement Sybilla au sommeil.

4

Tango

Me da pena a confesarlo, sin poderlo remediar...
Tango, né dans les venelles de Buenos Aires sous les
doigts d'un accordéoniste frotté d'Orient et clamant le
ratage de tout amour. Assis à sa table de travail, devant
la fenêtre qui donnait sur la rue Soliman Pacha, Siegfried
Alp dessinait le troisième projet de décoration pour le
nouvel appartement des Manfalounian, tout en écoutant
Carlos Gardel sur son gramophone. « *Cancion maleva,
cancion de Buenos Aires, nacida en el suburbio, fu reina en
todo el mundo* », chantonna-t-il, d'humeur sombre. Quel
musicien lassé d'escales dans des chairs livides aux parfums rances, quel malfrat à la *frente marcita*, repu de
spasmes exacerbés par l'alcool, inventa donc la grammaire et le rythme quasi mécanique de ce monologue
douloureux, de ce lamento des frustrations, de ce can-
tique hoquetant de la nostalgie !

Pourquoi était-il d'humeur sombre ? Parce qu'il lui
manquait un grand amour, une passion capable d'absorber et renouveler les sucs menacés de tourner au sur
dans son corps maigre. Il ne savait pas la forme que cet
amour prendrait, mâle ou femelle, incube ou succube,

pourvu qu'elle lui flattât le sexe. Or, à flatter le sexe dans cette ville où l'amour entre Blancs était plus réglementé qu'entre les renards du désert, 14 mars-15 juin, il n'y avait que les gigolos à trente piastres de la Corniche. Il se leva pour changer le disque et, comme il était seul dans l'appartement, sa mère bridgeant au club – il la voyait d'ici, finaudant avec son regard bleu brouillard –, il poussa une gueulante, *Caminito que el tiempo, ha burrado, que junto un dia nos viste pasar...* Miracle de l'universalité, dans les deux hémisphères, toute âme déchirée par le sexe habite Buenos Aires et les *barrios* célébrés par Gardel lui sont aussi familiers que sa propre rue.

« J'irai à Buenos Aires », murmura-t-il sans trop de conviction, se disant aussitôt que Buenos Aires devait ressembler au Caire comme deux gouttes d'eau. Non, Londres. Ou Paris. New York, New York en tout cas, mais c'était loin et cher. Il soupira et commença à gouacher son projet, le plus cher des trois, parce qu'il comportait des boiseries à moulures sculptées. Les Manfalounian, anglais naturalisés arméniens comme disait Chester Lamotte, s'extasieraient, mais pousseraient des cris affreux quand il leur en indiquerait le prix. *Viejo barrio del mio sueno... sospirando por tigo...* Et le pas, le pas ! Un paso-doble toxique ! Duel de corps vaincus d'avance par le destin qui chauffait leurs veines, et le sachant, provoquant le monde de leur infamie désespérée !

« Vous savez qu'à l'origine le tango était une danse de voyous et qui se dansait entre hommes, *pero sin tocar* », lui avait révélé Chico Carabantes, l'ambassadeur du Chili, d'un ton farci d'admonestations. Même affadi par l'Europe et les mièvreries de Tino Rossi, « C'est à Capri que je l'ai rencontrée, parmi les fleurs du jardin fraîches écloses », on reconnaît l'essence du tango à cette scansion qui hache le discours le plus niais comme le plus ardent pour le transformer en stances de malédiction ! Je ne t'aime pas, j'aime l'orgasme qui me forcera à t'aimer ! J'aime le dégoût qui sera ma drogue et j'aime jusqu'à la déception que tu me causes, parce que, lorsque je souffre, je vis doublement ! Car toi, tu n'existes que par mon illusion ! *Es un' fantasma que crea l'illusion... Mentira, mentira !*

L'aiguille cylindrique et nickelée vissée au bout de la tête du phono His Master's Voice, pareille à une seringue qui aspirait la flaque noire du disque, continua de diffuser les sanglots de Gardel dans la maison froide, comme elle les avait diffusés hier en crachotant sur la terrasse du club, à l'intention des danseurs qui savaient bien le sens de cette musique, mais feignaient de l'ignorer, pareils à ces dévotes qui hochent la tête pendant les vêpres, sans savoir ce que sont les vêpres ni comprendre les paroles du prêtre ! Ils dansent cette parodie de l'amour, troubles sans en savoir la cause, tandis que la nuit envahit l'espace de ses végétations louches et chuchote ses suggestions luxurieuses.

Siegfried alla téléphoner à Chester, qui l'invita à le rejoindre chez lui pour prendre un verre. Après quoi, annonça Chester, ils iraient dîner au Khan Khalil en compagnie de deux ou trois amis et poursuivraient des recherches crapuleuses. « Crapuleuses », disait Chester en français.

Siegfried rinça les pinceaux et décida qu'il terminerait le projet le lendemain, mais pas plus tard, parce qu'il avait besoin d'argent. Beaucoup d'argent. Puis il se fit couler un bain en chantonnant *La Cumparsita* et caressa la vision scandaleuse d'un tango au Khan Khalil avec un de ces gaillards aux yeux de miel sombre qu'on y voyait. Il éprouvait intensément le sentiment de sa frivolité et s'en enivrait. Que pouvait-on rechercher d'autre que l'ivresse ?

Ainsi en fut-il.

La soirée fut somme toute charmante, jusqu'à un certain point tout au moins : suivant ses comparses dans les ruelles du Khan Khalil, longeant les boutiques qui vendaient des bijoux d'or ou de cuivre, on ne savait jamais, des soieries, des antiquités vraies et fausses, Siegfried buta dans un sac d'épices devant une boutique obscure. Un sac de curcuma, qui plus est, épice qu'il détestait. Une fine poussière jaune poudra ses chaussures fraîchement cirées. Il sortit avec agacement un mouchoir pour s'épousseter quand il aperçut au fond de la boutique un regard qui l'immobilisa. Celui d'un petit homme chauve et rond qu'il lui semblait connaître. Et l'homme le regarda aussi, le visage empreint d'une trace de sourire brouillée par la pénombre. Alexandre! Alexandre Portilacqua! Son grand-oncle, le frère de Catherine. Que faisait-il donc là, grand ciel? Siegfried se redressa et fit un pas à l'intérieur de la boutique. Pas de doute, c'était bien Alexandre Portilacqua, l'alchimiste, la bête noire de la famille. Siegfried s'avisa alors que peut-être son grand-oncle n'était-il qu'à moitié content de le voir. Mais il était trop tard pour faire marche arrière.

Siegfried avait interrompu une conversation entre Alexandre Portilacqua et le boutiquier.

« Mon petit-neveu », expliqua Portilacqua au boutiquier sourcilleux, petit homme chafouin en djellaba, le visage masqué par une moustache en guidon de vélo. Et le boutiquier se rasséréna. Mais, pendant cette présentation, Portilacqua avait prestement dissimulé un objet qu'il tenait en main. Pas assez vite pourtant pour que Siegfried n'eût eu le temps de l'apercevoir : une pierre noirâtre. Pourquoi dissimulait-il donc cela ?

« Mais que tiens-tu donc en main ? » s'enquit Siegfried avec effronterie.

Alexandre Portilacqua parut gêné. Il leva la main à regret et ouvrit le poing fermé pour révéler dans sa paume dodue la pierre noire. Le boutiquier parut soudain aux aguets.

« Qu'est-ce que c'est ? »

Alexandre Portilacqua tourna vers Siegfried un regard cendré où scintillait l'indicible.

« Qu'est-ce que c'est ? »

Portilacqua ne répondait toujours pas et soudain Siegfried comprit.

« C'est cela ? » dit-il en tendant la main vers la pierre, tandis que le boutiquier se raidissait.

Portilaqua hocha la tête.

« C'est donc cela ? C'est avec cela qu'on… »

C'était la pierre philosophale. C'était pour cela qu'Alexandre Portilacqua se ruinait. Il se ruinait pour de l'or.

Chester Lamotte et les autres attendaient devant la boutique en jasant.

« Je dois m'en aller, dit Siegfried.

— Tu ne diras rien, n'est-ce pas ? » demanda Portilacqua d'un ton suppliant.

Siegfried secoua la tête. En un instant, il fut saisi par le mystère de ses origines et l'incongruité de sa propre présence dans le lieu. Il se trouva scandalisé par un aspect de son identité qu'il n'avait qu'effleuré jusqu'alors : le petit-neveu d'un alchimiste vénitien égaré dans un souk d'Orient et marchandant un morceau de pierre philosophale.

« Quelle folie ! Mais qu'est-ce que je fais là ! » songea-t-il en quittant la boutique. Mais il eut aussi conscience que ces protestations n'étaient guère à la hauteur du mystère. Au siècle dernier un marchand vénitien avait établi des comptoirs en Orient, puis l'une de ses filles avait épousé un Prussien dans les bagages du Kaiser, venu renauder dans les parages pour embêter les Anglais, et une génération plus tard était né un garçon nommé Siegfried Alp. Il n'existait qu'en raison du caprice des nations et du commerce. Il en fut saisi.

Quand la bande de godelureaux se fut assise sur les banquettes basses du restaurant El Hâti pour déguster des rakis et des brochettes d'agneau, Siegfried mit un long moment à reprendre ses esprits. Mais, enfin, la frivolité de ses compagnons dissipa sa gravité.

5

Nadia, jasmin et mensonges

« Dimanche ? Oui, c'est une bonne idée, on s'ennuie
le dimanche... Il fera bon au désert », dit au téléphone
Souki Marrani en s'éventant avec un journal. Il était en
caleçons et pieds nus, et son abdomen débordait au-dessus de la ceinture. « Combien serons-nous ? Y aura-t-il
assez de voitures pour emmener tout le monde ? Je viendrai donc avec toi... Nadia ? » Un petit rire gras accompagna cette question consistant en un seul prénom.
« C'est une jeune fille, tu vois ce que je veux dire... Sentimentale, ah oui, c'est le moins qu'on puisse dire ! Enfin,
ne te fais pas trop d'illusions... Un auteur surréaliste ?
Pourquoi faire ? Un cadeau ? Mais je ne suis pas sûr que
tu trouves ça dans les librairies... Écoute, il me semble
évident que tu devrais lui offrir *Nadja*. Nadja, oui, pas
Nadia, mais ça se prononce presque de la même façon...
à la russe... Non, on ne peut pas dire que ce soit
cochon... C'est un poème en prose... Si tu ne trouves
pas *Nadja*, laisse-moi penser, offre-lui des poésies
d'Éluard. Éluard, é-l-u-a-r-d, Paul Éluard... Mais mon
vieux, elle est plus instruite que toi ! Si elle te le
demande, tu lui répondras que c'est une discipline...

Oui, on dit comme ça, une discipline. Écoute bien, le surréalisme est une discipline qui prône la libération révolutionnaire de l'inconscient... Essaie de t'en tenir à ça. À la Parisiana ? Bon, d'accord. À tout à l'heure. »

Souki Marrani n'avait pas d'idée précise du surréalisme, ni du trotskisme et encore moins des rapports qui pouvaient les unir, du moins dans l'esprit d'André Breton. Il en nourrissait même des idées approximatives, ce qui est pire que pas d'idées du tout, mais enfin, il s'en piquait, croyant ainsi mériter la fréquentation de Louis Hanafi. Ce dernier était un écrivain égyptien de langue française, respecté des milieux intellectuels égyptiens autant que francophones pour avoir publié la première traduction arabe des écrits de Trotski. Faute de toute autre distinction, sociale, physique ou professionnelle, Marrani, marchand de lainages en gros, veillait jalousement à se concilier les bonnes grâces de Hanafi et de son complice, Loutfi el Istambouli, classé par la police secrète comme « révolutionnaire arabe nationaliste et communiste ». Comme tous les vrais révolutionnaires, El Istambouli et Hanafi parlaient peu de révolution en public, jugeant le sujet trop grave pour être exposé à des cervelles frivoles, mais Marrani le faisait pour eux, s'attirant ainsi leur mépris silencieux. L'un et l'autre le toléraient néanmoins parce qu'il était l'âme damnée de l'épouse de Hanafi, Fatma el Entezami, mais ils feignaient de ne s'adresser à lui que pour évoquer des sujets graveleux. Il était, en effet, notoire que Souki fascinait Fatma el Entezami, sauteuse aristocratique et repentie, par des confidences indécentes sur des aventures vraies ou supposées, mais toujours passablement bestiales ou ridicules.

Marchand de lainages, mais frotté donc d'idées, Souki parvenait à l'occasion à publier un article dans la presse locale, « Présence de Valéry », par exemple, ou bien frais étourdi par une conférence de Louis Massignon sur les mystiques musulmans du Xe siècle, il produisait un hachis gras de citations intitulé « Splendeur du soufisme ». Son principal, mais virtuel crédit était une disposition chevaleresque. Il avait ainsi, assurait-on, sauvé l'honneur d'une femme mariée en allant dérober des lettres compromettantes chez un amant indiscret.

Son trait le plus évident était un manque de réserve. Comme on disait au Caire, il « circulait », ce qui signifiait qu'il voyait beaucoup de gens, indigènes ou étrangers, qu'il étourdissait de sa faconde salivante, sans s'aviser du dédain latent que, dans leurs regards voilés, lui témoignaient des gens moins besogneux. « S'il persuadait le Diable de lui acheter son âme, avait murmuré l'écrivain exilé Jean de Souppens, celui-ci, je le crains, ne pourrait en faire que de la sellerie. »

Pressé par le besoin presque touchant de reconnaissance sociale, Souki évoquait ces chiens bâtards qui aboient de gratitude entêtée dans les réunions de famille de leurs maîtres. Pour lui, c'étaient les réunions hebdomadaires des Amitiés françaises et de l'Alliance française, associations défenderesses du bon ton intellectuel et parisien. Là encore, il tentait de s'y imposer par un verbe haut, dévidant des insolences mouchetées, des ragots émasculés, des sous-entendus cousus de fil blanc, des perfidies persillées. Les ragoteuses de la presse locale, *La Bourse égyptienne, Le Progrès égyptien, Le Journal d'Égypte, Le Journal d'Alexandrie* et surtout *Images,* hebdomadaire illustré de photos mondaines, croyaient tenir en lui un Saint-Simon trop paresseux pour s'atteler à une tâche majeure ; elles lui suçaient donc la langue, ignorant qu'elles courtisaient un personnage protoplasmique, rongé d'ambition et de dépit sexuel. L'un de ceux qui tenaient Souki pour un intellectuel était Aldo Colestazzi.

Bel homme après avoir été joli garçon, Colestazzi, juif maltais, menait une vie de Lovelace provincial, dont le lieu de chasse principal était le Tewfikieh Tennis Club, le Guézireh lui étant fermé parce que le conseil des membres n'admettait pas les fabricants de limonade. Il avait aussi ses habitudes au Cercle de la jeunesse orientale, vaste ensemble de salles de jeu, de pistes de danse et de restaurants, où les gens de la « colonie » syro-liba-

naise, mais aussi grecque, italienne, maltaise, bref levantine, allaient danser et jouer au poker en sirotant des
rakis ou du whisky, chacun épiant l'état social, financier,
conjugal et médical des autres. Il conduisait une Plymouth décapotable bleu pétrole, s'efforçant de laisser
voler une mèche rebelle. Ses amis lui trouvaient un air
d'acteur de cinéma, sans savoir lequel au juste. Il le
cultivait.

Donc, Colestazzi avait aperçu au Cercle de la jeunesse orientale Nadia Abd el Messih, la propre sœur de
la trésorière du Cairo Women's Club et il s'en était
entiché. Il n'avait pu l'approcher : elle était accompa-
gnée de trois chaperons sourcilleux. Il en conçut de la
frustration.

Sentiment compréhensible : la nature avait concédé
à Nadia ce qu'elle avait refusé à Soussou : la grâce et
l'éclat. En plus d'un visage à l'ovale allongé, « préraphaé-
lite » assuraient les anglomanes, et d'un corps mince,
dont une démarche indolente révélait la souplesse, elle
dégageait une fraîcheur de rose ambrée. Les partis ne
lui avaient guère fait défaut, mais Nadia témoignait d'une
indifférence obstinée aux convenances et à l'avantage
d'un soupirant fortuné : ceux qu'avaient agréés sa
famille, en raison de leurs patrimoines et de leur statut
social, souffraient de physiques rebutants et de personnalités terreuses ; or, Nadia rêvait d'un amour, et l'idée
qu'elle s'était forgée devait autant à ses lectures, *Jane
Eyre* ou *Barchester Towers*, qu'au cinéma.

L'affaire, en tout cas, n'était pas urgente, car il eût
été hors de propos que la cadette se mariât avant l'aînée. Et le fait était que Soussou semblait destinée à
demeurer vieille fille.

À vingt-deux ans, et comme tant d'Égyptiennes,
Nadia n'avait connu de l'amour physique que les
caresses, fort discrètes, ébauches d'ébauches, et
quelques baisers d'un cousin délicat, depuis lors entré
dans les ordres. L'obstination sentimentale en était seule
cause, car certaines descriptions érotiques rencontrées
dans ses lectures l'avaient fort agitée. Ayant ainsi poussé

l'audace jusqu'à lire *L'Amant de Lady Chatterley* à force d'en entendre parler, elle en avait piqué un fard soutenu et ses réactions physiques, d'un type jusqu'alors inconnu, l'avaient jetée dans le désarroi. « Bestial ! » s'était-elle écriée, effrayée par le réalisme des images et l'intensité de la sensualité et, plus encore, par le pouvoir des mots.

Son charme autant qu'une culture de bon aloi et une vivacité espiègle lui avaient valu d'être accueillie avec chaleur par les milieux lettrés – « non, alphabétisés », corrigeait Hanafi – de la capitale égyptienne. Elle avait ainsi rencontré Louis Hanafi, justement. Lui et Fatma el Entezami l'avaient un soir invitée au cinéma, en compagnie de familiers, dont Souki Marrani. Le Saint-James était un de ces ciné-jardins nombreux au Caire et dans sa banlieue, où l'on grignotait des pains au sésame en suivant aventures et mésaventures de héros anglo-saxons ou de beautés italiennes persécutées par le destin, *La Monaca di Monza* ou *La Prigioniera*.

Ce fut de la sorte qu'Aldo Colestazzi, qui avait un soir assisté au même film, *Il Marchese di Roccatagliata*, la revit et, ayant prié Souki de la lui présenter, s'en était décidément épris. Un marchand de colliers de jasmin bourdonna autour du groupe qui s'attardait sur le trottoir, agitant ces guirlandes odorantes qui finissaient généralement dans les placards à linge et les tiroirs des chiffonniers lorsqu'ils avaient quitté les cous des femmes ; ils exhalaient alors leurs huiles dans l'obscurité, jusqu'à ce qu'ils fussent réduits à l'état de miettes brunes saupoudrant les petites culottes, les soutiens-gorge et les mouchoirs. Colestazzi en acheta une brassée qu'il distribua aux trois femmes du groupe, Fatma el Entezami, Natacha Starivetski et Nadia. Cette munificence lui valut un regard étonné de Nadia, encore plus étonné quand elle s'avisa que l'œil sombre du Maltais la dévorait. Elle admira la crinière artistement gominée, le nez de conquistador et les méplats énergiques du galant, ainsi que la bouche, d'un rouge indécent pour un homme, que rendaient encore plus rouge les dents éclatantes. « Othello », songea-t-elle. Mais il était trop âgé pour elle et, de toute façon, il n'était question de rien, sinon que le cœur de Nadia battît la chamade.

« Bon, on va dîner ? » déclara Colestazzi de sa voix de basse et sur un ton de défi, comme s'il avait proposé un raid sur un campement ennemi.

Fatma el Entezami, émoustillée par le soupçon d'une passion naissante, demanda où. Louis Hanafi oscilla sur ses longues jambes, le regard brumeux derrière ses verres teintés, car la nourriture lui semblait indifférente.

« En face », suggéra Souki.

Il désigna la brasserie La Parisiana. Nadia feignit de prendre congé et la compagnie se récria.

« Il faut que je rentre avant minuit, murmura-t-elle.

— La perle de nos yeux nous abandonne ! se lamenta Colestazzi.

— Eh bien, ce sera minuit cinq ! » s'écria Souki.

Les yeux de Colestazzi lui chauffaient la peau : Nadia se laissa convaincre. Elle avait accepté le jasmin, elle s'estima prisonnière. Tandis qu'ils traversaient la rue Elfi Bey, les hommes en tête, elle analysa la prestance de Colestazzi, le costume prince-de-galles qui mettait en valeur de larges épaules et, quand ils furent assis, elle apprécia plus à loisir la teinte rare de la chemise, un bois-de-rose relevé par une cravate de tricot aubergine. Il avait donc du goût. Elle attarda son regard sur les grandes mains aux doigts carrés, puis remonta discrètement vers les plis réfléchis du front et ce poil luisant du carnassier bien nourri. Colestazzi cherchait son regard ; elle s'effaroucha et fut sauvée par les attentions prétendument maternelles de Fatma el Entezami à son égard et l'arrivée de la salade de cervelas.

La conversation démarra, chauffée par l'alcool, de la bière pour tout le monde, mais du vin pour Fatma el Entezami, qui versait incongrûment des glaçons dans son verre. À mi-chemin du repas, Colestazzi proposa de tromper la chaleur de l'été par une soirée au désert, le dimanche suivant.

« Merveilleuse idée ! clama Fatma el Entezami, avec cette emphase qu'elle mettait dans le moindre propos.

— Surtout qu'on s'ennuie le dimanche, observa Natacha Starivetski.

— C'est vrai que s'ennuyer au désert est plus divertissant », dit Hanafi de sa voix étouffée.

Tout le monde rit.

« On ne s'ennuiera pas, protesta Colestazzi, je ferai danser une pyrrhique.

— Par des Arabes ? demanda Hanafi, feignant la surprise de ses yeux myopes.

— Une danse des bâtons, quoi, remarqua Colestazzi.

— Une arabique, alors, dit Souki.

— Oui, oui, une fête ! clama Fatma el Entezami.

— Nous serons une vingtaine, dit Colestazzi. Agneau grillé et frites ?

— Et une bastonnade pour tout le monde, murmura Hanafi.

— Louis ! protesta Fatma el Entezami.

— Tous les présents sont invités, clama encore Colestazzi.

— Dimanche, je ne crois pas que je pourrai, dit Nadia. Nous dînons en famille.

— J'obtiendrai la permission de votre père ! » s'écria Fatma el Entezami.

Colestazzi paya l'addition en dépit des protestations de Hanafi. Souki déclara qu'il était grand temps de se faire entretenir par le capital, puisque Colestazzi était propriétaire de quatre immeubles de six étages chacun, rue Emad el Dine, tout semblables à ces monstres haussmanniens qu'on appelait « les immeubles du Khédive », et Fatma el Entezami le traita théâtralement de parasite. À quoi Souki répondit qu'elle était elle-même la fille d'un parasite enrichi et ils feignirent de se chamailler ou peut-être se chamaillèrent pour de vrai. Nadia regarda sa montre, il était temps de courir au dernier métro qui la ramènerait à Héliopolis. Ils se levèrent pour l'accompagner et agitèrent les bras quand le wagon démarra, comme s'ils accompagnaient Anna Karénine au train.

« Vous êtes fou d'amour pour elle ! déclara Fatma el Entezami à Colestazzi. Je vous ai vu à table ! Vous étiez un Roméo de vingt ans !

— C'est-à-dire Roméo cinq ans plus tard, observa Louis Hanafi.

— Louis ! protesta sa femme.

— Elle est charmante, n'est-ce pas ? susurra hypocritement Colestazzi.

— Mais je vous interdis de lui faire du mal, Colestazzi ! Vous m'entendez ? Je vous ferai fouetter par mes domestiques si vous la faites souffrir !

— Il faudrait d'abord trouver un fouet, murmura Louis Hanafi.

— Mon Dieu, qu'allez-vous chercher là ! répondit Colestazzi. Qui parle de lui faire du mal ?

— Je vous connais, Aldo, vous êtes un séducteur !

— Un faucon maltais », murmura encore Hanafi.

Natacha Starivetski pouffa.

« Louis, tu es insupportable ! protesta Fatma el Entezami. Tu ne respectes rien !

— Bon, on rentre ? » dit Hanafi.

Ils se séparèrent dans de grands gestes parfumés de jasmin.

Le dimanche au désert vint donc. Nadia se rendit à l'invitation dans la voiture de Hanafi, que conduisait Fatma el Entezami, avec la lenteur, les approximations et les foucades des femmes myopes. Une dizaine d'autos étaient déjà garées près d'une vaste tente dressée dans les dunes, à brève distance de la pyramide à degrés de Sakkara. Une petite escouade de Bédouins les accueillit dans la brise qui s'élançait par-dessus les sables, tandis que le ciel, enfin sans limites, chavirait de l'indigo au noir avec cette soudaineté caractéristique de l'Afrique.

Dans ce décor grandiose, la tente parut dérisoire en dépit de ses vastes dimensions. Meublée de divans bas, de coussins, de tapis et de plateaux de cuivre posés sur des tréteaux à six volets, elle était déjà occupée par deux douzaines d'invités. Colestazzi avait adroitement mêlé les genres, hauts fonctionnaires égyptiens, journalistes de langue anglaise, arabe, française, avocats et femmes du petit monde qui se haussaient du col, mais ce n'était certes pas là le monde des Pamphilopoulos, plutôt des bourgeois qui se targuaient de n'être pas des prétentieux. Sur un phonographe à manivelle, un soixante-dix-huit tours dévidait un fox-trot.

Cambré comme un conquistador, Colestazzi salua les arrivants d'une voix sonore. Son regard fila au plus près en direction de Nadia et, quand il lui prit la main pour y porter ses lèvres, il ne la lui rendit pas, mais la retourna et déposa un baiser dans la paume. Elle frémit sous cet hommage presque sexuel, retira ses doigts et détourna le regard avec un petit rire confus.

Les serviteurs ou *souffraguin*, le masque impersonnel, vêtus de caftans de soie rayée, largement échancrés sur des gilets brodés, et tous uniformément ceinturés d'une large bande de damas ponceau qui faisait valoir leur taille, évoluaient entre les groupes, des plateaux de verres sur leurs doigts en nénuphars. Colestazzi appela le plus proche et demanda à Nadia ce qu'elle souhaitait boire. « Une orangeade », répondit-elle. Il proposa d'y ajouter un zeste de champagne ou de gin, elle opta pour le champagne et ses yeux cherchèrent désespérément une compagnie qui la tirât d'un tête-à-tête redoutable. Fatma el Entezami l'entraîna vers un divan.

« Vous semblez troublée, dit-elle à Nadia.

— Que faisons-nous là ? murmura Nadia. Pourquoi cette réception est-elle donnée au désert ? demanda-t-elle en parcourant l'assistance du regard. Les vrais maîtres des lieux sont les Bédouins qui nous ont accueillis, et regardez les serviteurs, ils sont plus magnifiques que n'importe lesquels d'entre nous.

— C'est vrai, reconnut Fatma el Entezami, décontenancée. Vous êtes trop sensible ! Vous remarquez trop de choses ! Mais cette fête est donnée pour vous, le savez-vous ?

— Pour moi ? s'écria Nadia, stupéfaite. Moi ? Pourquoi ?

— Parce qu'Aldo est amoureux de vous.

— Mais tout cela manque terriblement de simplicité !

— C'est encore vrai, dit Fatma el Entezami, dévisageant Nadia de ses yeux fardés comme ceux d'un masque de momie ptolémaïque.

— Vous me preniez pour une idiote, n'est-ce pas ?

— Jamais, ma chérie ! » protesta Fatma el Entezami, saisie par la gravité de la jeune fille.

Souki Marrani et Hanafi vinrent les rejoindre. Des rires gras, chauffés par l'alcool, éclatèrent dans un groupe voisin où trônait Natacha Starivetski, brune maigre à la peau grasse, entre l'avocat Émile Vamvourakis, quinquagénaire avantageux et disert, et l'assureur Michel Archenholz, beau garçon aux cheveux blonds frisés et aux yeux clairs.

« Venez vous asseoir avec nous, vous deux, dit Fatma el Entezami, Nadia est un peu dépaysée.

— Je voudrais savoir qui ici serait "paysé", déclara Hanafi d'un ton méditatif.

— Vous n'êtes jamais content, vous, objecta son épouse.

— Qu'est-ce que nous faisons au désert ? demanda Hanafi en buvant une gorgée de whisky. Est-ce que les Bédouins, eux, vont organiser leurs soirées au "Sémiramis" ?

— Je ne vous sortirai plus ! clama Fatma el Entezami.

— La soirée est en fait donnée en l'honneur de Nadia, dit lourdement Marrani.

— Oh ! Encore ! cria Nadia.

— Souki, taisez-vous ! ordonna Fatma el Entezami.

— Je dis la vérité, même si elle n'est pas la bienvenue, et je ne vois d'ailleurs pourquoi elle ne le serait pas. Aldo est amoureux de Nadia. Pour lui faire sa déclaration, il a organisé cette soirée qui est très agréable et vous faites les dégoûtés.

— Fable inédite de La Fontaine, récita Hanafi. Un

jour le paon, d'une colombe amoureux / Pour elle fit la roue et même le moyeu...

— Louis, vous êtes odieux! s'exclama Fatma el Entezami, faussement indignée, tandis que Hanafi et Nadia gloussaient. Je veux du vin pour me consoler! Pourquoi ai-je épousé cet homme-là!

— Parce que je ne donne pas de soirées au désert, répondit Hanafi, cependant que Nadia se tordait de rire et qu'un *souffragui* versait à Fatma el Entezami un verre de vin de Gianaclis et y laissait tomber deux glaçons.

— Aldo! cria Souki. À quelle heure sert-on le souper? Nadia va tourner de l'œil.

— Sur-le-champ!» clama Colestazzi, accourant et donnant au majordonne des *souffraguin* l'ordre de servir.

Quelques minutes plus tard, les serviteurs apportèrent des plateaux chargés de quartiers des deux agneaux mis à la broche à l'extérieur, tandis que d'autres distribuaient plats et couverts et découpaient la viande sous les yeux des invités. Colestazzi s'assit quasiment aux pieds de Nadia et leva vers elle un visage extasié, à mi-chemin entre ceux qu'on voyait dans les films muets et ceux des soupirants dans les gravures romantiques. Elle en suspendit sa mastication.

«Vous ne mangez rien? questionna-t-elle.

— Je me nourris de votre image.

— C'est ennuyeux, il n'en restera donc rien pour les autres », dit Hanafi.

Tout le monde et même Nadia rit. Colestazzi se fit enfin servir de l'agneau et du vin.

«Est-il assez cuit pour vous? s'enquit Colestazzi.

— Cui-cui », répondit Hanafi.

Nadia fut prise d'une autre crise de fou rire.

«Mangez, dit-elle à Colestazzi, vous n'avez fait que boire.

— Elle veille déjà sur ma santé! s'écria Colestazzi en remplissant le verre de Nadia.

— Vous comptez dîner tous les soirs au désert? demanda Hanafi.

— Si elle me le demande...

— Méfiez-vous, il remplira l'appartement de sable, dit Hanafi.

— Louis ! » protesta Fatma el Entezami, inlassable.

Un autre groupe réclama Aldo ; il se leva pour répondre à l'appel. Les serviteurs, impassibles, changèrent plats et couverts et servirent des salades, de crème de pois chiche, de concombre au lait caillé, de cresson piquant ou *garguir.*

« Vous l'aimez ou vous ne l'aimez pas ? demanda Souki à Nadia.

— Qu'est-ce que vous connaissez à l'amour ? protesta Fatma el Entezami. Laissez cette petite tranquille.

— Je ne connais rien à l'amour ? reprit Souki, faussement offensé.

— Vous ne connaissez que les bordels de la rue Clot Bey. Vous êtes un quadrupède.

— Quinquapède », objecta Souki.

Nadia baissa les yeux et chiffonna dans sa salade de cresson, de tomates et d'oignon rouge. Guère habituée au monde, elle n'avait guère besoin de forcer son expression pour exprimer la gêne que lui causait le mélange ambiant de sentimentalité sirupeuse et de propos salaces.

« Souki est économe, observa Hanafi. Il commence à jouer *Parsifal* à cinq heures et le rideau tombe sur le dernier acte à six heures moins le quart.

— Il n'y a généralement qu'un seul acte », dit Souki.

Nadia devint cramoisie.

« Vous allez arrêter cette conversation, bande de cochons ? cria Fatma el Entezami.

— Pourquoi, vous chantez, vous, pendant cinq actes ? » remarqua Souki, d'une voix melliflue.

Fatma el Entezami le gifla sans conviction ; il feignit de glapir. On servit des pâtisseries turques, luisantes de miel et blanchies de crème, les *kounafas*, chignons de pâte filée en cheveux et farcis de pistaches pilées, les *kataëfs*, feuilletés farcis de noisettes, le pain du palais ou *esh es'saraya*, génoise fermentée dans le miel et couverte de crème...

Un chien du désert s'aventura sous la tente et fut promptement chassé par les *souffraguin* à coups de pied, ce qui contraria Nadia sans qu'elle en sût la cause. Le groupe voisin, principalement constitué d'Archenholz, de Vamvourakis et de Natacha Starivetski, en plus d'une chroniqueuse de presse minaudante, Tita Marouni, d'un drapier morose, Edgar Desch, et de sa femme, commença à donner ensemble de la voix sous l'effet de l'alcool.

« Natacha, dit Archenholz, en nettoyant des dents un os de côtelette qu'il tenait entre les doigts, je voudrais savoir quand tu as fait l'amour pour la dernière fois. »

La conversation s'interrompit dans le premier groupe, qui se mit à l'écoute. Veuve d'un armateur de Port-Saïd et juive de Smyrne, Natacha en intriguait plus d'un par la distance ironique qu'elle maintenait vis-à-vis des hommes. On lui avait certes connu au moins un amant, un riche marchand de coton d'Alexandrie, mais leur relation semblait avoir été épisodique et une rumeur bourdonnait avec insistance autour d'elle : c'est qu'elle serait lesbienne.

« D'abord, Michel, ça ne te regarde pas, répliqua Natacha. Ensuite, je souhaiterais que tu t'exprimes plus correctement. Quand tu dis la dernière fois, j'ai l'impression que tu me crois promise à une ménopause imminente.

— Très bien ! cria Souki. On va jouer au jeu de la vérité !

— C'est-à-dire que tout le monde va mentir, observa Hanafi.

— En tant qu'homme marié, je m'estime dispensé de répondre, déclara Desch.

— Ce n'est pas toi que j'interroge, Edgar, c'est Natacha », précisa Archenholz.

Natacha tentait de rester impassible. « Je veux bien qu'on joue au jeu de la vérité, mais pas à celui de l'impudeur.

— Faire l'amour est impudique ? questionna Archenholz, les sourcils en accent circonflexe.

— En parler l'est certainement.

— Donc tu es hypocrite, rétorqua Archenholz. Tu fais les choses, mais tu ne veux pas les dire.

— Le charme d'une femme réside dans son mystère, affirma sentencieusement Vamvourakis. Si elle révélait la vérité, elle renoncerait à son atout le plus précieux.

— Donc, toutes les femmes sont des menteuses et tous les hommes sont des cocus, déclara Archenholz.

— Je ne suis pas encore cocu », observa Colestazzi.

Nadia écarquillait les yeux, comme effarée. Natacha Starivetski s'en avisa et lui en demanda la cause.

« Je ne suis pas prude, mais je ne suis pas non plus habituée à ce genre de conversations, murmura Nadia.

— Ne les prenez pas trop au sérieux, lui conseilla Edgar Desch, paterne, qui se trouvait près d'elle, en haussant les épaules. Ils parlent beaucoup de sexe, mais à l'instar des affamés qui discutent de poulets rôtis : c'est parce qu'ils en ont si peu.

— Vous êtes tous des obsédés ! cria Fatma el Entezami de ce ton faussement indigné dont elle ne se départait plus. Vous scandalisez Nadia !

— Fatma, si j'étais vous, je parlerais autrement, intervint Archenholz.

— Qu'est-ce que ça veut dire ? s'enquit Fatma. Je suis l'épouse la plus fidèle du monde !

— Vous n'êtes mariée que depuis un an, dit Archenholz en la fixant de ses yeux limpides. Vous n'avez pas encore trouvé un amant. »

Tous se mirent à rire, y compris Hanafi.

« Aldo, protesta théâtralement Fatma el Entezami, je suis indignée !

— Vous avez l'indignation facile, reprit Archenholz. Tout le monde ici sait tout de tout le monde, mais tout le monde joue la comédie et feint l'innocence virginale.

— Tu es vraiment un Allemand, dit Natacha avec un demi-sourire.

— Un SS ! cria Fatma el Entezami.

— D'abord, qu'est-ce que les Allemands font en Égypte ? demanda Vamvourakis.

— Mon père est venu en Orient avec le Kaiser, répondit Archenholz. Et les Grecs alors, qu'est-ce qu'ils font ici ?

— Mes aïeux sont venus en Égypte avec Alexandre le Grand, répliqua Vamvourakis.

— Ton aïeul, Émile, est arrivé ici de Chios il y a soixante-dix ans, les pieds nus sur un caïque chargé de caque et en se tirant la *vraka* sous les aisselles, riposta Archenholz. Tu ne vas pas nous raconter comme tous les Grecs snobs d'Égypte que tu descends des empereurs de Byzance ! »

Vamvourakis fit une moue ironique.

« Qu'est-ce que c'est la vraka ? s'enquit Nadia.

— Des pantalons de pyjama pour le jour et la nuit, expliqua Archenholz. Et, se tournant vers Natacha, il lui demanda : Qu'est-ce que ça veut dire, que je suis vraiment un Allemand ?

— Tu crois à la vérité, assura Natacha. La vérité absolue, métaphysique.

— Pourquoi, tu n'y crois pas, toi ?

— Non, Michel. Chacun a la sienne. Mais puisque tu cherches la vérité, je te dirai que, lorsque j'ai rompu avec un amant, je redeviens vraiment une vierge. Quand tu me demandes quelle est la dernière fois que j'ai fait l'amour, je ne peux pas te répondre, très sincèrement, parce que j'ai tout oublié. Je ne sais plus que j'ai jamais fait l'amour avec un homme. Je ne sais plus rien de lui, j'ai tout effacé dans ma mémoire. J'attends celui qui viendra et qui sera idéal.

— Et toutes les femmes sont pareilles ?

— Je n'en sais rien. Mais je pense que rester attachée à un homme avec lequel on a rompu, c'est comme regretter une chemise qu'on a usée.

— Alors, tu m'as oublié, dit Archenholz.

— Tout à fait, Michel. Je ne sais pas de quoi tu parles. »

Nadia écoutait toujours, saisie. Un silence gêné flotta un instant sur l'assemblée. Colestazzi l'interrompit en annonçant que l'assistance était conviée à l'extérieur, pour assister à ce qu'il s'obstinait à appeler une pyrrhique. Nadia se leva, une main sur le visage, trébucha et se raccrocha au bras de Colestazzi.

« Je voudrais prendre un peu l'air », dit-elle d'une voix à peine audible.

La bouche démaquillée par le gras de l'agneau, on lui voyait le corail intérieur des lèvres. Elle avait aussi rosi sous l'effet des émotions et de l'alcool. Elle sortit. La nuit fraîche du désert la fit frissonner. Ses chaussures à talons s'enfoncèrent dans le sable et elle s'arrêta au bout de quelques pas. La porte de la tente découpait un triangle de lumière déformé sur le sable violet. Une ombre se profila dessus. Elle se retourna, c'était Colestazzi.

« Vous allez bien ? demanda-t-il.

— J'avais… un peu chaud. J'ai été surprise.

— Surprise ?

— Je veux dire… embarrassée.

— Par la conversation ?

— Par tout.

— Tout ?

— Vous aussi.

— Par mon amour ? »

Amour ! Le mot frappa l'oreille de Nadia comme une fausse note. Peut-être, en effet, croyait-il qu'il l'aimait. Elle frissonna encore. Il lui couvrit les épaules de son veston, et le parfum de l'eau de Cologne dont le vêtement était imprégné, mélangé à une autre odeur, moins civile, sans doute celle de la sueur, la troubla. Il lui entoura les épaules du bras. Elle trouva le geste indiscret et, pour s'en défaire, décida de retourner sous la tente.

« Ne vous méprenez pas ! lui lança-t-elle soudain, d'une voix sourde mais impérieuse, en franchissant le seuil.

— Comment me méprendrais-je ? demanda-t-il, maîtrisant de justesse un conditionnel pour lui inusité.

— Je ne suis pas... Je suis vraiment... mais elle n'acheva pas sa phrase.

— Vierge ? murmura-t-il. Mais je le sais ! »

Elle ouvrit la bouche, dans une expression d'indignation, au moment où les invités quittaient la tente pour assister à la fameuse pyrrhique. Une fois de plus Fatma el Entezami l'entraîna du bras. Un flûtiau et des tambourins scandèrent des rythmes d'une mesure et demie dans les lueurs des torches effilochées par le vent. Au centre d'un cercle de Bédouins, deux jeunes hommes en djellaba et la posture avantageuse se firent face, chacun armé d'un long bâton. Ils avancèrent l'un vers l'autre, entrechoquant leurs bâtons, reculèrent, levèrent une jambe, virevoltèrent, heurtant leurs cannes par-dessus les épaules, levèrent l'autre jambe, réalisèrent une figure de menuet, accélérèrent les chocs... Cela évoquait une danse de cour. Les mouvements des djellabas leur prêtaient des envolées comme on en voit dans les bas-reliefs grecs. Ne fût-il qu'une parodie, ce duel de virilités héroïques à la lumière des feux de bois célébrait une beauté étrangère à ceux qui l'admiraient.

« Pourquoi les femmes ne dansent-elles pas ? demanda Natacha. C'est gênant de voir des hommes danser face à face aussi gracieusement.

— C'est là un duel symbolique et un homme ne se bat pas en duel avec une femme, dit Vamvourakis.

— Pourquoi ? s'enquit Nadia.

— Parce qu'un homme n'est pas censé être offensé par une femme.

— Parce qu'une femme n'est pas un être humain ? » demanda Natacha.

Vamvourakis étouffa un ricanement. « Peut-être parce qu'une femme est l'objet de passions, mais que le seul amour est celui qu'un homme porte à sa mère.

— Vous plaisantez ? s'étonna Nadia.

— La preuve en est, répondit rêveusement Vamvourakis. On n'est amoureux que d'un égal et une femme n'est pas l'égale d'un homme.

— C'est un discours de pédé ! lança Natacha, irritée.

— Pour moi un pédé est quelqu'un qui se dérobe devant la femme, la famille, les responsabilités, et ce n'est pas mon cas », rétorqua calmement Vamvourakis.

Une fois de plus désemparée autant que frissonnante, Nadia retourna sous la tente. Natacha Starivetski et Fatma el Entezami l'y suivirent. Les trois femmes trouvèrent là des invités que la pyrrhique n'avait pas intéressés.

« Vous êtes un oiseau de paradis ! » s'écria Fatma el Entezami à l'adresse de Nadia.

Mais, repliée sur elle-même, Nadia ne semblait pas avoir été ragaillardie par ce compliment ; elle répondit par un demi-sourire.

« Alors, les oiseaux de paradis ne sont pas faits pour le grand air, murmura-t-elle.

— Vous n'êtes pas au grand air, vous êtes en compagnie de brutes ! clama Fatma el Entezami.

— Voulez-vous que je vous ramène ? proposa Natacha.

— Je ne veux pas me faire remarquer, répliqua Nadia, surtout que la fête, me dit-on, aurait été organisée pour moi. »

La soirée s'avança dans les plaisanteries, les non-dit et les trop-dit. Vinrent le moment du départ et les palabres habituelles sur la répartition des invités dans les voitures. Devinant quelle serait la passagère élue par son cœur, chacun prit soin de refuser les offres de service d'Aldo Colestazzi. Ce fut ainsi que Nadia se retrouva dans la Plymouth, dûment capotée. Elle avait trop bu, elle dormait à moitié ; elle eut conscience qu'à un moment donné la voiture s'était arrêtée, qu'Aldo lui caressait les cheveux et qu'elle avait pensé : « Le sort en est jeté. » Il avait posé une main sur sa cuisse, elle avait frémi, ressentant la paume de cette main comme une brûlure. La main s'était attardée. Puis elle était remontée jusqu'au mont de Vénus, un doigt s'aventurant par-dessous l'ourlet de la culotte jusqu'au sexe. Elle avait tenté de repousser la main, mais elle avait cédé. Les lèvres d'Aldo lui avaient empli la bouche, un orgasme étonnamment prompt lui avait arraché un long gémissement, d'une voix qu'elle ne se connaissait pas. Puis elle avait pleuré.

Plus tard, elle avait prié Aldo de garer sa voiture à distance de la maison et avait franchi à pied les quelques dizaines de mètres qui la séparaient du porche de la Villa Arsinoë. Arsinoë, quel choix pour un nom de villa bourgeoise ! se dit-elle. La reine qui avait épousé son frère, le roi Ptolémée II Philadelphe ! Il était à peine plus de minuit. Une fenêtre s'éteignit, au premier étage ; c'était celle de son père, qui l'avait attendue et sans doute guettée à la fenêtre. Nadia monta à l'étage ; elle vit par la porte entrouverte de la lumière dans le petit appartement qu'elle partageait avec Soussou ; sa sœur l'attendait, lisant *Put out more flags*, d'Evelyn Waugh ; elle leva les yeux et crut déceler sur le visage de Nadia, dans les lèvres plus gonflées que d'habitude et les cernes sous les yeux, un mélange de plénitude et de lassitude qu'elle ne lui connaissait pas.

« Tu as passé une bonne soirée ? demanda Soussou en posant son livre.

— Un monde fou, répondit Nadia, désinvolte.

— Qui t'a raccompagnée ?

— Natacha Starivetski, l'avocat Vamvourakis, une demoiselle dont je ne connais pas le nom et Aldo Colestazzi. Bonne nuit, je meurs de sommeil. »

Elle passa à la salle de bains sous le regard intrigué et sceptique de Soussou. Là, elle poussa un soupir ; elle n'avait pas l'habitude de mentir. Elle se regarda longuement dans la glace et se trouva jolie, mais avec un autre visage. Puis elle se savonna le visage et mit sa culotte à tremper, avec les bas, pour faire bonne mesure.

6

Le soleil du roi

« *Dear Sybilla*, on s'emmerde un peu, vous ne trouvez pas ? dit Chester Lamotte dans une affectation de français, en posant son gin and tonic sur la table du salon de thé du Guézireh Sporting Club. Nous aurions besoin d'une fête.

— Il y aura le bal dans un mois, répondit Sybilla en anglais.

— Le bal ?

— Le bal de la princesse Zuleïka.

— *Chrissake !* siffla Lamotte, déchaussant ses lunettes fumées. Trois cents empaillés se haussant du col ! Pourquoi pas la garden-party de Buckingham Palace, pendant que vous y êtes ? »

Sybilla se mit à rire et observa qu'il était un jeune homme impertinent. Il embrassa d'un regard dédaigneux le salon de thé et les rares clients attablés devant des boissons froides qui tiédissaient et des chaudes qui tiédissaient aussi. « Les gens n'ont plus le sens de la fête, observa-t-il.

— Qu'est-ce que vous proposez ?

— Un dîner avec des gens un peu moins pompeux.

— Lesquels ?

— Par exemple, Margaret Hartnell qui vient d'arriver au Caire en compagnie de toute une bande de cinéastes, pour tourner un film d'espionnage.

— Margaret Hartnell est au Caire ? » demanda Sybilla, le regard vagabond. Elle se représenta une actrice d'âge incertain, coutumière de productions mélodramatiques où elle se distinguait par une bouche trop grande et des yeux trop faits. Margaret Hartnell lui faisait penser à sa mère.

« Avec son amant, Harvey Manners, le metteur en scène Clive Eakins, le producteur, Sir Cecil Basildon, et des tas d'autres. Ça nous rafraîchirait un peu l'esprit. »

Charles et Sybilla Hammerley déléguaient parfois à Chester Lamotte le soin d'organiser leurs invitations ; il y déployait de l'invention et, comme il n'était pas dénué d'esprit, il changeait ces réceptions en véritables divertissements dans le désert qu'était l'Orient pour des Anglais.

« Ça ferait combien de personnes ? questionna Sybilla.

— Dix ou douze.

— Vous le savez bien, nous ne pouvons pas inviter douze personnes. La salle à manger n'est pas assez grande. Athina serait perdue, et le cuisinier aussi.

— Donnez donc le dîner ici, comme vous l'avez déjà fait.

— Mais pour Margaret Hartnell ! Charles dira que c'est une pintade !

— Pintade ou pas, c'est l'une des actrices anglaises les plus célèbres. Donner un dîner en son honneur entre dans les attributions de Sir Charles. »

Sybilla porta la tasse de thé à ses lèvres et se demanda pourquoi on ne faisait pas du thé au poivre. Chester avait raison. On s'emmerdait ! Mais la perspective d'un dîner avec Margaret Hartnell et une cohorte d'histrions ne la séduisait qu'à moitié. « Qui voudriez-vous inviter ?

— Laissez-moi compter. Avec la bande Eakins, on

sera déjà sept. Il faudra bien inviter l'attaché de presse de l'ambassade et sa femme. Neuf. Ce n'est pas un chiffre. Barbetta Cowles ferait merveille, elle couperait la parole à la Hartnell.

— Barbella Cowles ! Mais c'est une romanichelle ! s'écria Sybilla.

— *I beg your pardon !* C'est la fille aînée de Lord Cowles et elle a été demoiselle d'honneur de la reine Mary ! Barbetta, dis-je, et onze. Puis le petit Siegfried Alp.

— Qu'est-ce que c'est que ce garçon, au fond ? » s'enquit Sybilla, qui avait souvent songé que Sir Charles nourrissait de la concupiscence pour Siegfried Alp. Elle n'y était pas indifférente ; elle eût donné cher pour savoir ce que faisait son mari au lit quand il se laissait posséder par la passion.

« Mi-turc, mi-allemand, parle très convenablement l'anglais, répondit Lamotte. Fils d'Ismaïl Alp bey, administrateur des Sucreries d'Égypte, et de Virginia Archenholz, fille d'un courtisan de Guillaume II qui s'est installé au Caire au siècle dernier. Décorateur, cultivé, parfois drôle comme vous savez. Douze. Et... tiens, s'écria Chester en tournant un visage admiratif vers un nouveau venu auquel Sybilla tournait le dos, hello, Ismaïl ! Voici le treizième ! »

Le ciel tomba sur Sybilla.

« Le treizième quoi ? » s'informa Ismaïl Abou Soun avec un sourire, en faisant le tour de la table. Il se pencha vers Sybilla qui lui tendit la main distraitement, posa ses lèvres sur les doigts soudain moites et s'assit près d'elle.

« Asseyez-vous, Ismaïl ! Vous voulez faire du cinéma ? Je suis sûr que vous voulez faire du cinéma ! Si Sir Cecil vous voyait, il vous engagerait sur-le-champ ! Vous êtes plus beau qu'Errol Flynn. Vous ne croyez pas, Sybilla ? »

Ismaïl était penché vers Sybilla. Qui se redressa, chercha une réplique, rosit et bredouilla qu'elle n'y avait jamais pensé.

« De quoi parlez-vous, Chester ? » dit Ismaïl. Son anglais était fluide et doux. « Je ne crois pas que je serais jamais un treizième, cela ne porte pas chance.

— Oui, je crois que ce dîner serait amusant, parvint enfin à articuler Sybilla.

— Je vais emballer ça avec Charles si vous êtes d'accord, décréta Chester. Quand est-ce qu'on le fait ? Samedi ?

— Samedi », agréa Sybilla, désemparée. Elle avait l'haleine d'Ismaïl dans le cou.

« Je me sauve, s'écria Lamotte. Je vais alerter Eakins, Soames et la Hartnell. Baisers fous, dit-il en se levant précipitamment.

— Préparez surtout Charles ! lança Sybilla.

— Préparez les cartons ! » répliqua Chester à mi-chemin de la porte.

Ismaïl Abou Soun s'était assis sans y être convié. Sybilla soupira imperceptiblement en se retrouvant seule avec lui, et se dit qu'une fois de plus son éducation et le *self-restraint* si durement enseigné dans sa jeunesse seraient mis à profit. La seule présence de ce garçon était comme une grippe : irrésistible.

« Comment va votre charmante sœur ? » demanda-t-elle pour faire diversion.

Ismaïl la regarda dans les yeux, sans répondre, l'expression teintée d'ironie. Elle lui trouva les yeux plus grands et la bouche plus rouge qu'elle l'avait cru.

« Timmy va très bien et vous adresse ses respects », dit-il en souriant.

Elle ne put que sourire de cette invention. Il rit aussi, et elle fut contrainte de revoir ces dents blanches qui garnissaient cette bouche incarnadine. « Un vrai roman d'idiote ! » songea-t-elle pour se refroidir. Jusqu'à cet accent, impeccable, un peu trop correct justement, mais adouci par des intonations chantantes. Elle redressa son buste une fois de plus et tendit la main vers son sac à main. « Eh bien, il faut que je rentre, déclara-t-elle.

— Chaque fois que je vous rencontre, vous devez

rentrer. Peut-être me permettrez-vous de vous accompagner, cette fois-ci, dit-il, le regard insistant, moqueur, insoutenable.

— Je vais prendre ma voiture..., balbutia-t-elle.

— À l'ambassade ? » demanda-t-il avec effronterie. Elle l'interrogea du regard, désemparée. « Je suis passé devant l'ambassade il y a une demi-heure. Sir Charles y entrait. Avec la voiture. »

Elle se laissa retomber dans le fauteuil de rotin.

« Eh bien, je prendrai un taxi », dit-elle d'une voix soudain étranglée.

Ce qui la troublait le plus était l'insistance autant que l'intensité du désir. Ce garçon-là ne lui avait pas fait un seul compliment ; c'était son attitude même qui constituait le compliment. Le désir physique dans sa chaleur immédiate.

« J'en serais réellement désolé », dit-il.

Elle fit brièvement face au regard doré, prit un mouchoir dans son sac et se tamponna la lèvre supérieure.

« Je détesterais une discussion en public, murmura-t-elle. Accompagnez-moi alors chez moi, je vous prie. »

Il avait une Dodge couleur bronze d'un modèle récent, à deux portes, qu'il mit en route sans mot dire.

« Ce n'est pas le chemin, observa-t-elle au bout d'un moment, il aurait fallu tourner à droite.

— C'est le chemin », répondit-il calmement.

Elle protesta, consciente de l'inanité de ses mots. Ismaïl engagea la voiture par un portail de fer forgé dans une allée bordée de faux acacias garnis de leurs houppes odorantes. Puis il l'arrêta devant un bosquet de poinsettias qui jaillissaient dans un délire étoilé et rouge, coupa le contact et descendit ouvrir la portière pour Sybilla. Elle distingua une porte légèrement en contrebas.

« Où sommes-nous ? » s'inquiéta-t-elle. Mais elle ne le savait que trop. Ismaïl avait ses appartements dans la villa familiale.

« Chez moi. Vous ne voudriez pas un rafraîchissement avant de rentrer chez vous ?

— Vous avez perdu la raison. »

Il était descendu de l'auto pour lui ouvrir la portière.

« Un jus de tamarin glacé vous rafraîchira », dit-il en souriant, une main tendue pour l'aider à descendre.

Elle s'appuya sur son poignet, posa le pied au sol.

« C'est un kidnapping.

— N'est-ce pas ? Je devrais me plaindre, déclara-t-il. Je n'ai pas l'habitude d'être kidnappé de la sorte. Mais vous m'avez réduit en esclavage. » Elle se retint de rire tandis qu'il déverrouillait la porte et s'effaçait pour la laisser passer.

« Vous m'avez ligoté depuis la première fois que je vous ai vue, je ne pouvais pas résister », ajouta-t-il en refermant la porte.

Elle devina dans la pénombre un vaste espace qui ressemblait à un salon. « C'est ici que vous emmenez les victimes de vos rapts ? » demanda-t-elle, tandis qu'il allumait une lampe basse victorienne, composée d'une statuette de nymphe presque nue tenant au-dessus de sa tête un abat-jour de soie plissée. Comment donc cette parfaite horreur avait-elle échoué ici ? songea-t-elle. Elle chercha un siège droit, mais dut se résoudre à s'asseoir, non, s'enfoncer dans un fauteuil probablement fabriqué avec ces pâtisseries élastiques dont les Égyptiens raffolaient, les loukoums. Il s'affaira dans une cuisine attenante, car elle reconnut des bruits de verres, et revint poser sur une table basse un plateau chargé d'une carafe de liquide brun et deux verres. Il remplit l'un des verres et le lui tendit.

« C'est une drogue ? » s'inquiéta-t-elle en prenant le verre. Il hocha la tête en souriant et se servit. Puis il s'assit et but, les yeux fixés sur elle par-dessus le bord du verre. Elle goûta la boisson, légèrement âpre, une sorte de thé très fort et glacé. Il répéta que c'était du jus de tamarin. Soudain, il se leva et se pencha vers elle, un bras sur chaque accoudoir. Elle fut saisie.

« Tu l'as voulu, se dit-elle. Tu ne voulais que cela. Tu ne veux que cela. Tu aurais supplié pour avoir cela. Admets-le. »

Elle leva les yeux vers lui. Non, Mykérinos.

« Vous ne voulez pas me défaire un peu la cravate ? demanda-t-il.

— *This is mad* », dit-elle avec résignation, mais le cœur battant à se rompre, en tirant doucement sur la cravate. Elle enjoliva même son geste : elle déboutonna le col.

« Les autres boutons, peut-être ? » murmura-t-il.

Elle les défit aussi et il se débarrassa de la chemise d'un geste souple. Il était torse nu. Mykérinos torse nu.

« Je voudrais voir vos pieds », chuchota-t-elle, stupéfaite par sa propre audace.

Il se redressa, se débarrassa de ses mocassins, puis enleva ses chaussettes. Elle regarda les pieds d'or pâle, fermes et nerveux, avec l'extrémité des orteils rose. Aussi beau que Mykérinos. Elle s'avisa de l'érection.

« Vous ne portez pas de cravate, dit-il doucement, se penchant de nouveau vers elle et tendant la main vers le boutonnage du corsage, qu'il défit sans hâte.

— Il faut vraiment que je rentre, affirma-t-elle, tandis qu'il lui glissait une main sous les seins.

— Il faudra, en effet, rentrer à un moment ou l'autre », reconnut-il.

Elle se mit à rire, un rire de petite fille, pour réprimer son tremblement, ou bien le dissimuler, elle ne savait. Il restait penché sur elle, le visage tout proche, les lèvres presque sur les siennes, mais il semblait respirer son haleine et d'une main sur la hanche, dans la profondeur du siège, il lui défaisait la jupe. Elle perdait lentement le contrôle d'elle-même. Il se pencha et, des deux mains, tenta de faire glisser la jupe vers le bas ; elle l'aida d'un mouvement des hanches et se retrouva en culotte et soutien-gorge sous la blouse dégrafée. Il éplucha la blouse en regardant Sybilla dans les yeux. Elle ouvrit la bouche, mais ne sut pas quoi dire. Il lui glissa la main dans le dos et trouva la fermeture du soutien-gorge. Ce geste rapprocha leurs visages et la bouche de Sybilla prit la forme d'un baiser. Il posa ses lèvres sur les siennes et elle attira sa tête vers elle. Un soupir qui était sa vie maigre s'échappa d'elle, comme un mauvais esprit. Elle ne résista pas quand il défit maladroitement le soutien-gorge, qui retomba dans son giron. Elle était donc à demi nue, et il se pencha pour lui baiser, puis lui sucer un sein, ce qui la fit crier. Elle lui saisit de nouveau la tête et l'embrassa avec une violence qu'elle ne soupçonnait pas chez elle. Jamais ! Non, jamais ! se dit-elle. Jamais je n'ai fait ça ! Il fit glisser la culotte jusqu'aux genoux, retira les chaussures, puis roula la culotte jusqu'aux pieds. Elle s'en débarrassa d'un mouvement d'orteils.

« Tu ne veux pas finir de me déshabiller ? » demanda-t-il.

Elle détacha la ceinture, il fit glisser le pantalon sur ses genoux. Elle tira sur le caleçon, qui tomba aussi et le membre érigé d'Ismaïl abou Soun se trouva dardé sur le visage de Sybilla. C'était autrefois, trois ou quatre mille ans auparavant. Elle tendit la main vers le membre, puis le baisa. Elle devinait ce qu'il voulait et le fit. C'était aussi un rite antique, elle l'accomplit avec l'orgueil d'une servante privilégiée du roi-dieu. Les yeux fermés, elle sentit le corps du jeune homme s'arquer dans l'extase. Il se retira et se pencha sur elle pour sucer l'autre sein, tandis qu'une main descendait jusqu'au sexe de Sybilla. Sa bouche descendit ensuite aussi bas. Elle étouffa un autre cri. Il l'entraîna dans sa chambre et ils recommencèrent brièvement leur cour, tête-bêche.

« Maintenant », dit-elle.

Il la prit, elle eut un orgasme quelques instants plus tard. Elle lui saisit la tête et lui mangea presque la bouche. Une demi-heure plus tard, il n'avait pas désarmé et il la précipita vers un autre orgasme. Puis elle pleura. Tout en la possédant, il l'embrassa, elle pleura encore, il s'écrasa sur elle. Un feulement. Et le soleil, le soleil du roi.

Elle se retint de glisser dans le sommeil. Elle venait de naître. Mon Dieu, il vaut mieux naître adulte. Elle avala une goulée d'air, comme si c'était, justement, la première de sa vie. Elle alla récupérer sa culotte au salon. Elle n'était pas au Musée. L'année était 1951 de l'ère chrétienne et le mois, avril.

« Mon Dieu, se dit-elle soudain, je porte en moi son sperme. » Elle l'avait pensé avec un orgueil qui la stupéfia elle-même.

Elle avait presque oublié tout cela, le côté animal de la sexualité, les humeurs, salive et sperme, l'odeur et le goût de la peau... Mais Mykérinos aussi avait sécrété du sperme, non ?

7

La chute de la Pierre Philosophale

Siegfried dégustait chez sa grand-mère Catherine un ragoût de poulet aux cœurs d'artichauts quand un formidable remue-ménage éclata après une sonnerie téléphonique. Ces cris retenus et hoquetants des femmes en détresse, puis des sanglots, des portes qui claquaient, un coup de sonnette, un autre encore, d'autres épanchements tragiques, et enfin, tandis qu'il savourait le feuilleté velouté d'un cœur d'artichaut, le maître des domestiques, Sayyed, vint l'informer en arabe :

« Sissi, ton grand-oncle est mort. »

On l'appelait Sissi depuis son enfance. Comme l'impératrice. Les domestiques, qui étaient les génies protecteurs de la famille, continuaient de l'appeler ainsi.

Siegfried posa sa fourchette.

« Alexandre ? »

Sayyed hocha la tête.

« Alexandre. Tu sais, le frère de *têta.* » Son beau visage maigre portait les stigmates de l'émotion.

Oui, Alexandre, le fou placide que la famille tenait sous le boisseau et qu'il avait aperçu au Khan Khalil quelques jours auparavant. Le fou à la Pierre Philosophale qui lui avait demandé le secret sur leur rencontre.

Se remémorant leur fugitive rencontre dans une boutique mystérieuse, Siegfried eut le sentiment qu'Alexandre était en vérité venu d'un autre monde pour faire ses adieux à son petit-neveu. Il se leva pour se rendre avec Sayyed vers la pièce, salon, chambre de couture, lingerie, tout cela à la fois, où Catherine, assise sur une de ces banquettes ou *dekka* chères à l'Orient, se laissait aller aux sanglots. Autour d'elle se tenaient Alice dans son éternelle robe à fleurs, ses deux filles Adèle et Angèle, Albert, qu'on appelait l'Idiot, deux femmes inconnues, les esclaves, les trois servantes, les trois cousines de Siegfried, Marie, Irma, Sophie. Il alla vers sa grand-mère. Elle le serra dans ses bras, le visage mouillé, et il faillit pleurer, ému par le chagrin et par la force avec laquelle elle le serrait, comme pour dire : Tu es vivant, tu es vivant, toi !

« *Non devi piangere cosi, Caterina ! Ti fai del male ! Ti prego !* »

Puis une des femmes que Siegfried ne connaissait pas parla dans une langue inconnue, qu'il devina être du suédois. Car Catherine était de mère suédoise et de père italien. Il devina des mots de consolation. Catherine répondit en arabe et la Suédoise reprit cette fois ses exhortations dans cette langue. Ces mélanges lui avaient toujours paru aller de soi, mais Siegfried les enregistra avec plus d'attention.

Sa mère lui avait raconté par bribes l'histoire de la famille, avec plus de non-dit que d'explications véritables. Son père à elle, tout jeune homme, Anton Archenholz, un Prussien, était venu en Orient dans la suite du Kaiser. Siegfried ne savait pas qui était le Kaiser. « Guillaume II », avait-elle précisé. Anton était tombé sous la séduction de l'Orient. De Damas, il avait gagné Le Caire et s'y était établi. Récit évocateur d'un temps où les gens partaient s'installer dans un pays étranger, sans fortune, sur un coup de tête. Au bout d'un certain temps, Anton avait voulu fonder famille et s'en était allé consulter les sœurs de la Mission de Saint Charles Borromée. Elles lui avaient recommandé une de leurs pensionnaires, une orpheline de bonne famille, nantie d'une petite dot, Catherine, fille d'un commerçant de Venise qui faisait de fréquents voyage en Orient et qui avait possédé un comptoir à Jérusalem et un autre au Caire, Alberto Portilacqua. Anton et Catherine s'étaient donc mariés. Ils avaient eu sept enfants, dont la puînée, Louise, était morte en bas âge.

« Nous portions tous les noms des enfants du Kaiser, avait dit la mère de Siegfried.

— Pourquoi ? »

Elle avait répondu par un sourire mystérieux et une information déplacée.

« Mon père était né à Sigmaringen », avait-elle dit.

Sigmaringen, le nom n'évoquait rien pour Siegfried. Sa mère avait expliqué : « C'est le berceau de la famille impériale. » Tout cela était bien compliqué et finalement dénué d'intérêt pour Siegfried. Il n'avait pas approfondi l'historique familial, se limitant à remarquer qu'Anton ressemblait étrangement au Kaiser lui-même, s'il fallait en juger par la grande photo dans un cadre ornementé qui pendait au mur dans la chambre à coucher de Michel Archenholz.

Il s'en retourna achever son repas et il avait à peine avalé deux bouchées de plus que les voix de sa mère et de son oncle Michel lui parvinrent du petit salon. Sa mère exhortait la sienne à la sérénité. Puis Michel et Cécile vinrent s'installer dans la salle à manger, en face de lui.

Siegfried portait à Michel Archenholz une affection particulière. Non seulement parce qu'avec sa blondeur bouclée et ses yeux bleus Michel était beau, mais encore parce qu'il n'oubliait pas l'effroyable chagrin qui l'avait jeté sanglotant dans les bras du père et de la mère de Siegfried, un beau jour de 1944. Siegfried avait été bouleversé de voir ce gaillard pleurer comme un enfant. Il n'avait su que plus tard la cause de ce chagrin ; sa maîtresse, Toutou, une jolie fille qu'il avait voulu épouser, mais avec laquelle, sous la pression de la famille, il avait été forcé de rompre, avait été tuée par son amant, un

brigadier anglais qui s'était lui-même suicidé ensuite.
Pourquoi avait-on empêché Michel d'épouser Toutou ?
« Elle était juive », avait répondu la mère de Siegfried de
ce ton à la fois réservé et menaçant qui signifiait qu'elle
ne discuterait pas de « l'affaire ».

C'était ainsi que Siegfried avait appris l'existence de
l'antisémitisme. Depuis la mort de Toutou, Michel s'en-
fermait parfois dans sa chambre pour jouer l'ouverture
de *L'Amico Fritz* sur son gramophone et il avait pris l'habitude de proférer des énormités tonitruantes.

« Heureusement qu'il n'avait pas dépensé tout l'argent que je lui avais prêté, dit Michel, d'un ton accablé.
Ça servira à payer l'enterrement.

— Faites quelque chose de discret », recommanda
Cécile.

Alice vint se joindre à eux. Siegfried écoutait sans
manger cette conversation d'un autre monde.

« Mange, toi ! Mange ! Tu es maigre ! Il faut manger,
enjoignit Michel à Siegfried.

— Et qu'est-ce qu'il faisait ? demanda Cécile à
Michel.

— La même connerie que toujours ! s'écria Michel.
Quand il avait fini de travailler à la compagnie d'assu-
rances, il cherchait la pierre philosophale ! »

Ignorant de quoi il s'agissait, mais supposant que
c'était une de ces folies dont les hommes s'entichent,
Cécile haussa les épaules. Alice se tamponna les yeux,
se barbouillant encore plus les paupières de kôhl.

« Qu'est-ce que c'est que la pierre philosophale ?
questionna Siegfried, se gardant de dire qu'il l'avait vue
quelques jours auparavant, cette fameuse pierre.

— Alice, va te laver les yeux, tu as du kôhl sur les
joues », dit Cécile à sa tante.

Alice se leva pour obtempérer.

« La pierre philosophale n'existe pas, répondit
Michel. C'est une invention d'alchimistes. Elle transfor-
merait le plomb en or. À ma connaissance, elle trans-
forme surtout l'or en plomb.

— Où avait-il trouvé cette idée ? demanda Cécile, excédée.

— Il prétendait que son père avait rapporté un vieux manuscrit de Venise dans lequel on expliquait comment faire de l'or. »

Siegfried éprouva un besoin urgent, quasiment physiologique, de quitter cette atmosphère de folie, de frustrations et de tragédie.

« Où vas-tu ? » s'informa sa mère, sur le ton autoritaire qui lui était coutumier.

Il prétexta un rendez-vous et partit embrasser sa grand-mère. Une fois dans la rue, il poussa un soupir de soulagement. « Ailleurs ! murmura-t-il. Être libre ! »

Mais il ne savait où aller et l'eût-il su que cela n'aurait rien changé, car il n'en avait pas les moyens. Et d'ailleurs, dans quel lieu est-on jamais certain de trouver son identité ?

8

Présages du crépuscule

Vers trois heures de l'après-midi, une pause s'insérait habituellement dans l'animation du Guézireh Sporting Club. La plupart des membres qui avaient déjeuné là rentraient chez eux faire la sieste avant de regagner le travail. Après un entretien prolongé avec l'attaché oriental de l'ambassade, Sir Charles Hammerley s'apprêtait à en faire autant quand il aperçut, attablé devant l'une des fenêtres à la française, entrouvertes sur les pelouses, Austin McCormagh, soixante et un ans, un mètre quatre-vingt-cinq, une somptueuse crinière blanche répandue sur le crâne.

Ancien secrétaire à l'ambassade de Grande-Bretagne à Bagdad après avoir occupé divers postes diplomatiques en Orient, McCormagh s'était retiré au Caire depuis plusieurs années ; il y vivait de sa pension et de rentes personnelles. Le personnage, qui avait jadis connu le colonel Lawrence, l'émir Feycal, Glubb Pacha, bref, tous les grands acteurs de la scène politique orientale des années vingt à quarante, avait toujours intrigué Sir Charles ; veuf, on ne lui connaissait ni maîtresse, ni liaisons clandestines. Il sortait peu le soir et quand on l'interrogeait sur ce qu'il faisait seul chez lui, il répondait qu'il lisait. Arabisant, pratiquant l'arabe aussi couramment que l'anglais, il était l'un de ces observateurs aigus du monde étrange et étranger de l'Empire britannique. Mais un observateur hors série : McCormagh pouvait réciter des versets du Coran avec un accent impeccable, qui suscitait même l'admiration des cheikhs de l'université islamique de l'Azhar.

Austin McCormagh passait auprès de nombreux Égyptiens pour un espion. Il avait consacré trente années de sa vie à des missions dont le plus perspicace des enquêteurs eût eu peine à démêler l'écheveau et dont les fils semblaient encore traîner dans la politique orientale contemporaine. On savait fort bien, car même l'ambassade l'espionnait, que de temps à autre un émissaire du roi Abdallah de Transjordanie, de Nouri el Saïd, l'homme fort de l'Irak, ou de l'émir Ibn el Seoud venait le consulter ; l'opinion de McCormagh était précieuse, en effet ; et d'autant plus qu'il pratiquait un détachement offensant à l'égard des maîtres de Whitehall ; sa désaffection des Anglais était de notoriété publique et plus d'un homme politique égyptien soupçonnait McCormagh d'avoir repris le flambeau du colonel Lawrence et d'aimer les Arabes plus que les Anglais. L'explication de son attitude résidait dans son sang écossais. Ce n'était pas qu'il aimait les Arabes, mais qu'il s'en sentait frère, opprimé comme eux par le colonialisme anglais.

Telle était d'ailleurs la raison pour laquelle il n'était pas en odeur de sainteté auprès de l'ambassade ; il avait refusé de reprendre du service en qualité d'« attaché détaché » et, invité maintes fois aux réceptions les plus réservées de l'ambassade, il avait obstinément décliné l'honneur d'y assister, acquérant ainsi un statut de paria volontaire.

Un émissaire du Foreign Office s'était même rendu exprès au Caire pour le prier, non sans hauteur, de mettre ses compétences au service de l'Empire plutôt que des « Arabes » ; McCormagh lui avait opposé un refus sec, assorti d'une diatribe sur la politique impériale britannique dont les éclats avaient filtré à l'extérieur. Pour le personnel de l'ambassade, McCormagh sentait donc le soufre. L'ambassadeur, Lord Killearn, avait adressé une demande d'information à Londres, auprès du MI5. Mais le rapport indiqua que le dossier de McCormagh était absolument vierge de tout indice d'espionnage au bénéfice d'une puissance étrangère. Il se définissait par une exécration des communistes et des Américains égale à celle qu'il vouait aux Anglais.

Or, ce moine laïc était également un poloïste émérite.

« *Hullo*, Austin, déclara Sir Charles avec une cordialité mesurée, en se dirigeant vers son compatriote et ancien collègue. Voilà plusieurs jours que je ne vous ai vu. Je suppose que je vous admirerai au match de polo demain. »

McCormagh invita l'autre à s'asseoir et, une fois Sir Charles assis, répondit : « Non. Je ne me suis pas inscrit.

— Pas content du cheval ? s'enquit Sir Charles.

— Les chevaux sont bons. C'est le cavalier qui manque, répliqua McCormagh d'un ton énigmatique.

— Vous n'êtes pas malade ? demanda Sir Charles au bout d'un moment, dévisageant son interlocuteur.

— Je suis frais comme un œuf.

— Alors ?

— Alors je m'en vais. »

Sir Charles attendit une explication. Elle ne vint pas.

« Vous vous en allez où ? murmura-t-il.

— Je rentre en Écosse. J'ai une très jolie maison près de Glasgow. »

Son regard gris balaya avec un certain amusement le visage de Sir Charles.

« Vous jouez aux énigmes ?

— Pas du tout. La séance est finie.

— Quelle séance ?

— La séance anglaise en Orient. »

McCormagh se versa du thé et le sirota patiemment.
« Qu'est-ce que vous voulez dire ?

— Le soleil se couche sur l'Empire. »

Sir Charles fronça les sourcils et considéra McCormagh ; il savait que ce dernier ne parlait jamais à la
légère. Et qu'il était aussi avare de mots que les Écossais, dont il était, passaient pour l'être de l'argent.

« Vous faites une dépression ?

— Non, mais le Foreign Office en fera une d'ici peu
de temps. Quelques mois, quoi. Comme le diplomate en
exercice considérait toujours son collègue retraité d'un
air mécontent, McCormagh reprit : L'année dernière, les
Arabes, Égypte, Syrie, Irak, Liban, ont perdu la guerre.
Une guerre. À la faveur de leur défaite, les Juifs ont proclamé l'État hébreu. Déjà proclamé officieusement, il va
sans dire, sous la haute mais hypocrite protection de
l'Empire. Vous ne croyez pas, j'espère, qu'on va en rester là ? »

La mine de Sir Charles, d'abord impérieuse, devint
soucieuse. McCormagh continua : « Les Arabes vont évidemment remettre ça. Ils vont une fois de plus se faire
racler par les Juifs. Les Anglais vont passer pour les
complices des Juifs. La situation deviendra intenable.
Les troupes dans la région du canal de Suez devront s'en
aller.

— Pourquoi est-ce que nous devrions nous en
aller ?

— Parce que les Anglais n'ont plus vocation à être
une puissance coloniale. Ils ont donné l'indépendance à
l'Inde. Un pays qui ne peut pas se payer du chocolat ne
peut pas prétendre imposer sa loi au reste du monde. »

C'était le ton sarcastique habituel à McCormagh.

« Et quand, selon vous, se produira l'Apocalypse ?
s'informa Sir Charles.

— Dans pas très longtemps, je vous l'ai dit. Les
Russes, qui ne sont pas plus bêtes que nous, vont y
mettre la patte. Ils financent déjà certains partis révolutionnaires égyptiens. Quand les Américains s'en avise-

ront, ils y mettront aussi la patte. Les Anglais ne sont pas de taille à tenir tête aux Américains. »

La manière dont McCormagh disait « les Anglais », *The English*, tapait sur les nerfs. On croyait presque entendre des discours enflammés sur la Loi de Dévolution.

« Et après ? questionna Sir Charles.

— Ce seront les islamistes qui déclencheront le carnage. Les Frères Musulmans, qui se déguisent pour le moment sous le nom de Frères de la Liberté. La royauté égyptienne tombera. Des massacres et des saccages s'ensuivront. La plèbe urbaine musulmane ne rêve que de détruire les enclaves coloniales des Infidèles, les bars, les cinémas, les boutiques de luxe. Sa haine procède de trois causes, la richesse insolente des Infidèles, l'humiliation de subir le joug étranger et le fanatisme religieux des pauvres. Tout le monde laissera faire, pour démontrer qu'un monde est bien fini. C'en sera fini de cette opérette levantine digne de Gilbert and Sullivan. L'Égypte deviendra une sorte de protectorat américain. Ou russe. Ce qui n'est pas pire, entre nous, qu'un sous-protectorat anglais.

— Écoutez, Austin, si vous savez quelque chose, il faut que vous voyiez l'ambassadeur. »

McCormagh renifla bruyamment.

« Vous voulez parler de cette ganache de Miles Lampson ? demanda-t-il, goguenard. J'ai déjà fait comprendre à l'ambassade que je n'entends pas collaborer avec elle et vous le savez très bien.

— Lord Killearn est notre ambassadeur, releva Sir Charles avec hauteur.

— *Votre* ambassadeur, Sir Charles, pas le mien. McCormagh maintint un regard froid et insolent sur le diplomate. Pour moi, Lampson est un soudard qui se prend pour un haut-commissaire et qui est diplomate comme moi je suis danseuse du ventre. Vos services sont incapables d'infiltrer les Frères Musulmans, je le sais.

— Je ferai un rapport sur cette conversation,

McCormagh, dit Sir Charles. Pas sur vos insultes, évidemment, mais sur vos inquiétudes.

— Ce que vous aurez appris de moi devrait déjà être connu de vos services d'information, si vous en aviez. Les Russes y sont parvenus, mais pas vous. Une révolution couve dans ce pays.

— Une révolution ! s'écria Sir Charles. Comme vous y allez !

— Une révolution. Il y a un peuple, en Égypte, permettez-moi de vous le rappeler, au cas où vous ne vous en seriez pas encore avisé.

— McCormagh, reprit Sir Charles, rassemblant ses restes de patience, il y va d'intérêts considérablement plus grands que votre animosité ou la personnalité de l'ambassadeur. Vous ne voulez vraiment pas vous entretenir avec l'ambassadeur ?

— Plutôt crever.

— Pourquoi détestez-vous tellement Lord Killearn ?

— Parce qu'il a commis par arrogance personnelle, l'arrogance caractéristique des ganaches anglaises, l'erreur impardonnable de détruire notre rempart contre l'étranger. Quand il a fait cerner le palais d'Abdine par nos tanks, en 1942, il a humilié et discrédité le roi Farouk. Il l'a réduit au rang de sujet et lui a retiré tout prestige auprès de son peuple. C'était une ânerie comme seule l'arrogance anglaise pouvait la commettre. Personne à Whitehall ne l'a compris, parce que le Foreign Office est peuplé d'empaillés et de fossiles. Et maintenant, Lampson va le regretter, déclara McCormagh avec véhémence.

— Que peut-on faire ? demanda Sir Charles, décontenancé.

— Rien, vous le savez bien. La bêtise anglaise ne fera que servir de modèle à la prochaine bêtise américaine. »

Sir Charles Hammerley resta un moment, accablé, s'efforçant de démêler dans les propos de McCormagh ce qui réflétait le ressentiment de l'Écossais et ce qui était dû à l'analyse, puis il consulta ostensiblement sa montre et se leva.

« À bientôt, dit-il.

— Quand vous passerez par Glasgow, un de ces jours, faites-moi signe », laissa tomber McCormagh d'un ton désinvolte.

Sir Charles gagna la porte, mécontent, le pas rapide.

9

Sortilèges et pantomimes

Siegfried Alp arriva au Guézireh avec dix minutes de retard, dans un costume gris sombre doublé de soie pourpre et une cravate pourpre sur une chemise de soie blanche. Il en savait l'effet immanquable. Outre ses excentricités vestimentaires, à vingt-deux ans, le jeune Alp s'était forgé une petite légende par quelques autres singularités, comme refuser de se mettre à table avant qu'on eût déplacé une commode qui lui paraissait décentrée ou de quitter la table après les hors-d'œuvre, parce qu'il avait par mégarde accepté le même soir une autre invitation à dîner.

Les Hammerley s'étaient installés dans une salle particulière du club, devant les pelouses du champ de courses. La longue table dressée à leur intention scintillait de tous les éclats de l'antique argenterie du club. Les convives debout sirotaient des apéritifs devant un petit bar dressé pour l'occasion. Siegfried fut accueilli par les saluts sonores de Sybilla et de Chester Lamotte. Fort de son retard, de sa pourpre et de sa séduction bouclée, il était certain d'avoir attiré tous les regards. Il baisa cérémonieusement la main de Sybilla. Sir Charles le présenta

aux convives dans l'ordre protocolaire, Sir Cecil Basildon, le producteur, Margaret Hartnell, la célèbre
vedette, son partenaire, Eric Redman, Harvey Manners,
Clive Eakins, le metteur en scène... « Barbetta Cowles,
que vous connaissez déjà, je crois, la baronne de Keyser,
Chester Lamotte, que vous connaissez certainement. »
Siegfried Alp avait soigneusement mémorisé les descriptions téléphonées par Chester Lamotte. Il baisa les mains
des dames et supporta vaillamment, c'est-à-dire sans
rougir, les regards qui le décortiquaient ; car c'était l'une
des rares leçons qu'il eût apprises de la vie en société :
ne jamais paraître troublé par l'attention qu'on lui portait, fût-elle favorable ou non.

Quand les convives se furent assis, il se trouva entre
Barbetta Cowles et Dorothy de Keyser. La conversation
démarra sur le récit que fit Sir Cecil des démêlés de
l'équipe de tournage anglaise avec les assistants égyptiens désignés par l'agent de la production, malentendus
linguistiques et difficultés de tournage dans des venelles
encombrées. Puis les échanges s'engagèrent ; comment
s'appellerait le film ? *Eastern Passage* ou bien *Dark Jour-
ney*, on ne savait encore. Quel était le sujet ? Un agent
secret indélicat était poursuivi par une femme que l'Intelligence Service avait lancée à ses trousses, parce que
l'espion ne s'en méfierait pas.

« Je suppose que cette justicière est Mme Margaret
Hartnell ? demanda Siegfried Alp d'un air faussement
innocent.

— Juste ! s'écria l'intéressée avec vivacité.

— Et l'espion indélicat est M. Manners ? »

Harvey Manners adressa un regard faussement
sinistre à Alp.

« Bien évidemment, reprit Siegfried, l'agent secret
s'éprend de la justicière ?

— Encore juste ! répéta Margaret Hartnell avec
enthousiasme.

— Voyons, voyons, poursuivit Siegfried. Tout cela
est un peu simple, il me semble. Le scénario prépare
certainement une surprise. Ainsi, l'espion accusé de tra-

hison est en réalité parfaitement loyal, et il est en vérité
à la poursuite d'un autre agent indélicat.

— *By Jove!* s'exclama Sir Cecil Basildon. Vous
devriez écrire des scénarios ! C'est presque ça !

— *Brilliant ! Brilliant !* » cria Chester Lamotte.

Sybilla semblait s'amuser comme rarement.

« Et vous savez vous servir d'un revolver ? demanda
Siegfried à Margaret Hartnell avec une impertinence calculée.

— Ah, mais ce jeune homme est bien perspicace !
intervint Sir Cecil. *Dear Margaret* n'a jamais vu un revolver de sa vie, et il a fallu plusieurs heures pour lui
apprendre comment cela se tient. »

Margaret Hartnell pouffa.

« Et je suppose que maintenant vous maniez le
revolver aussi bien que John Wayne ? s'enquit encore
Siegfried.

— Elle descend un critique de cinéma à quinze
pas ! » affirma Chester Lamotte.

L'hilarité gagna la tablée.

« Et qu'avez-vous fait de votre journée, Siegfried ?
s'informa Sybilla, tandis qu'on servait le potage de tor-
tue, importé d'Afrique du Sud.

— Je suis allé voir une femme, non un homme, enfin
je ne sais plus, bref un homme possédé par l'esprit d'une
femme et qui est le plus grand médium d'Orient. »

Un silence général suivit cette réponse. Alp le
savoura. Il avait même cloué le bec à Chester Lamotte.

« Un homme habité par l'esprit d'une femme ! répéta
Sir Cecil. Racontez-nous donc ça.

— Extraordinaire, renchérit Sir Charles.

— Ce n'est pourtant pas si rare », marmonna Chester Lamotte, ce qui fit glousser Sir Charles.

Sur quoi Siegfried Alp se lança dans une description
de ce médium, surnommé la cheikha Zahia et qui habitait une maison pittoresque dans le Vieux Caire. Et qui
lui avait fait des révélations troublantes. Ainsi, comment
avait-il pu deviner que son visiteur comptait se rendre
en Turquie pour ses vacances ?

« Mais est-ce vraiment un homme ou une femme ?
demanda Margaret Hartnell. *Or is he another poofster ?*

— C'est un homme, père de famille, mais qui parle
d'une voix de femme quand l'esprit s'empare de lui »,
répliqua Siegfried.

Margaret Hartnell ouvrit tout grands des yeux déjà
magnifiés par ses faux cils et sa bouche forma un O
géant de l'incarnat le plus sanglant de la gamme Max
Factor. Le reste de l'assistance parut également captivé.
Des exclamations fusèrent. « J'ai tant de questions à lui
poser ! » s'écria Margaret Hartnell. « Et moi aussi ! » renchérit Barbetta Cowles. « Enfin au cœur de l'Orient mystérieux ! » déclara Sir Cecil. Et quand pouvait-on
consulter cette pythie bisexuée ?

« Elle ou il reçoit jusqu'à minuit », expliqua Siegfried
Alp.

Et les convives s'empressèrent de conclure qu'il fallait s'y rendre sur-le-champ. Seuls Sir Charles et Harvey
Manners étaient d'un avis contraire, le premier parce
qu'il estimait délicat pour un membre du corps diplomatique de Sa Majesté de s'aventurer à des heures indues
dans les parages où gîtait la cheikha, et le second, qui
avait passablement bu, parce qu'il n'avait pas l'intention
de sacrifier son temps à « ce tas de fadaises ».

« Mais je peux y aller, moi, non, Charles ? » plaida
Sybilla, qui mourait d'envie de se joindre aux autres.

Sir Charles fit la moue. Enfin, oui, mais dans une voiture civile.

« La mienne, proposa Dorothy de Keyser, qui avait
une grande Plymouth.

— J'ai aussi la mienne, dit Barbetta Cowles. Je peux
prendre trois personnes.

— *Can you really ?* » demanda insolemment Chester
Lamotte, ce qui lui valut une crise de fou rire de Barbetta
Cowles.

Soudain, les échos d'une réunion animée leur parvinrent d'une autre salle et ils suspendirent un instant
leurs conversations. Quand ils perçurent les paroles
d'une chanson familière, *Auld Lang Syne*, entonnée par

un ténor chaleureux, ils levèrent tous la tête. Mais Sir Charles, lui, garda la sienne baissée. C'était le banquet d'adieux en l'honneur de McCormagh.

... Should old acquaintance be forgotten
For the sake of Auld Lang Syne...

« *We twa hae run about the braes*, enchaîna Redman, avec un sourire rêveur sous le regard sombre de Sir Charles.
— Joignons-nous à eux ! s'écria Margaret Hartnell.
— Je ne crois pas », murmura Sir Charles d'un ton ferme.
Sybilla parut un moment songeuse. C'étaient les échos de son pays et là, ils la blessaient comme un reproche. Elle chassa les souvenirs de l'après-midi, ses seins frémirent et elle se força à sourire et à reprendre la conversation que la ballade écossaise avait soudainement tarie.

Le café avalé, cet équipage partit s'installer dans les véhicules, après avoir laissé Manners au bar, achevant de s'ivrogner. La Plymouth démarra en tête, avec Sir Cecil, Margaret Hartnell, Siegfried Alp et quelques autres à bord, dont Sir Charles, qui s'était laissé séduire par l'aventure, et Sybilla. La petite Ford Eifel de Barbetta Cowles ahanant à sa suite, avec Chester Lamotte et Eric Redman. Assis à l'arrière, Alp indiquait la route à Dorothy de Keyser et tentait de garder un visage impassible cependant que la main de Margaret Hartnell s'appesantissait sur sa cuisse, près, vraiment très près de son pubis. Nonobstant ses manœuvres, l'actrice n'arrêtait cependant pas de s'exclamer sur le spectacle pittoresque qui défila derrière les vitres dès que la voiture eut quitté les quartiers européens. Elle étreignait spasmodiquement la cuisse de Siegfried.
« Regardez cette maison ! Regardez ce café !
— Je pense que je vais un peu modifier nos projets de plein air, murmura Sir Cecil. Ces décors sont encore plus extraordinaires que ceux que nous avions choisis. »

Un cahot survint et Siegfried eut peine à réprimer
une exclamation. Margaret Hartnell venait de lui serrer
les parties cette fois sans ambages. Sir Cecil Basildon
semblait ne s'aviser de rien ; il aspirait avec lassitude la
fumée d'une cigarette placée à l'embout d'un long tuyau
d'ivoire bagué d'or. Enfin, ils y furent.

La maison de la voyante dressait trois étages sur
une petite place, entourée de bâtisses anciennes qui se
repliaient dans les ténèbres. Un bec de gaz solitaire
répandait une lumière jaunâtre. Le silence avait été
déchiré par les claquements des portières. Un jeune
homme se pencha à la fenêtre du troisième étage. Siegfried leva un bras, articula quelques mots d'arabe et le
jeune homme hocha la tête.

« Extraordinaire ! » murmura Sir Cecil.

Le décor, en effet, était parfait. On n'y attendait que
les acteurs. Mais l'Anglais ignorait que ceux qui eussent
dû paraître ne viendraient pas, et que ceux qui trou-
blaient le silence de la rue n'étaient que des doublures
sans talent. Quelques instants plus tard, la porte en bois
fut déverrouillée. Siegfried s'avança, suivi de Sybilla et
de Sir Cecil. Un chèvre dévala l'escalier en trombe et
partit gambader dans la nuit, de l'herbe au museau. Margaret Hartnell faillit en perdre l'équilibre.

« Était-ce une chèvre ou un bouc ? demanda
Sir Cecil.

— Je n'ai jamais vu de chèvre, ni de bouc de ma
vie, rétorqua l'actrice d'un ton pointu.

— C'était peut-être le Diable ! » chuchota Barbetta
Cowles.

Le jeune Égyptien apparu à la fenêtre réapparut au
premier étage et se pencha sur la rampe. Il laissa sans
doute tomber des paroles de bienvenue, auxquelles Siegfried répondit en arabe. Les visiteurs s'engagèrent dans
l'escalier et des enfants nu-pieds vinrent leur constituer
une garde d'honneur, dévorant l'actrice des yeux. L'escalier était parsemé de luzerne, sur laquelle Margaret
Hartnell faillit glisser, se rattrapant au bras de Chester
Lamotte.

« Margaret, vous avez une escorte d'honneur », dit Clive Eakins en pouffant.

Elle se retourna ; elle était suivie par cinq ou six poules.

« *Dear me* », marmonna-t-elle.

Ils parvinrent au troisième étage, devancés par Siegfried qui avait été annoncer les visiteurs à la cheikha. Ils se retrouvèrent dans un vaste vestibule dont le délabrement n'avait pas entièrement effacé les splendeurs anciennes. Des traces de stucs et de fresques demeuraient au plafond et sur le haut des murs de ce qui avait été une antique demeure ottomane, sous la protection d'araignées laborieuses. La pièce suivante dans laquelle ils pénétrèrent était majestueuse et lambrissée. Des divans couverts de coussins fatigués et d'étoffes défraîchies en constituaient le principal ameublement. Un petit homme replet à la moustache roussâtre était installé sur le divan central. Il posa sur un guéridon le verre de thé qu'il tenait à la main et fit un large geste d'accueil.

Sir Cecil demanda dans quelle langue on s'entretiendrait avec la pythie, « *for I doubt that the wretched bugger speaks any Christian language* ».

Siegfried lui saisit le bras pour l'arrêter.

« *Good evening, ladies and gentlemen* », dit la cheikha sur un ton malicieux.

Sir Cecil hoqueta un sombre « *I'm sorry* ».

« Je parle arabe de toute façon », murmura Siegfried, agacé par la gaffe de l'Anglais.

Margaret Hartnell s'avança vers la cheikha dans une attitude déférente et l'autre hocha plusieurs fois la tête avec aménité.

« *I'm so thrilled to meet you* », dit-elle, et on l'eût crue sincère.

Le regard liquide, gris pâle, de la cheikha filtra d'entre les paupières entrouvertes et parut considérer l'Anglaise du fond d'un rêve. Peut-être doutait-il de la réalité de l'actrice. Quatre jeunes gens en djellaba, d'âges échelonnés entre quinze et vingt ans, se tenaient

debout dans la pénombre, pareils à des statues vigi-
lantes.

« *Ahlan*, dit la cheikha. *Please take seats* ».

Les visiteurs s'installèrent. La cheikha fit un geste et
l'un des jeunes gens apporta un plateau garni de verres
au liseré doré ou plutôt dédoré et d'un broc de thé
fumant. Un long silence s'instaura. On ne savait si la
cheikha, sur qui les regards convergeaient, dormait ou
était éveillée. Le jeune homme servit le thé, âpre et
brûlant.

« Margaret, posez la première question », dit
Sir Cecil.

Margaret Hartnell s'agita, cherchant ses mots, sans
doute gênée d'avouer ses aspirations secrètes.

« Ma vie..., articula-t-elle enfin. Ma vie sentimentale... »

La cheikha avait-elle entendu ? Siegfried traduisit la
question en arabe. L'autre hocha la tête et, un peu plus
tard, commença à geindre, d'une voix enfantine.

« C'est l'esprit qui la saisit, souffla Siegfried.

— Hélas pour l'âme assoiffée, un verre est vide et
l'autre est brisé, psalmodia la cheikha en arabe, d'une
voix étrangement fluette. C'est quand les dents commencent à branler qu'on a le plus envie de viande. »

Siegfried traduisit derechef. Margaret Hartnell
ouvrit de grands yeux. Clive Eakins tendait le cou, stupéfait. Sir Cecil avait baissé les yeux, gêné.

« Autre question ? » demanda Siegfried.

Margaret Hartnell secoua la tête, visiblement
consternée.

« À vous, Dorothy, dit Sybilla.

— Où en suis-je dans ma vie, moi aussi ? » s'enquit
Dorothy de Keyser.

Ces étrangers colletés venaient donc se déshabiller
l'âme sans pudeur dans cet antre peuplé de l'esprit le
plus hostile à leur culture et à la puissance coloniale
qu'ils représentaient, songea Siegfried. Ils en avouaient
là plus qu'ils n'en auraient dit à leurs plus intimes amis,

et le comble était qu'ils le faisaient en public. La cheikha recommença à geindre.

« Le printemps est venu et les fleurs se sont changées en fruits, les paniers sont pleins de fruits, mais le vent se lève et la tempête s'annonce.

— Qu'est-ce que ça peut bien vouloir dire ? murmura Dorothy de Keyser, alarmée.

— Je n'ai pas de question, non vraiment non ! déclara Barbetta Cowles en secouant la tête.

— Alors, c'est à moi, dit Sybilla, souriant en dépit d'une irrépressible anxiété. Et moi, où en suis-je, dans ma vie ? »

Ils attendirent tous.

La cheikha soupira. « La voyageuse s'est arrêtée dans l'oasis et en a trouvé les dattes dignes du paradis. Puis elle reprendra son voyage et trouvera un sac de dattes sur la selle de son chameau. »

Sybilla s'empourpra. Les regards se tournèrent vers elle, mais la pénombre avait masqué son émoi. Personne sans doute n'avait compris l'oracle, même pas son mari. Elle seule en avait deviné le sens. Et peut-être Siegfried. Le cœur battant la chamade, elle entendit à peine les réponses offertes aux questions des autres. Sir Cecil s'était interrogé sur l'avenir de ses entreprises.

« Le paysan avisé ne réunit pas sous le même attelage un âne et un bœuf. »

Ce qui laissa le producteur stupéfait.

« Comment diantre... », commença-t-il à dire quand Sir Charles demanda à son tour ce que l'avenir lui réservait ; il obtint l'apophtegme suivant :

« Celui qui mange des grenades ne doit pas se plaindre qu'on lui ait volé un panier d'oranges. »

Sir Charles retint un petit rire et déclara : « Voilà qui est bien mystérieux ! »

Clive Eakins s'entendit répondre, à une question sur sa carrière :

« Le flûtiste qui joue de la flûte depuis des années ne fait pas de bonne musique quand il prend la cithare. »

Chester Lamotte, qui s'inquiétait sur son avenir,

obtint les mots suivants : « Quand le renard aura fini de croquer les poules, le chien du propriétaire viendra le mordre. » Ce qui déclencha chez Lamotte un rire strident. Quant à Siegfried, il fut gratifié de la réponse suivante :

« Les hirondelles ne volent pas avec les éperviers. »

Il resta perplexe. Il avait bien vu Sybilla s'empourprer ; la cheikha avait-elle donc vraiment deviné quelque secret ? Et pourquoi Margaret Hartnell avait-elle paru dépitée par l'oracle qui lui avait été rendu ? Toujours était-il que la séance était terminée. Les visiteurs restèrent quelques instants livrés à leurs réflexions.

« Que faut-il donner à ce personnage ? murmura Sir Charles à l'oreille de Siegfried.

— Une livre pour chacun de nous », répondit Siegfried en mettant la main à son portefeuille.

Sir Charles se leva pour poser l'argent devant la cheikha ; celle-ci parut sortir de son rêve ; elle considéra les billets devant elle et tendit la main vers une grande boîte de nacre. Elle l'ouvrit et offrit des cigarettes à la ronde. Seul Chester Lamotte en prit une, devinant de quel tabac elle était fourrée.

L'heure s'avançait. Margaret Hartnell demanda à rentrer. Ils se levèrent et redescendirent l'escalier, déserté par chèvres et poules. Le décor s'était désenchanté. L'opéra-bouffe s'achevait sur un drame inexprimé.

« *Chinese cookies !* » s'écria Barbetta Cowles, faisant allusion à ces sentences et maximes qu'on trouvait dans les biscuits chinois.

Frappés d'un soudain mutisme, gênés, ils reprirent leurs places dans les voitures. Quand Dorothy de Keyser, au volant, demanda enfin ce qu'avait bien pu signifier la cheikha par son apologue sur le printemps et l'été, elle n'obtint en guise de commentaires que des mots indistincts. Siegfried commençait à se repentir de son initiative.

« Je ne sais pourquoi cet endroit m'a déprimée », dit Margaret Hartnell.

Quand les voitures se furent arrêtées devant l'hôtel Shepheard's, scintillant encore de toutes ses lumières, les cinéastes mirent pied à terre. Un enjouement de circonstance présida aux adieux.

« Venez, Siegfried, venez prendre un "bonnet de nuit" avec nous », dit Margaret Hartnell.

Il s'exécuta, interdit, et gravit avec l'équipe l'escalier qui débouchait sur la terrasse majestueuse de l'entresol. Quelques clients sirotaient encore leurs verres dans la fraîcheur du soir. Une fois parvenus dans l'antique hall mauresque, oasis de tapis et de palmiers en pot, Sir Cecil Basildon et Clive Eakins décidèrent de monter se coucher.

« Nous voilà donc abandonnés, dit Margaret Hartnell. Et Harvey doit être au bar, donnant le piteux spectacle d'un Anglais ivre. Eh bien, nous prendrons ce verre dans mon appartement. »

Il se fourrait dans un guêpier, songea-t-il. L'amour-propre l'empêcha de se dérober. Dans l'ascenseur antique qui montait avec lenteur la cage aux grilles chantournées, puis dans le couloir aux épais tapis orientaux et jusqu'à la porte de l'appartement de l'actrice, il réussit néanmoins à conserver une expression composée. Elle lui tendit la clef. Était-ce un geste symbolique ? Il l'introduisit dans la serrure et ouvrit la porte, puis s'effaça pour laisser passer l'actrice. Elle tourna les commutateurs. L'appartement s'éclaira. Siegfried referma la porte, inquiet. Margaret Hartnell passa dans sa chambre et se défit de ses chaussures. Puis elle revint s'asseoir dans le salon et s'empara du téléphone, tandis qu'à la fenêtre, il cherchait du regard le banyan sous lequel le général Kléber avait été assassiné. Il le repéra enfin.

« Scotch ? demanda-t-elle. Double ? »

Le hiatus l'amusa. Il se détacha de la fenêtre et elle alla à la salle de bains.

« Prenez le plateau pour nous quand on frappera à la porte, voulez-vous ? » dit-elle avant de s'enfermer.

Demeuré seul, il explora du regard l'étalage de vêtements et d'attifets tout autour de lui, et en particulier une robe du soir mauve à volants fuchsia qui gisait sur un fauteuil comme une orchidée fanée. Dans quelles circonstances pouvait-on porter une robe de ce genre ? Puis, tout à trac, il se demanda si Margaret Hartnell racolait tous les soirs des jeunes gens différents. Un choc à la porte l'étonna. Le service était bien rapide dans cet hôtel. Il alla ouvrir et fut surpris de trouver Manners, visiblement éméché.

« Petit bâtard ! » marmonna Manners.

Et il projeta en avant un poing que Siegfried vit venir comme dans un film au ralenti et qu'il eut tout le loisir d'esquiver. Manners perdit l'équilibre et s'étala de son long sur le seuil de la chambre. Sur ces entrefaites arriva le garçon d'étage avec le plateau de boissons et, considérant la carrure de l'homme étalé par terre et la frêle silhouette de Siegfried, en tira des conclusions erronées et se fit une mine admirative.

« Ce Monsieur avait déjà fait du scandale au bar, dit-il, enjambant le corps inerte de Manners pour déposer le plateau sur un guéridon.

— Que se passe-t-il ? » clama la voix *off* de Margaret Hartnell.

Elle sortit de la salle de bains et contempla Manners, toujours à plat ventre, grommelant des obscénités.

« *Such a disgrace !* s'écria-t-elle. Sortez cet homme d'ici ! »

À qui donc s'adressait-elle, avec cette autorité de Sémiramis ? Elle s'empara du téléphone et appela la chambre de Basildon.

« Cecil ! Un incident affreux ! Venez vite ! » s'écriat-elle.

Quelques instants plus tard, Sir Cecil accourait, en robe de chambre de soie à ramages, et considérait Manners, qui venait de s'endormir, vaincu par l'alcool. Le garçon d'étage entreprit de tirer Manners par les pieds.

« Retournez-le, pour l'amour de Dieu ! » s'exclama Sir Cecil.

Siegfried et le garçon d'étage retournèrent donc l'ivrogne. Ils le prirent, l'un par les pieds, l'autre par les aisselles et le portèrent dans le couloir, cependant que Margaret Hartnell débitait un commentaire affligé sur le ton d'un récitatif mozartien. Siegfried se retint de rire.

« On ne peut quand même pas le laisser là toute la nuit », observa Sir Cecil. Et s'adressant au garçon d'étage : « Veuillez appeler du renfort, qu'on le transporte dans sa chambre. » Le garçon d'étage revint dans la chambre pour demander de l'aide par téléphone. Ils attendirent tous quatre, comme on attend les croque-morts. Manners ronflait.

« C'est vous qui l'avez assommé ? demanda Sir Cecil, admiratif, à Siegfried.

— Je crois qu'il s'est assommé tout seul. »

Trois gaillards arrivèrent enfin, s'emparèrent de Manners et parvinrent à le faire tenir debout cependant que Sir Cecil le giflait avec une serviette mouillée.

« Quelle nuit ! s'écria Margaret Hartnell en refermant la porte.

— Quelle nuit, en effet. Je vais prendre du repos, répondit Siegfried, debout, dans l'attitude de quelqu'un qui s'apprête à prendre congé.

— Vous allez me laisser seule ? s'enquit Margaret Hartnell, éplorée.

— Je ne crois pas que vous couriez grand danger, maintenant. »

Elle s'approcha de lui et lui saisit le revers, séductrice.

« Vous n'avez même pas touché votre scotch, observa-t-elle.

— Gardez-le-moi au frais pour demain, dit-il plaisamment.

— Vous me souhaiterez quand même bonne nuit ? » murmura-t-elle, rapprochant son visage.

Et elle lui saisit la tête et l'embrassa avec une passion sans doute sincère, elle.

Il recula imperceptiblement.

« Bonne nuit », dit-il en mettant la main sur la poignée.

Il ne trouva pas de taxi et décida de rentrer à pied.
Il jeta en passant un long regard au banyan de Kléber.
Sa montre annonçait près d'une heure. Un cocher dormait dans son fiacre, rangé le long du trottoir ; sans
doute le cheval dormait-il aussi. À la terrasse d'un café
arabe, encore ouvert, un client attardé, un pied nu replié
sur la chaise, fumait pensivement la *chicha* devant une
table à tric-trac ouverte ; il dévisagea Siegfried et lui
lança :

« Tu as du rouge sur la bouche. »

Siegfried s'arrêta, tira son mouchoir et essuya en
effet une large traînée de rouge à lèvres.

L'autre fit une moue moqueuse.

Le décor, lui, est vrai, songea Siegfried. Et la pièce
est différente. Mais ce n'est pas la mienne.

10

Le sac de dattes

L'été guettait aux portes, porteur d'après-midi torrides et de soirées dolentes au goût de sorbet au citron et de films de série B. Les nuits ne devinrent supportables qu'à la condition d'organiser un courant d'air grâce à un jeu savant de fenêtres et de portes bloquées par des clenches, d'un bout à l'autre des appartements. C'était un petit commerce au Caire, que les clenches.

Assis au Guézireh, devant un Tom Collins, Siegfried réfléchissait à sa fuite annuelle. Londres ? Paris ? Mais ces villes étaient chères, il n'était guère en fonds et soupira à l'idée qu'il lui faudrait accepter l'hospitalité de ses cousins à Istamboul, puis s'offrir quelques jours d'indépendance à Sidé. Il n'avait guère envie de suivre sa mère, qui rejoindrait la sienne dans la grande maison d'Aboukir pendant les trois mois d'été, comme chaque année.

Il écoutait nonchalamment la conversation des deux femmes à sa table, Mafalda Considerato et Fatma el Entezami. Une sombre histoire de naufrage conjugal.

« Et alors, ils divorcent ? demanda Mafalda Considerato.

— Évidemment. Mais pas tout de suite, vous

pensez ! Le scandale... Le fils du Premier ministre ! Ils se sont mariés il y a un mois... et le roi assistait à la cérémonie ! répondit Fatma el Entezami.

— Quand même, passer la nuit de noces enfermé dans la salle de bains, à faire flotter des bateaux en papier... Il est pédéraste ou quoi ? Nani est pourtant jolie et c'est un bon parti. Le père possède au moins quarante *feddans* de coton... Personne ne voudra plus l'épouser.

— Lui non plus, remarquez. Le pacha est très mécontent. Même le roi est au courant. Il a fait demander par sa sœur Faïza ce qui s'était passé. Vous ne voulez pas un autre thé frappé ?

— Tout à l'heure, merci, après le tennis. Mais comment a-t-on su qu'il faisait flotter des bateaux en papier ? Peut-être qu'il s'est seulement attardé dans son bain ou quelque chose de ce genre.

— Non, non ! Quand ils se sont retirés dans la chambre à coucher, après la réception de mariage, Nani s'est déshabillée et s'est mise au lit et Adel est passé à la salle de bains. Comme au bout de deux heures il n'était pas revenu, elle s'est inquiétée ; elle est allée frapper à la porte et Adel lui a dit qu'il prenait un bain. Elle lui a fait remarquer que cela faisait des heures. Il lui a répondu qu'il avait un grand corps. »

Siegfried se mit à rire.

« Ça vous fait rire, évidemment, répliqua Fatma el Entezami en riant elle-même. Nani a alors été réveiller sa mère, qui ne savait quoi faire et qui a réveillé le pacha lui-même. Celui-ci est descendu chercher une échelle double dans la remise du jardin et il l'a dressée contre le mur de la salle de bains. Vous imaginez, le Premier ministre sur une échelle double en pleine nuit ! »

Siegfried se tordit de rire.

« Comment savez-vous tout ça ? questionna Mafalda Considerato.

— C'est Nani elle-même qui me l'a raconté. Bref, arrivé au sommet de l'échelle, le pacha a vu son fils tout nu dans la baignoire en train de faire flotter des tas de petits bateaux en papier qu'il avait confectionnés avec un journal. Quand Adel a aperçu son Premier ministre de père dans la lucarne de la salle de bains, il a éclaté de rire...

— Il y avait de quoi, en effet.

— Oui, ça lui a valu une remontrance à la sortie.

— Et après ? Peut-être qu'ils vont se réconcilier, Adel et Nani ?

— Pensez, Adel a déclaré à son père qu'il n'avait pas envie d'une femme aux seins mous. Le père lui a demandé pourquoi il ne s'en était pas avisé avant. Adel a rétorqué qu'il n'avait jamais fait l'amour avec elle avant le mariage. Le pacha l'a envoyé se reposer au Liban. Le divorce sera prononcé cet hiver.

— Pauvre Nani, quelle humiliation ! dit Mafalda Considerato. C'est pour ça qu'on ne la voyait plus ces derniers temps.

— Elle est partie pour Paris. Remarquez, reprit Fatma el Entezami, qu'elle n'avait pas non plus très envie d'épouser Adel. Nani ne parlait que le français et à peine l'arabe et Adel, lui, ne connaissait presque pas le français. C'était un mariage de convenance.

— D'inconvenance, dit Siegfried.

— Siegfried, vous devenez aussi insupportable que mon mari ! s'écria Fatma el Entezami.

— Vous croyez qu'on a besoin de savoir la grammaire pour faire l'amour ?

— Un mariage, Siegfried, ça ne se passe pas qu'au lit.

— Il est beau garçon, Adel, reprit rêveusement Mafalda Considerato. Vous êtes sûre qu'il n'est pas pédéraste ?

— Comment voudriez-vous que je le sache ? répliqua Fatma el Entezami. Dès qu'un homme n'a pas envie de coucher avec une femme, on dit qu'il est pédéraste.

— Dans ces milieux-là, observa Mafalda Considerato, on n'a pas le droit d'avoir des sentiments personnels. »

Des sentiments personnels, se redit pensivement

Siegfried. Pourquoi *personnels* ? On n'avait pas le droit
d'avoir des sentiments, voilà tout.

Mafalda Considerato se leva pour aller à son tennis
et Siegfried se leva aussi. Sur ces entrefaites la princesse
Noureddine arriva. Elle et Fatma el Entezami se donnè-
rent des accolades et des « Ma chérie ! » La princesse prit
la place de Mafalda Considerato et commanda un thé
glacé. Siegfried dut se rasseoir.

« J'apprends que vous brisez le cœur des belles
voyageuses », dit la princesse en s'adressant à Siegfried
dans son français chantant.

Siegfried interrogea du regard le masque carré, pâle
et encore beau de la princesse, d'origine circassienne
comme il l'était à moitié, et il retint mal un sourire.

« C'est un gentleman, assura la princesse, il ne dira
rien.

— Les informations vont vite, remarqua Siegfried.

— Siegfried, intervint Fatma el Entezami d'un ton
impérieux, vous devez épouser une femme, enfin je veux
dire une jeune fille de votre âge !

— Mais la passion, Fatma ! s'exclama la princesse
avec une emphase théâtrale et sans doute teintée d'ironie. La passion ! Ce jeune homme ne vit que pour la passion ! »

Sur quoi apparut Sybilla Hammerley. Elle adressa à
Siegfried un salut de la main. Siegfried s'étant levé, elle
approcha, étrangement hésitante, et salua la princesse
et Fatma el Entezami.

« Asseyez-vous, je vous en prie, dit la princesse.
Vous ne devriez jamais plus quitter l'Égypte, vous
savez ? Vous êtes, sous notre climat, plus belle qu'une
rose.

— Merci », répliqua Sybilla, coulant un regard
méfiant vers la princesse, qui était la propre tante d'Ismaïl. Savait-elle ?

Depuis quelque temps, Sybilla soupçonnait tout le
monde de connaître la cause de son indéniable épa-
nouissement. Et chaque fois qu'elle allait retrouver
Ismaïl, une anxiété la prenait. Elle consulta subreptice-

ment sa montre : trois heures passées et elle avait rendez-vous avec lui à quatre heures. Une heure pour
donner le change par une apparition en public et puis...
Elle commanda un thé glacé, et se tourna vers Siegfried :

« Votre voyante est vraiment un personnage extraordinaire, dit-elle. Charles s'interroge encore sur le sens
de cette histoire de grenades et d'oranges. – Siegfried
ne disant rien, elle reprit à l'intention des deux autres
femmes : – Siegfried nous a emmenés chez cette femme,
je veux dire cet homme, qui prédit l'avenir. Et le metteur
en scène qui était avec nous envisage de changer son
scénario pour tourner une scène de son film chez lui,
chez elle, comment dit-on ?

— La cheikha Zahia, dit Fatma el Entezami.

— Mon Dieu, qui a envie de connaître l'avenir ?
murmura la princesse sur un ton de fausse affliction. On
ne sait déjà rien du présent ! » Et elle tourna son regard
doré vers Sybilla.

Elle sait, songea alors Sybilla. *Elle sait ! Mais
comment ?*

« Vous viendrez au bal, n'est-ce pas ? demanda-t-elle
à Sybilla.

— Oui, mon mari a répondu au secrétariat de la
princesse Zuleika l'autre jour, dit Sybilla dans un français teinté d'un fort accent.

— Et vous avez pu trouver une couturière ?

— Une couturière ? répéta Sybilla, surprise.

— Pour la robe. »

Sybilla paraissait de plus en plus décontenancée.
Fatma el Entezami observait la scène sans mot dire.

« La robe pour le bal, expliqua la princesse. Notre
chère Salha est complètement débordée et il n'y a plus
un mètre de tissu disponible d'ici l'autre bord de la
Méditerranée. Heureusement que Jean Dessès a mon
mannequin à Paris. Il me fera expédier la robe par Air
France. »

Sybilla se trouva une autre cause d'anxiété. La robe.
Oui, elle n'y avait pas pensé, en effet.

« Je suppose que je dénicherai quand même une robe au Caire, murmura-t-elle timidement.

— Vous aurez de la chance, dit la princesse. Ne perdez pas de temps.

— Et si je ne trouve rien ? demanda Sybilla, soudain alarmée.

— Il ne me restera plus qu'à vous prêter l'une des miennes, dit la princesse en riant, regardant Sybilla droit dans les yeux. Vous savez, le roi sera là. »

Pourquoi cette information sonna-t-elle aux oreilles de Sybilla comme comminatoire ?

La morosité figea le visage de Siegfried. Il n'avait pas été invité à ce fameux bal, et bien qu'il fût conscient qu'il n'y avait pas sa place, n'étant ni diplomate, ni membre d'une famille royale, il n'en concevait pas moins un certain dépit.

« Et vous, Fatma, interrogea la princesse, viendrez-vous ?

— Louis m'a signifié qu'il faudrait l'y faire porter sur une civière ! » répliqua Fatma el Entezami avec emphase.

La princesse se mit à rire. Siegfried sourit avec réserve. Il savait que, bien que fille de l'ancien président du Sénat, Fatma el Entezami n'avait pas été invitée, car elle était mariée avec un chrétien. Or, le caractère quasi officiel du bal interdisait qu'on invitât des « couples adultères », comme disaient les religieux de l'université de l'Azhar.

Sybilla coula un autre regard vers sa montre ; il était temps de prendre congé. Elle n'avait de toute la journée songé qu'à ce rendez-vous et cela même la contrariait. Nous avons fait l'amour assez souvent, et je devrais quand même avoir plus de sérénité, pensa-t-elle. Siegfried se leva.

« Vous avez des nouvelles de Margaret Hartnell ? lui demanda-t-elle en aparté.

— Un coup de téléphone avant son départ, répondit-il sans entrain.

— Moi aussi, dit Sybilla. Ces artistes sont vraiment des gens imprévisibles », ajouta-t-elle avec un petit rire.

Croyait-elle donc, se demanda Siegfried, qu'il avait été l'amant de l'actrice ? La question le rendit perplexe.

Elle décida d'aller à pied, en suivant l'allée qui longeait le champ de courses et qui, à cette heure, était presque déserte. De là, elle couperait à travers les fourrés et arriverait droit dans le jardin des Abou Soun, du côté de l'appartement d'Ismaïl, comme elle l'avait fait maintes fois. Ce trajet comportait le risque d'être aperçue par un jardinier, ou pis, par un membre de la *gens* Abou Soun, mais il n'y avait pas moyen de faire autrement.

Elle trouva la porte entrebâillée et Ismaïl, torse et pieds nus, en short, lisant le journal. Elle n'eût pas plus tôt refermé la porte qu'elle était dans ses bras, absorbant de tous ses pores le parfum de sucre ambré qui se dégageait du corps musclé, parfum de jeunesse animale, saine et chaude. Il est le dieu Pan, se dit-elle, tandis qu'il la déshabillait avec la même fièvre que les fois précédentes et lui prodiguait déjà les caresses les plus indiscrètes, c'est-à-dire les plus désirées. Mais ce jour-là, elle était tellement tendue qu'à l'orgasme elle fut prise d'une crise nerveuse. Elle ne trouva un semblant de paix physique et la détente de l'esprit que la seconde fois. « Je suis droguée à ce garçon, songea-t-elle avec un certain effroi. Elle qui jusqu'alors avait attendu ses avances, faisant mine de les subir, les devança, lui imposa son corps, glissant ses doigts dans la bouche de son amant, lui léchant les oreilles, explorant ce corps comme elle n'en avait exploré aucun autre, bref, jetant à tous les diables les feintes de sa première pudeur. Sensible à ces flatteries, il redoublait d'ardeur et, quand leurs corps furent las, il la prit dans ses bras et lui murmura, le regard chaviré :

« *I love you.* »

Elle rit et elle lui mit la main sur la bouche.

« *I love you*, répéta-t-il.

— Comment saurais-tu ce qu'est l'amour, espèce d'Osiris ? rétorqua-t-elle. C'est mon corps et c'est le sexe que tu aimes.

— Non, c'est toi », insista-t-il, tendrement, ses mains, son corps, sa bouche, ses yeux reconstituant une allégorie du miel chaud.

Sybilla s'avisa alors, fortuitement, qu'elle avait jusqu'alors dénié toute affectivité aux Égyptiens, « les Arabes » comme elle appelait elle aussi. Elle avait d'emblée adopté le préjugé courant chez les Européens selon lequel la subtile grammaire de l'affectivité occidentale était lettre morte pour « ces gens-là ». « Ils baisent », disait Chester Lamotte, qui devait en savoir un brin sur la question, « et c'est tout ».

« Je ne veux pas te quitter après que nous avons fait l'amour, murmura Ismaïl. Je veux dormir avec toi.

— Ça, *dear boy*, c'est impossible », déclara Sybilla en se dégageant. Une anxiété d'un ordre différent la gagnait. Elle s'était laissé prendre dans un engrenage. Elle n'était plus libre, à moins de rompre. Et rompre aurait signifié le renoncement à ses derniers petits bonheurs. Non, à plus que cela, à son corps. Au sexe. À sa jeunesse. À sa vraie vie, quoi. Il deviendrait de plus en plus difficile de garder Ismaïl sous le boisseau, de le contraindre à accepter ces rendez-vous furtifs. Il faudrait réviser la situation, songea-t-elle en consultant ostensiblement sa montre. Elle posa un pied par terre.

« Pourquoi est-ce impossible ?

— As-tu perdu la tête ? Je suis mariée. »

Elle sortit l'autre jambe du lit.

« Tu peux quitter ton mari. Tu ne l'aimes pas. »

Elle était debout et s'apprêtait à aller à la salle de bains.

« Un mariage, ce n'est pas que du sexe, dit-elle en s'emparant de ses sous-vêtements épars. Je suis attachée à Charles.

— Tu ne fais plus l'amour avec lui depuis longtemps, tu l'as dit toi-même.

— Ça ne signifie pas que je ne sois pas attachée à lui, je le répète.

— Tu es attachée à ton statut social, parce que tu es Lady Hammerley. »

C'était sans doute vrai, mais elle eût préféré qu'il ne l'eût pas dit. Elle s'impatienta et trébucha en enfilant sa culotte, quitte à l'enlever de nouveau à la salle de bains.

« Et moi, reprit-il, allongé sur le lit, le torse rejeté en arrière, dans une attitude d'une insupportable séduction, moi, Sybilla, tu ne m'aimes pas ? »

La situation évoquait certain virage imprévu que Sybilla avait manqué trois ans auparavant. Des coups de volant erratiques sur une route mouillée l'avaient expédiée dans le fossé avec sa vieille Morris 8. Tout dérapait. L'aimait-elle ? Dans ce cas, il faudrait reparler de divorce, et cela, il n'en était pas question. Et si elle répondait par la négative, elle le perdait. Or, ce serait une souffrance que de le perdre. Qu'était donc le sentiment qu'elle éprouvait pour lui ? Elle se trouvait incapable de le définir. Elle saisit au vol, dans sa tête, le mot *infatuation* et décida qu'elle le tiendrait disponible pour toute éventualité critique. Puis elle passa dans la salle de bains, de plus en plus contrariée. Elle se lava à la va-vite, impatiente de quitter les lieux.

« Les femmes comme toi feraient donc l'amour sans amour ? » dit-il.

Les femmes comme toi était une expression déplaisante.

« Les A... Les Égyptiens aussi, me suis-je laissé dire », rétorqua-t-elle évasivement, en se peignant. Elle ouvrit son sac et entreprit de se faire un raccord. Elle se trouva anormalement congestionnée. Un enfant de cinq ans eût compris qu'elle venait de faire l'amour.

« Moi, je n'aurais pas fait l'amour avec toi si je ne t'aimais pas, en tout cas, je ne l'aurais pas fait autant de fois. Avec de plus en plus de plaisir. Et toi ? »

Terrifiant ! songea-t-elle. Terrifiant. Elle était piégée ! Il avait retourné contre elle les arguments mêmes qu'elle se disposait à lui opposer.

« Aimer quelqu'un est une chose, rester fidèle à un mariage en est une autre, Ismaïl, dit-elle avec une patience feinte, en s'efforçant de faire suivre au bâton de rouge à lèvres l'arc de sa lèvre supérieure, qui était sinueux.

— Fidèle ? Fidèle à une comédie ? » reprit-il ironiquement.

Il avait clairement défini la situation. C'était vrai, elle était fidèle à une fiction.

« Il y a une sorte de fidélité psychologique que tu ne sembles pas comprendre, répondit-elle.

— Pourquoi ne pourrais-je pas la comprendre ? Parce que je suis un Arabe ? »

Il convenait de quitter les lieux dans les plus brefs délais, avant qu'une scène éclatât.

« Non, parce que tu n'as pas été marié. Et que tu es un homme.

— Et c'est par fidélité psychologique que Charles Hammerley couche avec des jeunes gens ? »

Elle se vit dans sa glace de poche devenir cramoisie. Et comme toujours, quand elle était en proie à une émotion violente, son nez se pinçait. Un nez blanc dans un visage rouge. Elle avait trop longtemps cru que le morne petit secret de Charles était enfoui dans les arcanes de leur vie conjugale, et de le voir ainsi révélé par un autre, un étranger, elle frémit, comme sous l'effet d'une gifle. Elle respira profondément et se tourna vers Ismaïl pour lui dire d'un ton glacial : « Je te serais obligée de ne pas raconter de sottises sur mon mari.

— Je ne raconte pas de sottises, c'est lui qui en fait », répliqua-t-il calmement. Il alluma une cigarette.

« *Quelles* sottises ? » demanda-t-elle excédée. Et elle se retourna, l'air offensé.

Il la considéra un moment d'une façon où elle crut déchiffrer de la commisération, peut-être pis, du mépris. Elle soutint son regard, brandissant de sa main droite l'arme dérisoire d'un bâton de rouge, pareil à un sexe de singe turgide.

« Ton mari avait essayé de me séduire quelques jours avant que je te rencontre, laissa-t-il tomber.

— Tu inventes !

— Je n'invente rien. C'était dans la salle de douches de la piscine. »

Elle se souvint qu'en effet Charles fréquentait la piscine du club.

« Tu interprètes, sans doute, dit-elle encore, rebouchant le tube et se frottant les lèvres l'une contre l'autre.

— Je n'interprète rien. Il a carrément posé la main sur mon sexe. »

Elle vacilla sous le choc. La panique s'empara d'elle. Des palpitations s'ensuivirent.

« Donc, dit-elle d'une voix étranglée. *So.* » Elle ferma son sac et le fermoir claqua sèchement.

« Donc, reprit-il en se levant après un soupir, votre fidélité mutuelle est une comédie. Tu pourrais très bien quitter ton mari. » Il éteignit la cigarette dans un cendrier.

Et que s'était-il passé, se demanda-t-elle, après que Charles eut posé sa main sur le sexe d'Ismaïl ? Il serait vraiment comique que...

« J'ai alors compris que tu n'avais pas de sexe. Jolie comme tu es. »

La révélation tomba comme un pot de fleurs.

« D'où ton incroyable audace ? demanda-t-elle, les yeux ronds.

— Mon incroyable audace ! répéta-t-il en haussant les épaules. Je savais que tu n'avais pas d'homme dans ta vie. »

Elle ravala sa salive, blessée. « Écoute, dit-elle au bout d'un moment avec lassitude, dans un mariage, il y a aussi un contrat social. Des responsabilités morales. Je ne pourrais pas quitter Charles parce que... parce qu'il a... bref, parce qu'il aurait tenté de commettre une infidélité. »

Il lui lança un regard ironique ou sceptique, elle ne savait. Elle tapota sa blouse.

« Enfin, réfléchis, tu ne vois quand même pas la

femme d'un diplomate britannique demander le divorce pour devenir une épouse musulmane ?

— Non, répondit-il, il serait vraiment étrange que la femme d'un diplomate britannique acceptât d'épouser l'homme avec lequel elle fait si bien l'amour. Il est beaucoup plus normal, je suppose, de vivre dans l'hypocrisie et la souffrance. »

Arabe, sans doute, mais ni sot ni méprisable.

« Pousse un peu ton scénario jusqu'au bout, dit-elle d'une voix éteinte, debout devant le lit. Tente d'imaginer ce que tes amis, ta famille diraient de moi. »

Il parut réfléchir. Elle avait trouvé une faille dans son raisonnement.

« Ni mes amis, ni ma famille ne diront rien de déplaisant sur toi. Ce sont des êtres humains, contrairement à ce que tu sembles croire. » Sa voix était devenue étrangement rauque. « Et moi, poursuivit-il, moi, je t'aime.

— Cette conversation m'a épuisée. Changeons de sujet avant que je parte. »

Il restait nu et elle éprouva une inquiétude voisine de la jalousie. Et si quelqu'un lui succédait dans cette chambre ?

« Tu vas au bal de la princesse Zuleïka ? demanda-t-il en s'étirant.

— Je suppose que je dois y aller.

— Ça n'a pas l'air de te séduire.

— Non, pas vraiment, ce sera une réception guindée et sans grande gaieté sans doute. »

Il souffla sa fumée d'une façon que, les nerfs à cran, sensible au vol d'une mouche, elle jugea inamicale, moqueuse, provocatrice. Elle imagina avec alarme leur éventuelle rencontre à ce bal. Mais elle se rassura : non, il n'était certes pas invité, sans quoi il le lui eût dit.

« Je dois m'en aller, maintenant », conclut-elle.

Elle le dévisagea et le trouva indéchiffrable. D'habitude, il se levait spontanément pour l'accompagner à la porte et vérifiait que personne ne passait dans l'allée qui menait au club ou à la rue.

« Veux-tu, s'il te plaît, aller t'assurer que la voie est

libre ? » demanda-t-elle, maudissant par-devers elle l'hypocrisie qui les contraignait à cette précaution.

Il se leva, enfila un pantalon et sortit pieds nus dans la petite allée pavée.

« Rien », dit-il laconiquement. Sur le pas de la porte entrebâillée, elle attendit un baiser. Il vint enfin, après un temps, mais sur sa nuque.

Elle marcha jusqu'à la porte du club, sous les flamboyants dont les pétales faisaient rougeoyer la chaussée mauve sous le soleil de fin d'après-midi et trouva un taxi. Elle était à peine installée qu'une autre alarme s'ajouta à son anxiété : c'était la semaine où... L'apologue du sac de dattes qu'elle trouverait sur sa selle, comme avait dit la cheikha Zahia, lui revint brutalement en mémoire. Et si elle était enceinte ? Enceinte ? Arrivant à destination, elle parvint aussi au bord de l'égarement. Un retard. Le premier retard. L'angoisse l'étreignit.

11

La puissance des fantasmes

Allaaaaah… Allâhou akbar !
C'était vendredi. La voix du muezzin répétait l'appel du crépuscule avec une douceur lancinante. Cela commençait par une modulation lente et voluptueuse du nom d'Allāh, suivie par l'affirmation péremptoire : « Dieu et le plus grand. » L'appel passait de la sorte de l'invocation mystique à l'injonction politique. En cinq syllabes, les mêmes répétées depuis treize siècles, affinées par des générations de professeurs, tout l'islam était résumé : extase divine et résolution temporelle.

Les activités du jour s'interrompaient. Le marchand de fruits et légumes confiait le commerce à son plus jeune fils et, le petit tapis roulé sous le bras, s'en allait rejoindre les fidèles rangés dans la rue pour se prosterner en direction de La Mecque, pour la prière de midi. La plupart des cafés étaient soudain désertés. Le marchand ambulant de jus de tamarin, *argui souss*, se défaisait du baril de verre accroché à sa hanche par une sangle et confiait ses cymbales à la boutique la plus proche. Le boucher fermait boutique. Rue Mohamed Ali, parfaite réplique de la rue de Rivoli de Paris, conçue d'ailleurs par le même Charles Garnier, le marchand de cercueils s'en allait aussi rejoindre le flot des fidèles, laissant, lui, sa boutique ouverte, car personne n'eût commis la folie de voler un cercueil. Mais le sandalier, lui, confiait son commerce à son employé copte. Des rues entières étaient fermées au trafic, sauf celui des tramways, dont les roues musiquaient sur leurs portées d'acier.

Allaaaaah... ou akbar !

Du Delta au Soudan, il n'était pas un coin des terres habitées de la vallée du Nil où l'appel ne fût audible le vendredi. Les « Européens » avaient un temps espéré échapper à ce rappel menaçant de la présence de l'islam en s'installant dans des banlieues résidentielles, comme Rodah, Zamalek, Garden-City ou bien Héliopolis. Peine perdue. Une nouvelle mosquée au minaret encore plus haut venait bientôt combler le vide éventuel.

L'appel s'étendait donc jusqu'aux confins du désert. Ce vendredi-là, comme les autres, il résonna au-dessus de la Villa Arsinoë.

L'architecte qui avait conçu cette demeure avait sans doute beaucoup admiré les décors d'*Aïda* à l'Opéra Royal du Caire, toujours les mêmes depuis l'inauguration du canal de Suez en 1869, en présence de l'impératrice Eugénie. En témoignaient des détails qui évoquaient une Égypte de fantaisie, par exemple les palmettes dodues de l'extravagante archivolte surplombant le balcon principal, au premier étage, ainsi que les étranges pilastres lotiformes soutenant cet ornement hors de propos ; ou peut-être avait-il aussi rêvé de Venise, comme semblaient l'indiquer les arcs trilobés des fenêtres et les disques de marbre garnissant incongrûment les redents.

Mais il était aussi vrai qu'Héliopolis, enclave gagnée sur le désert par des financiers belges, avait servi de déversoir aux excentricités d'architectes européens qui demandaient encore, sur le bateau les menant à Alexandrie, si l'on chassait le crocodile dans les rues du Caire. Ainsi, le propre président de la Société d'Héliopolis, le baron Empain, s'était-il fait ériger une réplique du

temple d'Angkor-Vât, qui stupéfiait les visiteurs fraîchement débarqués à l'aéroport d'Almaza. S'étaient-ils donc
trompés d'avion ?

L'esthétique générale souffrait parfois de l'excessive
liberté des bâtisseurs et c'était le cas pour la Villa Arsinoë. « Une saisissante horreur », tels avaient été les
termes d'un noble et malgracieux étranger, le vaste
Lord Westbury, invité un jour pour le thé.

Nadia se remémora en souriant le mépris de l'Anglais quand, descendue du métro qui la ramenait chaque
soir à Héliopolis, elle approcha de ce qui était quand
même la maison, rue Scott Moncrieff. Là, elle fut surprise
de voir un chapeau de paille qui semblait remuer tout
seul au-dessus de la haie de troènes séparant le jardin
de la rue. Par quel caprice voguait donc ce couvre-chef
inconnu ? Soudain, le chapeau se souleva et Nadia reconnut le visage de sa sœur Soussou. Approchant encore,
elle vit que cette dernière, gantée et armée d'un sécateur, taillait les rosiers ; elle ralentit le pas, observant la
comédie d'une maîtresse de maison dans un jardin du
Surrey ou du Middlesex. Car, aux mouvements du menton et aux mines qui accompagnaient chaque coup de
sécateur, on ne pouvait douter que ce fût bien une comédie, même si elle n'était donnée que pour le seul bénéfice
de l'actrice ; le jardin était désert et ce n'aurait certes
pas été le cuisinier, Morcos, le seul qui eût pu la suivre
depuis ses fourneaux au rez-de-chaussée, qui s'en fût
ému. Où donc Soussou avait-elle appris ces mines ? Elle
finira par avoir vraiment l'air d'une Anglaise, songea
Nadia en poussant le portail de la grille. Elle lança à sa
sœur un « hou-ou » cordial, accompagné d'un geste
souple du bras ; Soussou répondit par un hochement du
chapeau de paille.

« Je ne les avais pas assez taillés », dit Soussou.

Nadia considéra un moment les buissons de Lady
Banks ivoirines et de Black Velvet alternées, s'étonnant
de la sollicitude soudaine de sa sœur pour les roses.
Puis elle franchit l'allée centrale, dont le gravier n'était
plus qu'un souvenir, gravit l'escalier du porche et s'en-

gouffra dans l'ombre fraîche de la maison. Les fumets qui filtraient de la cuisine l'informèrent du menu au dîner : un ragoût d'aubergines à la viande d'agneau.

Mais elle descendit quand même et trouva Morcos hachant menu des gousses d'ail. Il leva vers elle son long visage morose et lui sourit.

« Le chauffe-eau fonctionne ? demanda-t-elle.

— J'allais monter l'allumer, répliqua-t-il en posant son couteau. Tu es une grande fille maintenant, tu peux le faire toute seule.

— Il me fait peur », avoua-t-elle.

En effet, l'allumage de l'énorme Primus à douze becs, qui logeait dans une armoire en métal chromé et qui chauffait le serpentin pour l'eau du bain, était périlleux. Il fallait commencer par les becs du fond, afin d'éviter d'enflammer accidentellement les becs du devant et de se brûler, puis il fallait le pomper énergiquement à l'aide d'un piston, afin de comprimer les vapeurs d'alcool. Cela exigeait de l'énergie. Or, il courait des histoires de Primus qui avaient explosé parce qu'ils avaient été trop pompés. De plus, une fois mis en marche, l'appareil émettait des grondements de dragon.

Nadia remontait avec Morcos quand Soussou revint du jardin et déclara :

« Nadia, laisse-moi prendre mon bain d'abord. On passe me chercher dans une heure. »

Le ton, subtilement impérieux, surprit Nadia. Seule une véritable urgence justifiait que sa sœur prît ce ton-là. Mais il parut aussi à Nadia que la personnalité de Soussou avait subtilement changé depuis quelque temps. Ainsi, mais peut-être n'était-ce qu'une impression, Soussou se tenait-elle plus droite.

« Je vais à l'ambassade de l'Inde », expliqua Soussou, emboîtant le pas à Morcos.

La serrure cliqueta dans la porte d'entrée, celle-ci s'ouvrit et la silhouette gothique du juge Mourad Abdel Messih se découpa presque noire dans l'embrasure dorée par le crépuscule.

« *Hi, daddy !* s'écria Soussou en se retournant.

— *Hi* », répondit le juge sans gaieté. Il tourna le bouton du commutateur, un de ces antiques accessoires de porcelaine grands comme une tasse de thé renversée. Une lumière nettement jaune tomba d'une cloche en pâte de verre glaireux et baigna le vestibule d'entrée et le départ de l'escalier.

« *Hi, daddy* », répéta Nadia, relevant qu'elle et sa sœur avaient toujours appelé leur père *daddy*, mais que le *hi* de Soussou avait semblé plus britannique que d'habitude. Elle alla déposer un baiser-pâquerette sur la joue de son géniteur, qui marmonna deux ou trois syllabes sous sa moustache grise et tapota la joue de sa cadette.

Quand Nadia accéda enfin à la salle de bains, Soussou était partie, laissant derrière elle le souvenir d'un parfum à base de jasmin.

Le dîner fut morne. Mme Abdel Messih souffrait d'une migraine qui lui faisait le visage plus chagrin que d'habitude. Et elle traînait le pas encore davantage. Le juge semblait soucieux.

« Tu ne nous as finalement pas raconté cette soirée à l'Opéra, hier, lança-t-il à Nadia. Qu'est-ce qu'on jouait déjà ?

— *La Traviata*.

— Hah ! La dévoyée ! Car tu sais que *traviata* signifie "dévoyée", observa le juge d'un ton sarcastique. Je ne comprends pas qu'on ait mis en musique l'histoire d'une pareille créature.

— L'histoire est morale, puisqu'elle finit mal pour elle, répliqua patiemment Nadia. Et c'était très bien chanté.

— Oui, l'art fait tout passer, même l'immoralité, rétorqua le juge, décidément d'humeur critique. Tu es rentrée tard.

— Nous sommes allés manger un gâteau à la sortie, et je suis rentrée tout de suite après, répondit Nadia, un peu excédée.

— *Nous sommes*, répéta le juge. Nous qui ?

— Natacha Starivetsky, son frère, Aldo Colestazzi et moi. »

Ce qui était inexact ; elle n'était pas allée manger un gâteau, mais passer une heure chez Aldo.

« C'est-à-dire que tu te fais entretenir par ce Colestazzi.

— Entretenir ! s'écria Nadia riant et haussant les épaules. Un gâteau !

— Un gâteau et la place à l'Opéra. Et Dieu sait quoi d'autre.

— Je ne vois pas de mal, intervint Mme Abdel Messih, qui s'impatientait. Il faut bien qu'elle sorte un peu.

— Avec un Juif maltais ! dit le juge. Et une Juive ! Bon, on verra tout ça plus tard.

Il plia sa serviette avec une détermination excessive et se leva de table pour aller s'enfermer dans son bureau.

— Il a des soucis, dit la mère de Nadia, qui avait un grand sens des évidences. Et c'est vrai que tu vois beaucoup ce Colestazzi.

— Et alors ? demanda Nadia, franchement excédée.

— Et alors il est maltais.

— Les Maltais sont des êtres humains.

— Oui, mais il est maltais et juif, répéta Mme Abdel Messih, Grace de son prénom.

— Il est aimable, bien élevé, riche et bien de sa personne.

— Justement.

— Justement quoi ?

— Il est maltais, je m'entends. Et puis, c'est Soussou qui doit se marier la première.

À l'évidence, les sorties de Nadia avaient déjà fait l'objet d'analyses et de commentaires parentaux. Il y avait objection, selon la formule de la maison. « Eh bien, il y aura objection et je m'en fiche ! » se dit-elle. Elle mangea une ou deux dattes et, sa mère s'étant engagée dans une conversation ménagère avec Morcos, elle monta dans sa chambre. Elle regarda la rue déserte. Les mêmes lampadaires jetaient la même lumière violette sur les mêmes faux acacias du jardin, et le même chapelet de lumières scintillait au loin, le long du champ de courses.

Elle se compara à une prisonnière dans un donjon. Avec
ces deux garde-chiourmes qui surveillaient sa virginité.
Sa virginité ! Hah ! Une bouffée de révolte l'envahit. Sa
virginité lui appartenait à elle et rien qu'à elle et elle en
ferait ce qu'elle seule déciderait et personne d'autre !
Prisonnière dans un territoire d'affreux bourgeois.
Quelle idée d'habiter Héliopolis ! Prendre le métro était
une entreprise aussi compliquée que de monter dans le
Transsibérien et le taxi jusqu'en ville coûtait des fortunes. S'ils avaient habité Zamalek, Garden City ou
Rodah... Mais non, ils habitaient Héliopolis. Pour la première fois de sa vie, Nadia prit clairement conscience de
sa situation. Elle était la propriété de ses parents. Corps
et âme. L'idée lui en devint insupportable. Elle s'en
affranchirait par le mariage. Elle épouserait Aldo ! Mais
comment ? Elle n'en savait rien. Elle ne pourrait pas
épouser un juif, à moins de déclencher sciemment l'Apocalypse. Elle chassa cette idée déplaisante et se dit que
lorsqu'elle serait devenue Madame Colestazzi, ils
voyageraient loin, en Europe, en Amérique. Paris,
Londres, Rome... Rome surtout. Elle voulait voir Rome.
Oui, c'est là qu'ils feraient leur voyage de noces. Elle prit
un roman d'Evelyn Waugh, l'auteur favori de sa sœur,
qu'elle n'avait pas achevé, *Vile Bodies*, et se mit au lit,
avec un sachet de raisins secs et un autre de pistaches
à portée de main. Elle rêva à Aldo, puis sa colère et son
ardeur amoureuse le cédèrent insensiblement au
sommeil.

Elle fut réveillée par des claquements secs sur le
plancher et le grincement de la porte qu'on refermait.
Les talons de Soussou. Elle se leva pour aller toquer à la
porte de sa sœur et, quand celle-ci ouvrit, elle fut saisie.
Soussou ? Elle ne l'avait pas vue partir, elle n'avait pas
assisté à la métamorphose. Elle n'avait jamais estimé sa
sœur très jolie. Mais là, dans sa robe du soir du soir en
faille bleu pétrole, un fourreau aux lueurs métalliques
garni d'une traîne à volants, le cou orné d'un collier d'or
serti de grenats clairs (on les eût pris pour des rubis)

qui flattaient sa peau basanée, Soussou semblait avoir
basculé dans un autre monde, celui de l'élégance fée-
rique que Nadia ne connaissait que par des revues, par
exemple un vieux numéro du *Tatler* consacré au couron-
nement du roi George VI d'Angleterre. Elle n'en avait
conçu la réalité qu'à la faveur de regards furtifs, comme
effrayés, sur la baignoire de l'Opéra, écrin de velours
amarante où resplendissaient les princesses impériales
Nezl Chah et Han Zadé. *L'autre* monde, où jamais des
relents de friture d'ail ne traînaient dans les couloirs.
Où les femmes étaient belles, emperlées, endiamantées,
parfumées, minces, altières et magiques ! Le regard de
Nadia colla à l'apparition, quel autre mot, de Soussou,
des escarpins de faille assortis à l'ajustage du corsage,
des épaules poudrées à la savante coiffure en bandeaux,
à l'anglaise. Elle chercha les traces de pilosité qui dépa-
raient la lèvre supérieure de sa sœur ; disparues. Épi-
lées. Le visage lisse évoquait un petit chef-d'œuvre d'art
pharaonique. Elle ferma les yeux et s'écria : « Comme tu
es belle ! »

Elle eût voulu prendre Soussou dans ses bras, dans
un dérisoire effort d'identification, mais elle se trouva
étrangement intimidée. Sans doute le regard de sa sœur,
attendri et flatté, mais imperceptiblement distant, en
était-il une des causes. Nadia éprouvait aussi de la peine
à concilier l'image désormais désuète d'une Soussou
humble, serviable, bonne fille, avec celle de cette femme
dont le bustier révélait pour la première fois la poitrine
et en esquissait même la révélation. Oui, Soussou avait
des seins. Des seins pour des mains d'homme. Et il y
avait comme un défi dans la manière dont Soussou sup-
portait l'admiration de sa sœur. Peut-être une étincelle
de cynisme brillait-elle dans ses yeux...

« Comment as-tu fait ? s'écria naïvement Nadia.

— Salha a fait merveille, je dois dire, admit Soussou
en déposant son collier.

— Les chaussures ?

— Les escarpins, tu veux dire ? L'Arménien m'a pris

une livre pour les recouvrir. C'étaient mes escarpins de vernis blanc. »

Nadia soupira et leva les bras, puis elle tournoya lentement dans la chambre de sa sœur. « C'est superbe ! Superbe ! Tu es belle comme une princesse. »

Soussou se défit de ses escarpins, mais, même pieds nus, elle ne redevenait pas celle que Nadia avait connue et qu'elle doutait de jamais revoir.

« Veux-tu m'aider à dégrafer le corsage, demanda-t-elle.

— J'ai envie d'aller réveiller daddy pour qu'il te voie.

— Il en verra d'autres assez tôt », dit Soussou.

La phrase intrigua Nadia.

« D'autres ? Assez tôt ? »

Soussou ne répondit pas. Elle défit la fermeture Éclair de sa jupe, laissa tomber l'armure de soie bleue qu'elle avait jusqu'alors conservée sur elle et alla la pendre à un cintre, puis en soutien-gorge et combinaison, elle passa à la salle de bains, s'y agita beaucoup et, en chemise de nuit, revint se pelotonner dans le lit. Nadia se résolut alors à l'interroger :

« Tu ne me dis pas tout. Il y a une raison pour que tu te sois faite aussi belle.

— Je sais, dit Soussou en allumant une cigarette. J'étais en passe de devenir une de ces vieilles filles dont on se demande si elles trouveront quelqu'un d'assez myope pour les épouser. Eh bien, voilà !

— Voilà, répéta Nadia en riant.

— Voilà, oui. Il y a quelqu'un et il n'est pas myope.

— Soussou ! s'exclama Nadia, joyeusement.

— Tu vas réveiller la maisonnée. »

Nadia jeta un coup d'œil à la pendulette au chevet du lit et poussa un cri :

« Trois heures ! Tu te rends compte ?

— Trois heures oui. Une heure inouïe pour la petite Soussou Abdel Messih. Elle s'est fait ce soir raccompagner chez elle en Rolls-Royce.

— Oh, je vais défaillir ! dit Nadia dans un cri de

mouette étouffé. En Rolls-Royce ! » Elle s'étira. « Je ne vais plus dormir. Je ne vais plus jamais dormir.

— Mais si, tu vas dormir. Je t'en parlerai une autre fois.

— Je ne quitte pas cette pièce que tu ne m'aies révélé qui est cet homme merveilleux !

— J'allais oublier de me démaquiller », dit Soussou.

Elle quitta le lit pour s'asseoir à sa coiffeuse et s'enduisit le visage de cold-cream. Son visage revêtit aussi une expression inhabituelle. Elle se regarda dans le miroir et finit par dire : « Ce n'est pas un homme merveilleux. Il n'y a pas d'hommes merveilleux. »

Avec son masque enduit de crème blanche et ses yeux charbonneux, elle ressembla soudain à une pythie.

« Il n'y a que des hommes riches », déclara-t-elle en fixant sa sœur du regard. Nadia la regardait avec le désarroi d'une enfant à qui l'on offre un cadeau à Noël et à qui l'on explique que le Père Noël n'existe pas. Soussou tira d'un bocal un tampon de coton et s'essuya soigneusement le visage. « Je sais que cela va te paraître fabuleux, mais ce ne l'est pas. C'est un maharaja.

— Oh, Soussou ! » gémit Nadia. Les chatoiements d'une Inde splendide et trouble flambèrent dans son esprit. La réalité prosaïque cédait enfin à la puissance des fantasmes.

« Obèse, diabétique et probablement impuissant, poursuivit Soussou, et dont la mère exige qu'il se marie parce qu'il a besoin d'une maharani qui le supporte et qui sache tenir son rang. Il pense que ce sera moi. Encore faut-il que sa mère accepte une étrangère. Comme tu vois, rien n'est dans le sac. Et quand ce sera dans le sac, reprit-elle, tirant un autre tampon de coton pour parachever son démaquillage, il faudra faire des enfants. Dieu sait comment !

— C'est irréel », dit Nadia, allongée dans un fauteuil. Et elle bâilla.

« Va dormir. Ça n'a rien d'irréel. Seule une fille pauvre accepterait une telle situation. Et puis, si la maharani m'acceptait et mourait avant le mariage, il est tout à fait possible que Vindra décide ensuite de rester célibataire. Donc, tu peux aller dormir pour le moment. »

Dans son lit, Nadia tenta vainement de se représenter la situation de sa sœur et n'y parvint pas. L'impression qu'elle ressentait était comparable à celle que lui avait valu la première lecture d'un roman compliqué, *Eyeless in Gaza*, d'Aldous Huxley ; elle ne l'avait compris qu'à la deuxième lecture. Elle s'endormit d'un coup, sur une image contrariante, celle de la photo de ses parents le jour de leur mariage, dans un cadre ovale.

12

Secrets et résédas

« La révolution, c'est une bitte dressée, déclara Loutfi el Istambouli, un verre de whisky à l'eau dans une main et une cigarette dans l'autre, et inversement, toute bitte dressée est révolutionnaire. » Il cala sa silhouette maigre dans le fauteuil Queen Anne et croisa les jambes. Sur un guéridon voisin s'empilaient en désordre des numéros de revues surréalistes, *Troisième Convoi, VVV, Minotaure.*

Louis Hanafi écouta ce péremptoire apophtegme d'un air amusé et poussa un bref gloussement, un de ces modes interjectifs du français d'Orient, constitué à la fois d'un claquement de la langue et d'un reniflement porcin.

« Loutfi, pas d'obscénités chez moi ! » s'écria Fatma el Entezami avec une mine faussement offensée.

Ce discours phallique s'accordait mal, en effet, avec le décor victorien de son salon, acajous polis, opalines et rideaux à franges. Car elle et son mari recevaient Loutfi et son compère Souki Marrani, pour le bénéfice d'un philosophe français de passage au Caire, Raymond Doucet, spécialiste de Hegel, évidemment. Doucet avait exprimé le vœu de rencontrer des révolutionnaires égyptiens s'il y en avait, et Hanafi avait donc décidé de lui présenter El Istambouli. En dépit des tracasseries de la police politique, l'un et l'autre avaient, en effet, quasiment rédigé à eux seuls pendant un an et demi l'étrange follicule marxiste égyptien de tendance trotskiste et de langue arabe, *Rabi' el Umma*, « Le Printemps de la Nation ».

Doucet écoutait donc, dérouté par la violence et la verdeur du français égyptien. C'étaient bien la même grammaire, les mêmes mots, mais c'était une autre expression et, peut-être aussi, une autre pensée.

« Je parle ou je ne parle pas ? rétorqua Loutfi, doctoral. L'obscénité, c'est le discours faux. La bitte n'est pas plus obscène que la révolution. Elle est un fait. Telle est la raison pour laquelle tous les pouvoirs constitués et tous les anciens régimes se sont efforcés de domestiquer la bitte. La bitte est la révolution suprême. Elle ne peut être réduite en esclavage. Une bitte asservie est un clitoris lesbien. »

Hanafi fut secoué par un rire silencieux.

« Et le vagin ? demanda Souki Marrani d'un ton qu'il voulait facétieux.

— Nos sociétés sont patriarcales. C'est la bitte qui compte. C'est la bitte qu'il faut asservir. Toutes les grandes religions se sont acharnées à l'asservir. Peut-être un jour y aura-t-il des clitoris révolutionnaires. Mais j'en doute.

— Pourquoi ? s'enquit Doucet en souriant.

— Parce que le vagin est assouvissement. La révolution est l'inassouvissement, répondit Loutfi.

— J'aurais voulu que Bachelard fût des nôtres, murmura Doucet.

— Il y a quand même eu des femmes révolutionnaires, observa Fatma el Entezami, résignée.

— J'attends une description de la vie sexuelle de Louise Michel et de Rosa Luxemburg pour me faire une opinion là-dessus. Un godemichet n'est pas une révolution. »

Fatma el Entezami poussa un hoquet d'horreur.

« Et quelles déductions tirez-vous de vos postulats ? demanda Doucet, sirotant un cognac.

— Qu'il y aura tôt ou tard une révolution en Égypte. Dans l'imaginaire populaire, en effet, les Européens baisent, alors que le peuple, lui, ne baise pas. Il faudra chasser les Européens pour baiser. De plus, le peuple a le sentiment que l'Égypte est baisée par l'Angleterre. Comme l'Égypte s'attribue une identité masculine, cela signifie que, dans l'imagination du peuple, elle est sodomisée par l'Angleterre...

— Loutfi, vous déraisonnez ! s'écria Fatma el Entezami. Vous êtes un obsédé sexuel. »

Loutfi el Istambouli feignit de ne pas l'entendre. Il poursuivit : « Comme il y a une garnison anglaise au canal de Suez, cela signifie qu'il y aura une insurrection antianglaise, donc une révolution. La monarchie, qui passe pour protéger les Européens et même, pour lui être affidée, sera renversée.

— Vous dites que les Égyptiens ne baisent pas, mais la croissance démographique de l'Égypte est remarquable, sinon alarmante, observa Doucet. Comment l'expliquez-vous ?

— Je vous ai parlé de l'imaginaire, monsieur Doucet. De l'imaginaire, pas de la réalité, rétorqua Loutfi. Baiser, c'est faire l'amour avec l'objet aimé dans l'imaginaire, et il n'y a pas d'objet aimé. Un Égyptien du peuple épouse la fille de son village qu'on lui impose, parce qu'il n'est pas question qu'une fille reste sans homme, ni l'inverse. Et la fille épouse l'homme qu'on lui donne, sinon elle se fait assassiner. Ce ne sont pas des individus libres. Dans une société d'esclaves, monsieur Doucet, on ne baise que physiquement. Et si vous connaissiez vraiment l'Égypte, comme un Arabe, si vous connaissiez le peuple, vous comprendriez que l'amour au sens occidental n'existe pas. C'est une fiction de luxe pour les riches et les étrangers. »

Louis Hanafi hocha la tête.

« Dans la réalité, dit-il, c'est exactement l'inverse :
ce sont les Européens qui ne baisent pas.

— Qu'appelez-vous "les Européens" ? demanda
Doucet.

— Toutes ces colonies qui ne savent pas deux mots
d'arabe, répondit Loutfi, et qui sont implantées dans le
pays depuis l'instauration du protectorat anglais, depuis
un siècle environ, Grecs, Italiens, Français, Maltais, Libanais et Syriens, Anglais évidemment, sans parler des
juifs. Il y a même des Allemands et des Russes, savez-
vous ? Des Allemands d'avant le nazisme et des Russes
blancs. Tous ces gens sont jugés par leurs propres tribunaux, les Tribunaux mixtes. Ils ne peuvent pas lire deux
lignes d'arabe. Ils sont nés dans le pays et n'ont même
pas la courtoisie d'en apprendre la langue.

— Et ils ne baisent pas ?

— Ils ne baisent pas, confirma Loutfi. Mais eux,
c'est dans la réalité.

— Pourquoi ? » questionna Doucet.

Ce fut Souki Marrani qui intervint pour l'expliquer :

« Parce que ces colonies sont tenues par des codes
très stricts, essentiellement religieux. Il n'existe quasiment pas de mariages intercommunautaires. Un Arménien ne peut épouser une Grecque, ni un Français une
Maltaise, par exemple. Et, bien entendu, un Arménien
n'épouse pas une juive, ni un Copte catholique une
Copte orthodoxe.

— Les Coptes sont égyptiens, pourtant ? remarqua
Doucet.

— Oui, mais ce sont des chrétiens. Ils forment une
communauté à part dans le peuple égyptien. Si l'on se
fréquente, comme on dit, les familles et le milieu social
interviennent d'emblée pour imposer le mariage ou pour
l'interdire. »

Doucet interrogea du regard Louis Hanafi.

« Je me suis converti à l'islam pour épouser Fatma »,
dit doucement Hanafi, comme s'il révélait qu'il avait le
cancer.

Un bref silence régna. Loutfi el Istambouli considéra

son verre vide et Louis Hanafi se pencha vers le guéridon pour saisir la bouteille de whisky et le regarnir. Loutfi laissa tomber trois glaçons dans son verre.

« Le résultat de cette situation, reprit Loutfi, est qu'il y a d'une part ceux qui baisent réellement, avec le corps, mais pas dans l'imaginaire, et ceux qui baisent dans l'imaginaire, mais pas physiquement et qu'actuellement, ce pays est obsédé de sexe. Et que la société européenne, cet héritage du colonialisme que le ridicule aurait éliminé depuis longtemps s'il était encore efficace, consacre le plus clair de ses loisirs à la masturbation.

— Loutfi ! cria Fatma el Entezami en riant. Parlez pour vous ! Vous n'avez qu'à vous marier !

— Avec qui ? rétorqua Loutfi. Je suis un fantôme. Je n'existe pas. Pour la société égyptienne musulmane, je suis un musulman partisan de la laïcité, c'est-à-dire que je refuse la loi *chari'a* et que je suis donc une sorte d'infidèle, et pour la société européenne, je ne suis pas un parti non plus parce que je n'ai pas d'argent et que je suis musulman par-dessus le marché. Pour les deux, je suis un révolutionnaire, ce qui interdit tout mariage. De toute façon, un fantôme ne se marie pas.

— Il a raison, intervint Souki Marrani. Même moi qui ne suis pas révolutionnaire...

— Vous passez votre vie dans les bordels de la rue Clot Bey ! s'exclama Fatma el Entezami. Je m'émerveille que vous n'ayez pas attrapé la syphilis.

— Les capotes..., commença Souki Marrani.

— Cette conversation devient dégoûtante ! » s'écria encore Fatma el Entezami, dont l'énervement n'était plus feint.

Loutfi lui lança un regard pétillant d'ironie. Louis Hanafi parut songeur.

« La révolution est, en effet, un sujet qui contrarie le bon goût », émit-il doucement.

Doucet consulta sa montre, se leva et prit congé. Loutfi el Istambouli et Souki Marrani l'imitèrent.

Ils se retrouvèrent tous trois dans la rue Guézireh,

à la recherche d'un taxi. N'en trouvant pas, ils firent une partie du trajet à pied.

« Pardonnez ma curiosité, sinon mon indiscrétion, mais je m'étonne que Hanafi ait épousé Fatma el Entezami, dit Doucet.

— Louis a renoncé à la révolution, répondit Loutfi. Il estime qu'elle ne sera pas politique, mais religieuse. Vous avez lu Aristote ? »

Doucet gloussa. Entendre parler d'Aristote dans une nuit de l'été égyptien...

« Aristote a parlé de révolution ? demanda-t-il.

— Non, répliqua Loutfi. Il a dit que les gens se fichent pas mal de savoir, ce qu'ils veulent, c'est croire. Ce sont les Arabes qui vous ont transmis Aristote, à vous, Occidentaux. Vous le savez, n'est-ce pas ? Nous aussi nous lisons Aristote. Donc, les gens ne se soucient pas de la réalité, ils veulent du mythe. Or, en matière de politique, il n'y a qu'un mythe, c'est le nationalisme, et il est en fin de compte d'essence théologique. Ajoutez l'islam au nationalisme et vous obtenez un mélange effroyablement explosif. »

La cigarette transmettait le tremblement des mains de Loutfi comme un sismographe.

« Bref, quand la révolution adviendra, ce n'en sera pas une et Louis ne veut pas y être mêlé. Fatma a tiré un trait sur le passé politique de Louis. Elle rêve d'une vie élégante. Elle a les révolutionnaires en horreur. Pour elle, ce sont des gens mal habillés et inconvenants, comme moi.

— Je l'ai pourtant entendue parler de Victor Serge en termes extatiques, observa Doucet.

— Ce qu'elle admirait chez Victor Serge, c'est le personnage finalement romantique, toujours habillé de noir. Je doute qu'elle ait lu une seule ligne de lui et qu'elle sache même qui il était. Et surtout, Victor Serge est mort. » Il accompagna ces derniers mots d'un petit rire.

« Mais pourquoi a-t-elle épousé Louis ?

— Parce qu'il est l'intellectuel égyptien le plus

célèbre à l'étranger après notre Tolstoï national, Taha Hussein, répondit Loutfi. En dépit de son passé trotskiste, si je puis dire, il est également très respecté par de nombreux intellectuels arabes, pas seulement égyptiens, mais également syriens, irakiens, jordaniens... » Il observa une pause et continua : « Il pense pouvoir remplacer la révolution politique par la révolution poétique. Lautréamont est pour lui plus important qu'Engels.

— Mais lui ? demanda Doucet. Vous n'avez pas répondu à ma question. Pourquoi l'a-t-il épousée ? Je sais qu'elle est riche, mais j'ai cru comprendre que la famille de Hanafi est fort aisée aussi ? »

Loutfi demeura silencieux un moment. « Ce n'est certainement pas pour sa fortune que Louis a épousé Fatma. Quant à votre question, la réponse serait indiscrète, je le crains. Je ne vous en donnerai qu'un fragment. Louis a également renoncé à la sexualité. Elle est pour lui, comme il le dit, "un projet fantasmatique". Et Fatma est la personne la moins sexuelle du monde. Il y a un secret dans la vie de Louis. Je crois que je suis le seul à le connaître. »

Ils passèrent devant une haie de résédas et le parfum à la fois mélancolique et obsédant qui en émanait alentit leur conversation ; mélange de thé rassis et de rose fermentée, fragile et obsédant tout à la fois, il évoquait pour chacun un secret tendre et triste. Doucet médita la réponse de Loutfi et reprit : « Vous êtes très amis, vous et Louis, n'est-ce pas ?

— Nous sommes comme des frères, dit Loutfi, bien qu'il soit chrétien, et moi musulman et qu'il y ait près de quinze ans de différence d'âge entre nous. Fatma n'y changera rien. »

Le ton de défi, lui, n'était pas confidentiel.

« Il parle de vous en termes d'admiration et d'affection, murmura Doucet.

— Et moi je pense à lui en termes d'admiration et d'affection », rétorqua Loutfi.

Ils parvinrent ainsi sur la corniche du Nil.

« Monsieur Doucet », dit Loutfi.

Le Français tourna la tête vers son voisin.

« Monsieur Doucet, je vous prie, regardez ce fleuve », dit Loutfi avec douceur.

Doucet jeta un regard sur le Nil. Banyans et sycomores penchaient leurs frondaisons vers les berges. Des promeneurs déambulaient, à la fois insolents et furtifs.

« Ce que vous voyez là, déclara Loutfi, c'est la Neva.

— Vous voulez dire que nous sommes à Saint-Pétersbourg, releva Doucet en souriant.

— C'est presque cela. Mais c'est beaucoup plus compliqué. L'Orient est toujours plus compliqué. L'Égypte en ce moment, c'est aussi le Sud américain avant la Guerre civile. Ici, c'est l'Extrême-Sud. Imaginez la Neva passant à Atlanta. »

Ils trouvèrent opportunément des taxis devant l'Hôtel Sémiramis et la soirée prit ainsi fin. Sur le chemin du retour, Doucet s'avisa que Souki Marrani n'avait dit mot. Les derniers tramways grinçaient sur leurs rails, comme les violons d'un orchestre criant sa beuverie et son désespoir. Parvenu à la modeste pension Nil, Doucet se déshabilla et, en caleçons, pieds nus, il s'installa à sa table de travail et écrivit :

> « *Curieuse société où personne ne semble exercer de vrai travail. On veut espérer qu'on y trouve des menuisiers, des plombiers et des dentistes. Depuis trois jours que je suis arrivé, je n'ai rencontré que des gens qui bénéficient de mystérieux privilèges grâce auxquels ils obtiennent des appartements et des voitures. Sont-ils tous rentiers et propriétaires terriens ? Quelques-uns travaillent le matin, font la sieste, ne retournent au bureau que vers quatre heures et en repartent vers six pour se préparer à des fêtes. Les révolutionnaires ne veulent pas faire la révolution et les contre-révolutionnaires ne rêvent que de partir pour l'Europe. Quelles sont leurs identités, une fois qu'ils se sont déshabillés ?*
> « *Un fait est sûr : beaucoup de gens, comme Loutfi el Istambouli, annoncent le renversement de la monarchie et la révolution, et la prédiction me paraît fondée.* »

13

Armoiries et tragédies

« Ma tante m'attend. »

Ismaïl informa le majordome en caftan de soie rayée noire et blanche et sommé du *tarbouche*.

« Je vais prévenir Son Altesse », murmura le majordome.

L'oncle paternel d'Ismaïl Abou Soun, Seif, « le Beau Seif », colonel blond aux moustaches dorées, avait épousé Rechideh, la sœur du prince Noureddine et elle-même princesse de naissance. Cette alliance conférait par extension à Ismaïl, « Mily » pour la famille exclusivement, le rang de *gurkhân* ou beau-fils impérial auquel on ne savait rien refuser. Mais Ismaïl ne réclamait jamais aucune faveur et ne recevait d'argent que de son père. Ce dimanche-là, pourtant, il avait une faveur à demander à sa tante. Il lui avait téléphoné, elle l'avait invité d'emblée, ravie.

Elle le reçut pour le thé dans le vaste salon inspiré de Topkapi, papiers peints jaunes sur lesquels se déployaient des cerisiers en fleurs et des oiseaux multicolores, divans et fauteuils dorés, consoles chargées d'argenterie d'apparat et de cristaux de Bohême. La grande Salha, couturière des princesses, et deux dames présentes le caressèrent des yeux, en se reposant du labeur des essayages. Comme toujours chez bien des dames mûres, Ismaïl agita à son insu et par sa seule apparition des sentiments confus, tissés de concupiscence directe et de concupiscence par procuration ; c'est-à-dire qu'à défaut de conquérir ses appas elles étaient rongées par le désir de l'apparier à l'une des vierges de leurs familles.

Il baisa la main de sa tante et lui indiqua qu'il souhaitait un aparté.

« C'est donc important », observa-t-elle d'un air enjoué. Et elle le précéda vers l'une des alcôves du salon, tout en incrustations de nacre et d'ébène et que meublait un divan tapissé de damas à lampas d'or.

« Tante, dit Ismaïl en la regardant dans les yeux de cette façon qu'il savait irrésistible, je veux que tu me fasses inviter au bal. »

Elle plongea dans ses yeux d'ambre vert et eut un sourire dissymétrique.

« Une femme », chuchota-t-elle.

Il éclata de rire et secoua la tête. Non, il ne dirait rien.

« Donc une femme mariée. Une femme que tu veux éblouir, parce qu'elle ne sait pas vraiment qui tu es et qui sera invitée au bal. Donc une étrangère. » Elle considéra ses mains et dit : « C'est Sybilla Hammerley, n'est-ce pas ? »

Il rougit et baissa les yeux.

« Comment sais-tu ? »

Elle soupira. « On la voit beaucoup à pied dans les parages, ces temps-ci. Et moi, j'ai saisi son regard quand elle t'aperçoit, au club. Je veux croire que ce n'est qu'un enfantillage.

— Je t'en prie.

— C'est imprudent de ta part. Tu vas troubler ce pauvre Charles Hammerley, si ce n'est déjà fait, et de plus d'une façon. Mais je veux te rappeler que Zuleïka est très à cheval sur le protocole. Et d'autant plus que le roi sera là. » Elle parut réfléchir un moment et reprit : « Bon, je vais demander une invitation pour toi. Cravate noire. Viens ici d'abord, nous irons ensemble avec Seif. »

Il lui saisit les deux mains et les baisa. Elle ferma les yeux pour un fugitif moment d'extase. « Heureuse femme ! murmura-t-elle. Malheureuse femme ! »

Le lendemain, Ismaïl recevait son invitation par porteur spécial. Il n'en souffla mot à Sybilla.

Un carton identique, armorié d'une couronne royale, dans une enveloppe également armoriée, fut également livré un matin par messager spécial au 10, rue Scott Moncrieff, à Héliopolis. Mais celui-là sonna le glas de la maison Abdel Messih.

C'était le juge qui, le matin, allait prendre dans la boîte aux lettres le courrier de toute la maisonnée et le distribuait, prolongeant ainsi le contrôle qu'il entendait maintenir sur les siens. Il tourna et retourna la grande enveloppe frappée d'un large médaillon doré en relief, libellée au nom de sa fille aînée, et il fronça les sourcils. Il n'attendit même pas le petit déjeuner pour interroger Soussou ; il la manda du bas de l'escalier, d'une voix qui frisait le fausset. Mais ce fut Nadia qui apparut à l'étage pour informer son père que Soussou était à la salle de bains. Apercevant son père au bas de l'escalier avec une grande enveloppe en main, sur laquelle scintillaient des éclats dorés, Soussou devina l'objet du mandement. Après s'être coiffée, elle respira à fond, descendit calmement et, arrivée devant son père, décoiffé et pathétique dans sa robe de chambre à brandebourgs – la moitié du général Dourakine, songea-t-elle –, elle l'embrassa sur la joue, comme à l'accoutumée. Puis elle s'installa à sa place habituelle pour le petit déjeuner. Lui, pourtant, ne s'asseyait pas.

« Qu'est-ce que c'est que ça ? demanda-t-il en lui tendant à demi l'enveloppe.

— À l'évidence, une invitation. » Elle saisit l'enveloppe et la posa devant elle, contre le verre à eau, puis elle découpa son pain en mouillettes, en beurra deux et tapota délicatement le crâne de son œuf à la coque. Elle ne semblait pas troublée par le fait que son père ne s'était pas encore assis. Mme Abdel Messih, elle, suivait la scène d'un œil alarmé et Nadia avala une gorgée de café pour s'humecter la bouche.

« Une invitation à quoi ? Ouvre donc. »

Elle saisit un couteau à fruits et ouvrit délicatement l'enveloppe. Puis elle lut : « Sur la requête de Son Altesse royale la princesse Zuleïka, Mademoiselle Josepha Abdel Messih est priée de bien vouloir assister au bal qui sera donné au palais des Tulipes, à Rodah, le 10 mai 1951 à partir de dix-neuf heures trente. » Puis elle glissa le carton dans l'enveloppe et, d'un air détaché, trempa sa première mouillette dans l'œuf.

« En l'honneur de quoi cette princesse t'invite-t-elle ? demanda Mourad Abdel Messih d'une voix chargée d'orage. Il y aura certainement le roi à cette réception et il viole toutes les femmes. De toute façon, nous ne fréquentons pas les Turcs, nous sommes égyptiens !

— La princesse est la cousine du roi et il me semble donc qu'elle est égyptienne, répondit calmement Soussou. Quant au roi – et là, elle s'autorisa un petit rire –, il préfère les blondes et je ne crois pas que je coure grand péril. » Et elle trempa sa seconde mouillette.

« Tu dois renvoyer cette invitation, dit le juge.

— Je ne vois certainement pas pourquoi je me permettrais pareille discourtoisie, rétorqua Soussou sans se départir de son calme.

— Parce que je le dis ! tonna Mourad Abdel Messih. Parce que je suis ton père et que je ne veux pas que tu fréquentes des gens qui ne sont pas de ton monde ! Parce que tu vis sous mon toit et que tu dois donc obéir à mes ordres !

— *Dear Daddy*, répliqua Soussou en regardant son père l'œil mi-clos. J'ai vingt-huit ans et je suis parfaitement en mesure de juger de ce que je dois faire. Et, de toute façon, je ne vivrai pas toujours sous ton toit, j'ai ma vie à faire.

— Il y a un homme ! » hurla le juge.

Soussou but la moitié de sa tasse et déclara : « C'est tout à fait exact, il y a un homme et je vais l'épouser. »

Morcos apporta une autre cafetière et roula des yeux blancs en entendant crier le juge.

Mme Abdel Messih prit une couleur livide.

« Un homme ! hurla encore le juge. Qui ? J'ai le droit de le savoir ! De donner ou de refuser mon autorisation ! » Et là, sa voix s'installa décidément dans le fausset.

« Le maharaja de Calancore », annonça Soussou d'un ton amène.

Un silence surnaturel régna quelques instants dans la salle à manger de la Villa Arsinoë. Soussou aurait avoué qu'elle se préparait à convoler en justes noces avec un Martien que l'effet n'en eût pas été plus dramatique. Puis le juge envoya son assiette voler à travers la table et Nadia, qui avait fait du volley-ball, la rattrapa en dépit du fait que ses mains tremblaient.

« Le maharaja de Calancore ! répéta le juge, effondré. Un sauvage ! Ma fille ! » Et il se mit à pleurer.

« Je ne vois aucune raison de pleurer, dit Soussou. Il faut bien que je me marie. Ce n'est pas un mauvais parti qu'un prince hindou. Il est charmant et très riche. » Elle s'essuya les lèvres et vida sa tasse de café, le regard droit devant elle. « Les fiançailles seront annoncées le jour même du bal. Vous serez bien sûr invités à la réception.

— Il est de quelle religion ? » demanda Mme Abdel Messih.

Le juge reniflait piteusement.

« Hindouiste, bien sûr. Comme vous l'aurez donc compris, je vais au bal avec Vindra Jamshedpour, maharaja de Calancore, mon futur époux. »

Le juge releva la tête ; c'était à quelques détails près celle d'une gargouille de Notre-Dame de Paris, dont un moulage ornait l'une des étagères du salon.

« Tu n'es plus ma fille, je te désavoue, je te renie », dit-il d'une voix affreusement rauque.

Soussou, qui avait tendu la main vers une mandarine, le considéra d'un air soucieux.

« Hors de chez moi ! » aboya-t-il.

Soussou laissa peser son regard sur lui et secoua lentement la tête.

« Mourad, ne te mets pas dans ces états ! » gémit Mme Abdel Messih.

Soussou s'était levée et s'apprêtait à quitter la pièce.

« Où vas-tu ? demanda sa mère.

— Je vais faire mes valises, répondit sereinement Soussou. Nadia, veux-tu avoir l'obligeance de prévenir le bureau que je serai en retard. »

Elle avait mis le pied sur la première marche de l'escalier quand le juge accourut.

« Tu vas épouser un Hindou, espèce de traînée ? dit-il d'une voix méconnaissable tant elle était rauque.

— Mourad ! cria Mme Abdel Messih en français. Pense à ta santé ! Ta tension ! »

Soussou s'était retournée pour faire face aux injures ; elles déferlèrent, illustrées par les moulinets désordonnés que le juge faisait avec ses bras.

« Assez ! commanda calmement Soussou.

— Quoi ? articula le juge stupéfait.

— J'ai dit : assez.

— Tu me... » Et le juge s'élança vers l'escalier, mais il s'effondra sur la première marche. Sa femme et Nadia se jetèrent quasiment sur lui pour le secourir. Soussou considérait de haut le corps de son père à ses pieds, secouant toujours la tête.

« Il est mort ! cria Mme Abdel Messih. Tu as tué ton père ! »

Mais le juge n'était pas encore mort ; il râlait. Nadia courut vers le téléphone.

« *Such anties*, murmura Soussou, *too Victorian for words.* »

Le juge mourut une semaine plus tard, sans avoir repris conscience, exactement pendant que Soussou assistait au bal.

« C'était sa dernière manifestation de bonne éducation, dit Soussou à sa sœur. Il nous a épargné une prolongation du rôle ridicule qu'il se croyait obligé de tenir. »

Au cimetière, elle versa des larmes qui semblaient sincères, mais dont le contraste avec la sécheresse du commentaire déconcerta Nadia. Comment pouvait-on se féliciter d'une part de la disparition d'un père et de l'autre éprouver du chagrin ? Ce fut pourtant la première leçon de réalisme de Nadia.

14

Petite sérénade nocturne

Seul un miracle, estima Siegfried, pouvait susciter une invitation au bal. Le miracle n'advint pas. Rencontré au Club, le secrétaire de la princesse Zuleïka, Farid Chahine Bey, avait été pressenti en termes suffisamment vagues pour ne pas compromettre l'amour-propre du quémandeur, mais il avait été évasif, puis condescendant. Restait à avaler une déconvenue motivée par la seule vanité, ce dont Siegfried était conscient. Mais qu'y avait-il à cultiver au Caire que la vanité ? Si l'on abjurait sa vanité, autant s'installer sur une colonne pour le restant de ses jours, comme saint Siméon le Stylite.

Il téléphona à Chester Lamotte, tout à coup alarmé à l'idée que Chester, lui, y allât.

« *Dear me*, s'écria Chester en anglais, j'ai fait des bassesses pour être invité, mais le British Council n'est pas assimilé au corps diplomatique et cette espèce de laquais de Chahine m'a expliqué que les jeunes hommes seuls n'avaient pas leur place dans cette réception-là. Étant donné que Rafick, le fils de la princesse, en fait assez voir à sa mère en matière de jeunes gens, je suppose qu'ils ont peur que le palais des Tulipes tourne au bar louche. De toute façon, tout cela sera lavé dans le sang ! » conclut Chester sur un ton théâtral.

Siegfried éclata de rire.

« J'ai procédé à une séance de sorcellerie et le bal sera un dé-sas-tre, fais-moi confiance ! Écoute, allons ce soir-là au cinéma. Nous dînerons ensuite en célibataires ! poursuivit Chester Lamotte. Tu me raconteras cette soirée épique avec Margaret Hartnell. »

Ils choisirent *Gaslight*, avec Charles Boyer et Ingrid Bergman, qu'on projetait au cinéma Diana, puis allèrent souper dans une brasserie proche. Ils évitèrent de s'asseoir à l'une des tables près des fenêtres, car il était difficile d'avaler une bouchée sans être importuné par un défilé presque ininterrompu de mendiants. Ils optèrent l'un et l'autre pour des assiettes froides et de la bière Stella.

« Le dépit est utile », dit Chester Lamotte d'un ton énigmatique, après quelques échanges de drôleries. Il concentrait sur Siegfried un regard de pie, déconcertant. « Tu devrais réfléchir à l'avenir.

— Je ne comprends pas, murmura Siegfried, dérouté par le ton sérieux, exceptionnel chez son commensal.

— Tout ça, dit Chester en accompagnant ses mots d'un geste circulaire, ce n'est pas réel. Plus tu macères dans ce baril, plus tu perds de la substance. Tu vas devenir un cornichon. Ta place n'est pas ici. Tu as vingt-trois ans. Tu gagnes quelques picaillons en faisant quelques décorations à droite et à gauche, une alcôve à repeindre ici, une salle à manger à rénover là. Pas grand-chose vraiment, parce que tous ces gens sont déjà installés et que, lorsqu'ils ont de l'argent, ils courent après le prestige. Or, ce n'est pas toi qui le leur fournis. Ta vie sentimentale ? Une aventure ici, une autre là, une demi-heure furtive le plus souvent, une heure dans le meilleur des cas. Ton statut social ? On a vu ce soir ce qu'il en est. On t'invite à droite et à gauche dans de petits dîners et des cocktails parce que tu es joli garçon, touchant, parfois drôle, mais quand il s'agit de grandes fêtes comme celle de ce soir, *nada*. Ta fortune ? Inexistante. Tu ne peux même pas espérer un beau mariage, à supposer que ça te tente. »

Cet inventaire brutal laissa Siegfried muet, désemparé. Candidat à l'exil, donc dépouillé d'emblée de son identité. Bagage minimal.

« Je te remercie de ta franchise. Mais pourquoi me dis-tu tout ça ? demanda-t-il quand il se fut ressaisi. Et toi, tu es mieux loti ?

— À peine mieux. Mais j'ai un contrat avec le British Council. Dans un an, je serai à Istamboul ou Accra. Je te dis tout cela parce que tu es un ami. Je veux dire que je te trouve attachant. Tu mérites beaucoup mieux que ta condition. Mais il faut que tu en sois conscient. Et que veuilles la changer.

— Tu as quelque chose à m'offrir ?

— Rien. Mais j'ai une suggestion à te faire, *dear boy*. Du fond du cœur. Fiche le camp.

— Quoi ?

— Fiche le camp. Choisis la ville que tu veux, Rome, Paris, Londres, où tu veux, et prépare-toi à t'y installer et à y faire carrière. Tu parles anglais, français, tu peux te débrouiller. Je ne crois pas que le turc ni l'allemand te seront d'un grand secours.

— Mais qu'est-ce que tu veux que je fasse à Rome, Paris ou Londres ?

— Là-bas, d'abord, tu apprendras ton métier. Parce que c'est un métier et que, jusqu'ici, tu le pratiques en amateur. Ensuite, il y a dans ces villes des gens qui ont de l'argent et qui te feront une clientèle. Une vraie clientèle. »

Siegfried médita ce point de vue. « C'est impossible, finit-il par marmonner. Je n'ai pas de quoi vivre trois mois dans aucune de ces villes.

— Eh bien, trouve l'argent. Vends ce que tu as à vendre. Tes antiquités, tes Chine, je ne sais pas. Emprunte à tes oncles. Il vaut mieux partir de son propre gré que d'y être contraint. »

Le ton était pressant.

« Qu'est-ce que tu veux dire ? » s'enquit Siegfried en vidant son verre.

Chester commanda deux autres bières.

« Tout ça, ça va disparaître bientôt, dit-il. Ça sent le roussi.

— Mais pourquoi ? s'impatienta Siegfried.

— Ne le répète pas, souffla Chester Lamotte. À personne, tu m'entends ? Des gens bien informés, je ne peux t'en dire plus, donc bien informés, Siegfried, pensent qu'il y aura dans quelque temps, pas trop longtemps, une révolution. La garnison anglaise sera contrainte de quitter le Canal. Tout le petit monde du club disparaîtra comme tu peux l'imaginer. Et ta clientèle avec. Et bien d'autres choses aussi. »

Non, Siegfried ne parvenait pas à l'imaginer. « Pourquoi une révolution ? s'exclama-t-il, alarmé.

— On croirait entendre une princesse russe en 1905 ! s'écria Chester. Parce qu'il y a une armée égyptienne. Parce qu'elle est mécontente des armes qui lui ont été fournies en 1949 et qu'elle croit que ces armes défectueuses lui ont été fournies exprès par deux âmes damnées du roi, Pully Bey et Karim Tabet. Parce que les Égyptiens se sont fait racler par les Israéliens, à cause de ces armes, disent-ils. Parce que le roi est considéré par l'armée comme un soliveau pourri.

— Il ne sait rien ? Il ne peut rien ? demanda Siegfried consterné, au bout d'un temps.

— Je ne sais pas. À mon avis, il est résigné à l'inévitable. En tout cas, personne n'en donne cher.

— C'est terrifiant, articula Siegfried.

— Ce n'est terrifiant que si on se laisse terrifier. Il fallait quand même une bonne dose de naïveté pour s'imaginer que tout ça allait durer éternellement.

— Quoi, "tout ça" ?

— Cinquante mille pseudo-Européens qui vivent une vie qu'ils ne pourraient jamais s'offrir dans leurs pays d'origine alors que trente millions d'Égyptiens n'ont même pas d'eau potable.

— Es-tu communiste ? s'écria Siegfried.

— Tu es vraiment un pur produit de cette société, *dear boy!* Quand on leur présente la réalité et qu'elle leur déplaît, ils pensent qu'on est communiste ! Vraiment, Siegfried ! Ai-je l'air d'un communiste ? » Il alluma une cigarette et toisa son vis-à-vis d'un air ironique. « Tu n'as jamais regardé autour de toi ? Tu ne t'es jamais demandé pour quelle raison ton domestique touche trois livres par mois et que toi, qui es incapable d'acheter tout seul une oke de cornes grecques au marché et de te faire cuire un œuf, tu dépenses trente livres par mois et ta mère soixante-dix ? Et quel genre de vie mènent les garçons que tu paies vingt piastres ? Pourquoi ? Parce qu'ils n'appartiennent pas aux puissances impérialistes ?

— Chester, peut-être n'es-tu pas communiste, mais tu parles comme si tu l'étais !

— Laisse tomber le communisme et fais ton paquetage, andouille ! Tu es un étranger dans ce pays. »

Siegfried éclata de rire. « Je hais les communistes », déclara-t-il. Pour lui, le communisme était un pays sans fêtes.

« Moi aussi. Mais je te donne des conseils de frère, reprit Lamotte, et tu me tiens des discours idiots sur le communisme, sur lequel tu ne sais d'ailleurs rien ! Politiquement, tu es un illettré intégral ! On croirait entendre une des pintades du Club !

— Et ma mère ? demanda Siegfried, guère ébranlé par ces sarcasmes.

— Installe-toi d'abord et fais-la venir ensuite.

Siegfried alluma à son tour une cigarette. « Tu me fais peur, dit-il.

— Et toi, tu vas m'énerver, rétorqua Lamotte. Tu ne m'as pas parlé de la soirée avec Margaret Hartnell, reprit-il.

— Rien, répondit morosement Siegfried.

— Tu veux dire : rien au lit ?

— Rien.

— Tu n'as pas fonctionné ?

— *Fonctionné !* Je ne me suis même pas déshabillé, dit Siegfried, ajoutant en anglais : *After all, my dear, it takes two to dance.*

— Mais tu as quand même assommé cet imbécile de Manners, pourquoi ?

— Je ne l'ai pas assommé. Il a essayé de me donner un coup de poing, il a perdu l'équilibre et il est tombé. » Lamotte gloussa. Siegfried haussa les épaules au souvenir de l'intermède grotesque. « J'ai reçu une lettre d'elle ce matin, dit-il.

— Ah ?

— Elle a rompu avec Manners, qui a dû aller à l'hôpital. C'est un alcoolique. Elle m'invite à Londres, ajouta-t-il comme à contrecœur.

— Siegfried ! s'écria Lamotte. Tu te rends compte ?

— De quoi ?

— De ta chance ! »

Siegfried le dévisagea.

« Mais voilà ton point de chute !

— Tu veux que j'aille vivre à Londres avec une femme qui a presque le double de mon âge ?

— On ne regarde pas les dents d'un cheval offert, répliqua Lamotte.

— Tu me prends pour un gigolo ?

— Elle t'a écrit, elle tient donc à toi.

— Où est l'amour dans tout ça ? » demanda Siegfried d'une voix sombre.

Lamotte leva les bras au ciel.

« Seigneur, mais tu es vraiment une pimbêche ! Cette femme te lancera à Londres, crétin ! »

Siegfried lui jeta un regard dubitatif.

« Continue avec tes discours sur l'amour et tu te retrouveras serveur de café, reprit Lamotte.

— Tu ne crois pas à l'amour ?

— Je crois à la survie. Et tu ferais bien d'y penser. »

Chester Lamotte revêtit soudain une autre image dans l'imagination de Siegfried : il n'était plus le complice de virées nocturnes plus ou moins déjantées, mais une sorte d'ange sinistre venu lui enlever sa vie.

Ils partagèrent l'addition ; ils en avaient pour cin-
quante-six piastres, à peine plus d'une demi-livre égyptienne. Chester prit un taxi pour rentrer chez lui.
Siegfried annonça qu'il rentrerait à pied, mais n'en fit
rien. Il prit également un taxi et se fit déposer devant
l'Hôtel Sémiramis, puis, sachant qu'il ne pourrait trouver
le sommeil après les remontrances de Chester, il alla
draguer le long de la corniche du Nil.

Il parcourut une centaine de mètres, suivi par les
regards de quelques jeunes gens en groupes, nonchalamment assis sur les parapets, devant les banyans
effleurés par la clarté bleuâtre des lampadaires. L'odeur
limoneuse du fleuve traînait sur les quais et Siegfried ressentit une lassitude pareille à celle des fantômes qui
s'obstinent à errer dans un monde révolu. L'heure était
tardive ; il ignorait si la garçonnière dont un ami lui avait
concédé l'usage serait libre. Il se décida donc à rentrer,
quand un visage au volant d'une petite voiture noire saisit son regard. Un visage poupin, à la bouche enfantine,
le front barré par une mèche blonde, proche de la quarantaine. Dans la pénombre des parages, Siegfried mit
plusieurs secondes à le reconnaître. Il l'avait aperçu au
Club. Un Anglais. Le regard était décidément accrocheur
et Siegfried s'arrêta à distance.

Un reflet de soie noire chatoya dans la nuit.
L'homme avait enlevé sa cravate noire, mais il avait
gardé le veston du smoking, ce qui lui prêtait l'allure
d'un maître d'hôtel qui a fini son service. Siegfried
reconstitua intuitivement son emploi du temps :
l'homme avait quitté avant l'heure le bal de la princesse
Zuleïka. Ou peut-être le bal s'était-il déjà terminé.

« *Hullo*, lança l'homme.

— *Hullo*, répondit Siegfried, sur ses gardes, mais
avançant d'un pas vers l'auto.

— L'heure exotique et douce, dit l'autre d'un ton
narquois. Les crocodiles deviennent sentimentaux et les
chauves-souris s'embrassent. »

Siegfried éclata de rire.

« Vous êtes en avance de cinq jours pour le clair de lune. »

L'autre claqua la langue d'un air goguenard.

« Vous parlez bien l'anglais, observa-t-il.

— Vous aussi », dit Siegfried.

Là, l'autre s'esclaffa franchement.

« Pourquoi ne montez-vous pas, que nous puissions poursuivre cette conversation ? »

Siegfried fit le tour de la voiture et releva qu'elle ne portait pas la plaque diplomatique verte. Mais il était pourtant presque sûr que l'homme appartenait à l'ambassade. Il monta donc et, au petit bouquet de violettes artificielles sur le tableau de bord, reconnut la Wolseley d'Elsie Treeten, la secrétaire du club.

« Comment vous appelez-vous ? demanda l'inconnu.

— Siegfried. Et vous ?

— Guy. Siegfried. Ce n'est vraiment pas un nom anglais, observa l'homme.

— Non. Je ne suis pas anglais.

— Quelle chance vous avez. »

La réflexion surprit Siegfried, qui eût donné cher s'il avait pu donner quoi que ce fût, pour un passeport européen et, mieux encore, une identité anglaise. Il dévisagea l'inconnu. Une bouche d'enfant habitué au sourire, donc une vie facile, des bouffissures qui trahissaient l'abus d'alcool.

« Vous venez du bal, déclara-t-il.

— Un bal ? s'écria Guy. Vous appelez ça un bal ? Dieu tout-puissant ! Une cérémonie mortuaire, oui !

— Je n'y étais pas, je ne peux pas juger.

— Estimez-vous heureux. Vous n'aviez rien à y faire. J'ai besoin d'un rafraîchissement. »

Siegfried enregistra simultanément la réflexion *Vous n'aviez rien à y faire*, qui le laissa un instant songeur, et la désapprobation du diplomate à l'égard de cette fête à laquelle il avait lui-même tant espéré assister.

« Le bar du Sémiramis est fermé à cette heure-ci, dit-il, consultant sa montre.

— J'ai du scotch et de la glace chez moi, dit Guy.

— Et où habitez-vous ?

— Garden-City. »

Ce quartier résidentiel élégant dormait. Guy arrêta la voiture un quart d'heure plus tard devant un immeuble moderne rue Chagaret el Dorr, du nom de la reine assassinée à coups de savate. L'appartement, sans doute un appartement de fonction, était déplorable. Un petit vestibule crème mal peint, orné d'une minuscule console en fer forgé sous un miroir riquiqui, un living avec un coin repas devant la fenêtre, un palmier en pot qui s'échevelait d'ennui. Les coussins des sièges étaient défoncés, la table n'avait pas été desservie depuis le petit déjeuner, à moins que ce ne fût le dîner de la veille. Du courrier, des journaux et des revues étaient éparpillés partout.

« Asseyez-vous, je vais chercher des verres et de la glace », dit Guy, jetant son veston sur un fauteuil, par-dessus un exemplaire défraîchi du *Donatello* des éditions Phaidon.

Siegfried laissa traîner son regard. Sur une table basse, s'étalaient plusieurs enveloppes décachetées. Il en consulta une : *Mr. Guy Burgess, Embassy of Great-Britain, Kasr el Doubara, Cairo.*

Celui-ci revint portant deux verres propres, un bac à glace et une bouteille de scotch sous le bras. Il versa dans chaque verre une rasade généreuse, puis l'emplit de glaçons et s'assit près de Siegfried.

« Tu dragues là tous les soirs ?

— Non, de temps en temps.

— Tu le fais pour de l'argent ?

— Quoi ? » s'écria Siegfried, scandalisé. C'était la deuxième fois de la soirée que le soupçon l'écorchait.

Burgess se mit à rire. « Tu pourrais, bien que tu sois un peu maigre. Alors c'est toi qui paies ?

— Oui... Tu as besoin d'argent ? » répondit insolemment Siegfried. Ce qui déclencha l'hilarité de Burgess.

L'espace entre eux se réduisait. Siegfried n'avait pas encore goûté à son whisky qu'il en saisit le goût sur la bouche de Burgess. Puis ce goût même s'évanouit et ses paupières fermées tendirent un voile pourpre sur le monde. Il se laissa dévêtir. Jusqu'aux chaussettes.

« Des fixe-chaussettes ! À ton âge ! » murmura Burgess.

Il s'en défit. Il était entièrement nu, assis sur un canapé, près d'un homme également nu, jeune mais aux formes épaissies. Il oublia la mollesse du corps à cause de la jeunesse du regard. Un peu plus tard, il n'écouta plus les commentaires ordinaires. Il avait ce soir-là besoin d'un ailleurs plus que de chair. Il éprouvait une soudaine solitude. Il fut tendre.

La respiration lourde de son voisin de lit le réveilla. Il consulta sa montre. Quatre heures moins le quart. Sa mère devait s'inquiéter. Il se rhabilla à la va-vite.

Burgess le retrouva à la porte, pâteux, pataud.

« Je veux te revoir, dit Siegfried.

— Je veux te revoir aussi », dit Burgess. Il alla chercher quelque chose dans un tiroir, puis l'autre et revint enfin, une clef dans la main.

« C'est la clef de la porte d'en bas et de l'appartement. Je rentre vers sept ou huit heures. Si je ne suis pas là, sers-toi à boire et attends-moi. Ne réponds pas au téléphone. »

C'était la première fois qu'on témoignait à Siegfried pareille confiance. Il longea les jardins qui répandaient généreusement leurs parfums, pareils à des vierges folles, odeur chocolatée des glycines et presque sexuelle des manguiers en fleurs, charnelle comme les gardénias, les jasmins, les résédas, innocente et terrienne comme celle de l'herbe. Il s'en fut dans la nuit parfumée du Caire, troublé, secoué, fragmenté, détruit comme un puzzle renversé.

Ce n'avait été, somme toute, qu'une petite sérénade nocturne, mais elle l'avait inondé de sentiments contradictoires, tristesse, espoir, inachèvement.

15

Valses et tangos

Le bal se devinait à près d'un kilomètre avant le palais des Tulipes à Rodah. Un flot d'automobiles astiquées jusqu'aux enjoliveurs, et la plupart équipées de pneus à flancs blancs, avançait au pas dans l'avenue menant au palais. Les *chaouiches* en tenue blanche, d'abord clairsemés, se faisaient de plus en plus nombreux au fur et à mesure qu'on approchait. Sur l'esplanade entre le palais et le Nil, une cohorte de *mounadis* ou voituriers s'empressaient auprès des arrivants et notamment de ceux qui conduisaient eux-mêmes leurs voitures.

De style néo-classique, façade à pilastres percée de fenêtres à fronteaux circulaires et classiques alternés, le palais des Tulipes se distinguait à l'intérieur par de vastes espaces, des lustres monumentaux de cristal, scintillant de toutes leurs pendeloques, et des phalanges de domestiques en livrée. L'ameublement en était impersonnel, comme dans les palais ottomans : vastes miroirs, meubles d'apparat surabondamment dorés et des chaises, des chaises, des chaises. Quand les invités avaient franchi l'immense vestibule à colonnes dallé de marbre rose, ils s'arrêtaient à la porte d'une salle encore plus vaste où l'aboyeur recueillait les cartons et annonçait en français les noms et titres de leurs titulaires.

« Son Excellence Monsieur l'ambassadeur de Belgique et Mme Van den Bosch... Sa Hautesse la Sultane Melek... Son Altesse Impériale le prince Abbas Halim... Son Excellence l'ambassadeur de France et Mme Gilbert Arvengas... Son Altesse Impériale le prince Nicolas Troubetzkoy... Leurs Altesses Impériales et Royales le prince Abd el Moneim et la princesse Nezl Chah... Son Excellence et Mme Ahmed Seddik Pacha... Son Altesse l'émir Nimr... »

Le cœur d'Ismaïl Abou Soun tressauta quand son nom fut annoncé à la suite de ceux de Son Excellence Seif Abou Soun Pacha et son épouse la princesse Noureddine. Peut-être Sybilla l'entendrait-elle. Il en était encore ému quand sa tante le présenta à la princesse et qu'il s'inclina pour baiser l'auguste main. Ce fut à peine s'il eut le temps de lever un regard vers l'hôtesse, masque altier aux yeux de sarcophage, sommé d'un diadème emprunté sans doute à la Voie lactée, car il fut poussé discrètement par un chambellan, afin de céder la place aux nouveaux arrivants. Les invités étaient canalisés par des valets vers trois grands salons en enfilade, dans le premier desquels se dressait un buffet d'escouade administré par une cohorte de serveurs. Champagne ? Whisky ? Sirop d'orgeat ? Jus d'orange ?

« Champagne », dit Ismaïl, qui n'en avait bu que deux ou trois fois dans sa vie et n'était guère coutumier d'agapes alcoolisées.

Il se trouva soudain au cœur d'un groupe impérial et royal dominé par le prince Abd el Moneim et son épouse, la princesse Nezl Chah, un cygne blanc et noir, blanc pour les épaules et le visage à la beauté altière et nacrée, noir pour les cheveux en bandeaux où les diamants du diadème et les lumières des lustres semaient des reflets bleus. Elle embrassait Rechideh Noureddine et les deux femmes évoquèrent une fraction d'instant un monde de splendeur et de grâce. On le choya du regard,

on l'interrogea, on reprocha à son oncle et à la princesse
de cacher « ce beau jeune homme ». Le champagne et les
compliments ajoutèrent une délicate nuance de confusion au bronze pâle de son teint. Cependant, il multipliait
les regards furtifs alentour, et tant que la princesse Noureddine s'en avisa et lui murmura :

« Mily, nous sommes ici, nous aussi. »

Il sourit. Une jeune fille crut que le sourire s'adressait à elle et s'empourpra.

La grande question que tout le monde se posait,
mais n'osait formuler était la suivante : le roi viendrait-
il ? Et s'il venait, serait-il à l'heure ? Car il n'était pas
question de s'asseoir avant que Sa Majesté fût arrivée.

Cependant la foule augmentait. La princesse Zuleïka
avait invité au moins deux cents personnes et les serviteurs et majordomes représentaient au moins une fois et
demie autant de monde. Ismaïl fut saisi d'anxiété : pour
distinguer Sybilla dans cette foule, il eût fallu monter sur
une chaise, ce qui était inconcevable, ou bien aller de
groupe en groupe à travers les salons, ce qui eût été
discourtois à l'égard de son oncle et de la princesse.
Peut-être n'était-elle pas arrivée. Il apaisa ses alarmes en
songeant qu'à huit heures moins le quart exactement
tous les invités seraient présents, l'invitation spécifiant,
en effet, qu'eu égard au protocole royal, l'heure ultime
d'arrivée était fixée à ce moment-là, c'est-à-dire un quart
d'heure avant l'arrivée du monarque ; il n'avait plus que
sept minutes à attendre. Il aurait ensuite le loisir de s'enquérir du corps diplomatique de Grande-Bretagne.

Mais alors ? se demanda-t-il. Que lui dirait-il ? Et
quand il aurait joui de sa confusion, que ferait-il ? Quel
tour prendraient les événements ? Elle serait évidemment en compagnie de son mari ; saurait-il maîtriser les
convenances ? Quelque aristocratique que fût son éducation, Ismaïl prit confusément conscience qu'il ne possédait guère l'expérience requise pour la situation qu'il
avait lui-même créée.

Soudain retentirent les accords martiaux de la
marche triomphale d'*Aïda*, qui tenait lieu d'hymne royal

et qu'exécuta sans trop de fausses notes un petit orchestre installé sur la grande loggia du hall. Cela signifiait que le roi venait d'arriver. Le prince Abd el Moneim, pareil à un Bourbon en *tarbouche*, quitta le groupe d'un pas vif. Ismaïl, qui se trouvait près de la porte séparant le hall d'entrée du premier salon, observa le cérémonial à distance. Suivie de son fils, l'Honorable Rafik, la princesse Zuleïka se leva afin d'aller accueillir son auguste visiteur et se retourna pour appeler du regard le prince Abd el Moneim. Ismaïl s'avisa alors qu'un certain nombre d'invités avaient attendu dans le hall l'arrivée du roi ; à leurs visages, à leurs décorations et aux grands rubans barrant leurs plastrons, il reconnut des membres de la famille royale et du corps diplomatique. Les hommes politiques n'avaient pas été invités, car ce n'était pas une réception officielle et surtout parce que le roi ne portait guère de tendresse, pour dire le moins, au Premier ministre Nahas Pacha, ni à son séide, le ministre de l'Intérieur Fouad Seraggeddine. Zuleïka, Rafik et le prince Abdel el Moneim prirent la tête d'une petite délégation. Ismaïl comprit alors pourquoi il n'avait pas encore aperçu Sybilla ; elle était restée dans le hall avec les diplomates britanniques.

Et Farouk fut enfin visible. Sa haute taille et sa formidable corpulence étaient sanglées dans un frac. Coiffé du tarbouche, il paraissait encore plus grand. La nouvelle reine, Narriman, était à son bras, éclatante de blancheur dans une robe de taffetas gris perle, un quintuple rang de perles grises au cou. Un aide de camp en uniforme et un chambellan escortaient le couple royal. Masqué de lunettes noires, le visage massif, presque enfantin quand il souriait, Farouk évoquait encore, pour ceux qui l'avaient connu jadis, la beauté solaire du jeune homme qu'il avait été. Les mains, toutefois, contrastaient de façon surprenante avec le visage : de vastes pognes charnues, presque monstrueuses. Ismaïl suivit d'un œil aigu, la révérence de Zuleïka, les inclinaisons accusées du buste de Rafik et d'Abd el Moneim, puis des autres, qui baisèrent, eux, la main royale, puis encore

des autres princes et enfin des ambassadeurs, Lord Killearn en tête. Ismaïl vit le sourire s'effacer du visage
royal quand l'Anglais, presque aussi massif que le
monarque, vint présenter ses hommages et que sa
femme, Jacquetta, fit la révérence de rigueur. Le sourire
royal ne reparut que devant l'ambassadeur d'Italie, le
comte Paolo Caccia della Torre Dominioni. Mais chacun
savait la prédilection de Farouk pour l'Italie et l'ambassadeur de ce pays fut le seul avec lequel le monarque
daigna s'entretenir un long moment, d'un ton chaleureux
par-dessus le marché.

Toujours accompagné de la reine, elle-même flan-
quée de Zuleïka et suivie à un pas de distance par son
fils Rafik, le roi apparut dans le salon et avança lentement au centre de la haie d'honneur qui s'était spontanément formée, hochant la tête, saluant tel invité ou tel
autre, « Bonsoir, Pacha ! » ou « Bonsoir, Princesse ! » Il
s'arrêta au centre de la pièce et fit mander deux invités
qui accoururent, suivis par d'autres qui brûlaient d'obte-
nir la faveur d'un entretien. Il se trouva bientôt isolé par
un groupe de courtisans où figuraient deux ou trois
dames. Entre-temps, l'orchestre avait promptement
déménagé de la loggia du hall pour s'installer dans celle
du deuxième salon, où sièges, lutrins et partitions l'attendaient, et il enchaîna tout de go sur une valse de
Johann Strauss, *Or et argent.*

Le bal commençait.

Il y avait presse au buffet et, dans l'animation d'une
discussion sur le championnat de polo, Ismaïl se trouva
quelque peu bousculé. Ayant poussé du dos un invité, il
se retourna pour présenter des excuses et se trouva nez
à nez avec Sir Charles Hammerley et, une fraction de
seconde plus tard, avec Sybilla. Une lueur humoristique
passa dans les yeux du diplomate qui marmonna un
« *Hullo, good evening* » et, sans se départir de son
aisance, poursuivit sa conversation avec un diplomate
américain. Sybilla resta au côté de son mari, mais tourna
furtivement la tête vers Ismaïl. Les deux amants s'étaient
quittés quelques heures auparavant. Stupéfaite de

découvrir là Ismaïl, Sybilla pâlit, se força à sourire et se congestionna. Le groupe se défit et Sybilla se retrouva face à face avec Ismaïl. Il la complimenta en termes choisis sur sa toilette, une robe d'organza bleu vif, dont le corsage s'ornait d'une collerette du même organza plissé, lointaine réminiscence élisabéthaine.

« N'est-ce pas là ce qu'on appelle le bleu roi ? demanda Ismaïl, savourant secrètement la confusion de sa maîtresse.

— Nous l'appelons bleu anglais, répondit Sybilla.

— De toute façon une couleur idéale pour une fête royale », repartit Ismaïl en se tournant vers Sir Charles Hammerley, qui venait de les rejoindre et dont les paupières mi-closes évoquaient un mérou.

Ils restèrent tous trois silencieux une fraction de seconde, puis l'épouse de l'ambassadeur, Jacquetta, Lady Killearn, vint prendre le diplomate par le bras : *« Sir Charles ! I would like to present you to... »* Le reste de la phrase se perdit dans le brouhaha, et Ismaïl et Sybilla se retrouvèrent seuls dans la foule.

« C'est un tour que tu m'as joué, articula Sybilla entre ses dents. Comment as-tu fait pour arriver ici ? » Elle fit appel à toutes les réserves de son éducation pour maîtriser son trouble. L'après-midi, elle n'avait pas osé lui dire qu'elle était enceinte.

« Je suis tout à fait à ma place ici, rétorqua Ismaïl avec hauteur, mais également un sourire.

— Tu n'étais pas invité. Tu crées une situation.

— Comme tu le vois, je n'ai eu qu'à lever le doigt pour être invité, rétorqua-t-il. Quant à la situation, elle me paraît charmante.

— Tu aurais pu... », commença-t-elle, et elle n'acheva pas sa phrase. De quel droit lui aurait-elle interdit d'assister à un bal donné dans son propre pays ?

« Je suis venu pour te voir comme tu es dans le monde », lui dit-il, accompagnant ces mots d'un regard tellement insistant qu'elle détourna les yeux, afin que leur conversation n'attirât pas l'attention.

Rupert Gardiner et sa femme, accompagnés de Guy

Burgess, arrivèrent à point nommé pour offrir une diversion à Sybilla. Mieux encore, un groupe composé du prince Ismaïl Hassan, de sa sœur Khadiga et de l'émir Loutfallah vint accaparer Ismaïl. Les deux amants furent séparés sur un regard furtif. La princesse Noureddine se joignit au groupe d'Ismaïl Hassan et prit son neveu par le bras.

Soudain, la voix du roi se fit entendre, s'adressant à la princesse. Elle se tourna vers le monarque. Bonhomme et souriant, il lui lança en français :

« Princesse, auriez-vous changé de mari ? »

Rechideh Noureddine éclata de rire et demanda la permission de présenter son neveu. Le roi tendit sa grande main et Ismaïl s'inclina avec une élégance sans défaut, déclarant que c'était pour lui un jour faste entre tous que celui où il avait rencontré son roi.

« Pourquoi votre père n'est-il pas des nôtres ? questionna Farouk en français. Ou bien est-ce vous qui le représentez ?

— Majesté, mon père ne sort guère le soir. Quant à le représenter, il ne m'en a pas proposé l'honneur.

— Mais ce jeune homme s'exprime remarquablement bien ! s'écria le roi à l'adresse de la princesse Noureddine. Quand son père cessera de me faire la guerre, je nommerai son fils ministre ! » déclara-t-il dans un grand rire. Et se tournant vers Ismaïl : « Vous allez faire tomber tous les cœurs de cette soirée. Mais pas le mien, quand même ! » Et nouvel éclat de rire.

À quelque distance de là, Sybilla et Rupert Gardiner suivaient la scène pour des raisons différentes. Elle s'étonnait que le roi fît à Ismaïl l'honneur d'un entretien.

« Qui est l'homme avec la femme au diadème ? » demanda-t-elle à Gardiner.

Celui-ci, qui connaissait professionnellement la société égyptienne, répondit : « La princesse Rechideh Noureddine, cousine du roi au second degré et épouse de Seif Abou Soun. Celui-ci est le frère de Tewfick Abou Soun, président du Parti constitutionnel.

« — Et le jeune homme qui me parlait ? demanda Sybilla tendue.

— Je croyais que vous le connaissiez. Ismaïl Abou Soun, le fils de Tewfick. »

Elle se reprocha de n'avoir jamais interrogé Ismaïl sur sa famille. Ismaïl n'était donc pas seulement un beau garçon riche et elle devint encore plus songeuse.

Le roi avait sans doute exprimé le désir d'être servi, car trois coups de gong retentirent, à la mode turque. Les invités se dirigèrent vers le troisième salon, qui était en fait une rotonde. Cinq maîtres d'hôtel à la porte, leurs plans de table en main, orientaient les invités vers celles des tables qui les attendaient ; il y en avait deux douzaines dressées chacune pour huit convives et toutes placées sous le regard de la table royale, juchée, elle, sur une estrade. Deux cents *souffraguin* attendaient, rangés contre les murs. Derrière la table royale veillaient six officiers en uniforme en plus des serviteurs. Sybilla fut saisie par l'apparat, qui n'avait décidément pas grand-chose à envier à la cour d'Angleterre.

La princesse Noureddine, son mari et Ismaïl partageaient leur table avec l'ambassadeur de l'Inde et sa femme, le maharaja de Calancore et sa fiancée, Soussou Abd el Messih, que chaperonnait sa future belle-sœur, la princesse Devi. Les Hammerley étaient assis à la table voisine, avec les Pamphilopoulos, une princesse jordanienne qui semblait s'ennuyer, l'ambassadeur de Grèce et sa femme et Sir Thomas Blackthorpe, qui avait été un personnage éminent de l'Empire aux Indes. Pour Ismaïl, l'essentiel était que Sybilla se trouvât dans l'axe de son regard, et, symétriquement, l'angoisse pour Sybilla résidait dans cette même disposition.

La suite fut tissée de ces échanges de futilités où la réalité se dissout dans l'insignifiance et qui semble plus tard avoir servi de prélude au drame.

Dégustant sa caille farcie au foie gras, Byron Pamphilopoulos assure que le repas a été réalisé par une armée de cuisiniers français dépêchés exprès de Paris, et sa femme cite leurs salaires. À la table voisine, Soussou Abd el Messih, dont l'accent oxonien atteint pour la circonstance la perfection qu'on prêterait à la duchesse de Devonshire, fait l'éloge de l'harmonie entre le rose des chandelles et celui des fleurs brodées sur les nappes. Le maharaja dévisage la princesse jordanienne avec insistance. Hammerley et Blackthorpe échangent des souvenirs sur leurs missions en Inde. Entre deux bouchées de bar à la gelée de porto, Rechideh Noureddine se félicite de quitter bientôt la canicule pour la maison que son époux vient d'acheter sur une île en Turquie. Ismaïl observe que son oncle a plutôt acheté une île avec une maison dessus. « Les vipères avec », ajoute Seif Abou Soun. « Comment, il y a des vipères sur une île ? » s'étonne Soussou. « Volantes, précise la princesse. Quand nous sommes sur la plage, elles se jettent du haut de la falaise. » « Chez nous, les cobras ne volent pas, ils dansent », dit le maharaja. « Nous danserons tout à l'heure », annonce la princesse. « Comme des cobras », ajoute Seif Abou Soun. L'ambassadeur de Grèce demande à Sybilla si elle a visité la Vallée des Rois. « Nous nous promettons de le faire cet hiver », répond Sybilla, qui lutte contre l'agitation et qui essaie d'éviter le visage rayonnant d'Ismaïl à dix pas de là. Elle ne s'en est pas rassasiée. « Cette beauté ! Ce charme ! Je vais devenir folle ! » La princesse Devi chiffonne son navarin d'agneau et observe que cela ressemble à du curry sans curry. Soussou sourit béatement ; voilà six mois, elle n'eût même pas rêvé d'être assise à une table voisine de Sybilla Hammerley et encore moins d'être la future maharani de Calancore. Le vin français a bien voyagé, mais il voyage encore mieux dans les veines. Le dessert est excessif, des profiteroles au chocolat sur de la glace à la vanille truffée de fraises fraîches. « Vous mangez comme cela tous les soirs ? » demande Blackthorpe à Hammerley. « Nous jeûnons à midi », répond Sir Charles. Les maîtres d'hôtel présentent des plateaux chargés de boîtes de cigares et de carafons de cognac. Le roi s'est levé, mais à sa demande, répercutée à mi-voix par les maîtres d'hôtel, les invités sont priés de ne pas suivre son exemple. L'orchestrion, dont chacun espère qu'il a dîné au préalable, attaque les *Contes de la forêt vien- noise*. La tête de Sybilla tourne légèrement. Les invités circulent d'une table à l'autre. Burgess vient à la table de Hammerley, tenant un verre plein de cognac. Le café est servi.

Le majordone vient aboyer : « Le bal est ouvert ! »

Ismaïl a du rouge aux pommettes, Sybilla aussi. Elle se lève, suivie par Burgess. Le reste de la table se lève aussi et se dirige vers le deuxième salon, transformé en salle de bal.

« Il faut que tu invites ta voisine, la princesse Devi », murmure la princesse Noureddine à l'oreille d'Ismaïl.

Il esquisse une grimace, mais comme Sybilla est par- tie danser avec l'Anglais, il se promet de patienter et invite, en effet, Devi à danser.

L'Indienne est gracieuse, mais elle ne sait pas mieux danser la valse que son cavalier et de toute façon, se dit Ismaïl, qu'est-ce que c'est donc que ces valses ! L'orches- trion s'est sans doute avisé lui aussi de l'incongruité des musiques de Strauss pour des danseurs qui ne sont pas des familiers du Fasching et, après un savant fondu, passe courageusement au tango. Volupté, les musiciens attaquent *La Cumparsita*, et puis, comme ils connaissent leurs classiques, *Jalousie*. Le sentiment qui agite Ismaïl est dangereusement proche du titre de ce deuxième tango et l'alcool, mélangé aux arpèges théâtraux et spas- modiques, avive sa fièvre. À brève distance, Sybilla semble flotter dans les bras d'un Anglais blond. Au sou- lagement de l'Hindoue, Ismaïl propose un rafraîchis- sement.

« Vous connaissez ma future belle-sœur ? » demande l'Hindoue en sirotant un jus d'orange au champagne.

Ismaïl se souvient vaguement d'avoir vu quelque part le visage de la belle-sœur en question, et soudain, il l'identifie. Mais c'est la secrétaire du Cairo Women's Club ! Par le Prophète ! Ce portrait du Fayoum est donc la future compagne du gros homme somnolent que tout le monde appelle Altesse ! Il avait bien entendu raconter les fiançailles d'un maharaja et d'une jeune Copte, mais il n'y avait pas prêté attention.

« Mais certainement, répond-il, elle et ma sœur se voient souvent. »

Il devine que l'Hindoue s'interrogeait sur le rang social de sa belle-sœur et se félicite d'avoir sauvé la mise de celle-ci. Qu'est-ce que c'est que ce monde de poseurs et de snobs !

« C'est votre belle-sœur ? demande-t-il.

— Les fiançailles, enfin l'équivalent de ce qu'on appelle en Occident des fiançailles, ont été célébrées à l'ambassade de l'Inde cet après-midi », répliqua-t-elle.

En raccompagnant Devi à sa place, Ismaïl remarque que Sybilla aussi vient de se rasseoir. L'orchestre joue une rumba ou quelque chose d'approchant et Ismaïl aurait presque envie d'aller danser tout nu. Il adresse un sourire dévastateur à Soussou. Les hommes, y compris le maharaja qui semble s'ennuyer à mourir, allument des cigares et, soudain, saisi par un désir irrésistible, il va à la table voisine inviter Sybilla à danser. Il n'a pas entendu la princesse Noureddine l'appeler : « Mily... »

Sybilla lance un regard anxieux à Ismaïl et se force à sourire. Quelques instants plus tard, ils glissent sur le marbre talqué de la piste et Ismaïl serre Sybilla contre lui de façon assez indiscrète pour qu'elle lui en fasse la remarque et tente de s'écarter. Il n'en tient pas compte et, en proie à un sentiment proche de la panique, elle le repousse avec une certaine rudesse. Leurs évolutions les ont portés devant une brochette de spectateurs où l'on compte Hammerley, Pamphilopoulos, Blackthorpe et Burgess, Ismaïl fait plus qu'une erreur : une faute ; il rattrape Sybilla par le bras sous les yeux de Hammerley. Le teint empourpré de Sybilla est encore plus éloquent que son expression. Sir Charles tire le cigare de sa bouche tandis qu'Ismaïl tient toujours le bras de Sybilla.

« *I say here*, dit Sir Charles d'un ton menaçant et sourd, *let go of my wife.* »

Ismaïl desserre son étreinte et fait face à Sir Charles.

« *Mind your own business* », rétorque-t-il à l'Anglais, qui devient soudain très pâle.

Doria Pamphilopoulos a emmené Sybilla au boudoir attenant à la salle de bal.

« *I don't think a scandal fits the time nor the place* », rétorque Sir Charles. Blackthorpe et Burgess se sont rangés aux côtés de l'Anglais et Ismaïl s'avise soudain qu'il est saoul. Sybilla a disparu. Il regarde Sir Charles avec une colère ironique.

« *Faggot* », lui lance-t-il froidement et il tourne les talons. Il entend derrière lui un des Anglais demander d'une voix indignée et tonnante :

« *Who's that perfect prick ?* »

À l'évidence, l'incident a eu plus d'un témoin, car Seif Abou Soun et son épouse retrouvent Ismaïl au bar ; ils semblent navrés. Ils l'entraînent vers la sortie.

Le hasard, qui est le chorégraphe ordinaire de la tragédie, veut qu'au moment exact où Sybilla sort du boudoir Ismaïl encadré par son oncle et sa tante passe là. Ils s'aperçoivent l'un l'autre et sont figés. Ismaïl va vers Sybilla d'un pas ferme.

« Sybilla ! »

Elle le regarde pétrifiée, livide.

« *How dare you !* feule-t-elle.

— *Sybilla, you will follow me now or never* », dit-il.

Doria Pamphilopoulos s'interpose et entraîne Sybilla d'un pas précipité. Les domestiques semblent ne rien voir. Peut-être les statues du Musée du Caire se querellent-elles la nuit, en l'absence de visiteurs, mais ce n'est l'affaire de personne. Les deux femmes s'arrêtent un instant, Dora Pamphilopoulos se retourne, puis elles reprennent leur fuite vers le vestiaire.

« Ismaïl », dit calmement Seif Abou Soun à son neveu, immobile, comme seul au monde dans ces espaces qui scintillent de lumières. Ismaïl revint à pas lents vers les siens.

Pamphilopoulos et Burgess pressent le pas en direction des deux femmes.

« Je vais la raccompagner, dit Burgess à Pamphilopoulos. Dites à sir Charles de rester, puisqu'il ne peut pas partir avant l'ambassadeur. »

Dans la voiture, Sybilla fond en larmes.

« Si vous me permettez de vous donner un conseil, dit Burgess, le seul sentiment que vous puissiez exprimer est celui de la colère causée par l'outrage.

— Et quel autre ai-je l'air d'exprimer ? demande-t-elle d'une voix étranglée.

— L'amour blessé, répond calmement Burgess. Je tourne à droite ou à gauche ? Je ne connais pas cette ville.

— Continuez, tout droit ? » Elle sèche ses larmes et se mouche. Il était donc visible qu'elle était liée à Ismaïl.

« Nous, Anglais, reprend Burgess, nous efforçons d'offenser les autres le moins possible, afin de préserver notre liberté. Je veux dire, ceux qui nous sont chers et Charles vous est cher. Nous avons évité l'incident diplomatique, évitez l'incident conjugal. Un Égyptien s'est mal conduit, c'est tout. »

Elle le regarda stupéfaite.

« Comment savez-vous ?...

— J'observe, c'est tout.

— Emmenez-moi prendre un verre ailleurs. Où est Charles ?

— Le protocole lui interdisait de partir avant l'ambassadeur. Vous devez rentrer.

— De quel incident diplomatique parliez-vous ? s'enquit-elle.

— Ce garçon a insulté publiquement Charles.

— Qu'a-t-il dit ? »

Burgess ne répliqua pas. Quelques instants plus tard, il ajouta : « Une insulte grossière. » Sybilla la devina, Charles ayant fait des avances à Ismaïl. Burgess rangea la voiture devant la maison des Hammerley, éclairée de haut en bas, descendit ouvrir la portière pour sa passagère et, se penchant vers elle comme pour lui baiser la main, lui dit vite et bas : « Pardonnez mon indiscrétion, mais rappelez-vous : il n'y a eu que la présomption d'un jeune Égyptien ivre.

— Venez me tenir compagnie un instant, je vous en prie. Venez prendre un verre.

— Non. Affrontez. »

Elle se sentit soudain vieille et triste.

Dans la Cadillac rouge sombre qui les ramenait du palais, Ismaïl était prostré et Seif Abou Soun commentait son entretien avec le roi. La princesse Noureddine, à peine grisée, songeait tout à la fois que l'amour était décidément un sentiment antisocial et qu'elle eût donné un empire pour être amoureuse. Demain, toutefois, elle devrait affronter une explication avec Zuleïka.

Et, tout à coup, une idée la piqua comme une puce : et si l'Anglaise était enceinte ?

16

Lendemain de cotillon

Deux versions de l'incident circulèrent le lendemain dans les milieux qu'il pouvait intéresser et même ceux qu'il ne concernait pas. La première, diffusée auprès des amis par les princesses Zuleïka et Noureddine, ainsi que l'Honorable Rafik et Sir Charles Hammerley, le réduisait à rien : le cavalier de Lady Hammerley lui avait maladroitement marché sur le pied et n'avait pas compris qu'elle voulait s'asseoir. La seconde, répandue par les Pamphilopoulos, l'amplifiait aux dimensions d'une scène épique où Ismaïl Abou Soun et Sir Charles auraient échangé injures et horions sous les yeux de l'ambassadeur d'Angleterre parce que le jeune homme s'était comporté avec Lady Hammerley d'une façon inconvenante. Les absences prolongées de Sybilla Hammerley, qu'on ne voyait plus au club, et plus encore celle d'Ismaïl Abou Soun prêtaient plus de poids à la seconde version. Cependant, la présence du couple Hammerley à des dîners du Royal Automobile Club et du Club Mohamed Ali, ainsi qu'à diverses réceptions plus diplomatiques que mondaines, tempéra les ragots.

Du moins jusqu'à la publication dans l'*Egyptian*

Gazette d'une brève notice annonçant le départ de Sir Charles Hammerley, premier secrétaire de l'ambassade de Grande-Bretagne, appelé à occuper d'autres fonctions. Une réception fut donnée à l'ambassade en l'honneur du couple. À leur grand dépit, les Pamphilopoulos n'y furent pas invités. Doria Pamphilopoulos tenta à plusieurs reprises de s'entretenir au téléphone avec Sybilla ; elle tomba chaque fois sur la dévouée Athina qui lui répondit que Lady Hammerley était absente.

Ismaïl passa les trois jours suivant le bal allongé sur son lit. La violence de son accablement alarma à la fin sa sœur Timmy. Elle n'osa en parler à son père : Tewfick Abou Soun Pacha, président du Parti constitutionnel, familier du monde politique, l'apprit quand même. Et piqua une mémorable colère lorsqu'il apprit l'incartade de son fils dans ce qu'il appelait une société de polichinelles ; l'esclandre, en effet, le contraignait à une démarche humiliante : demander aux directeurs de journaux que les ragoteurs et ragoteuses de la presse omissent de mentionner l'incident. Timmy, donc, en avisa sa tante, la princesse Noureddine. L'embarras du couple de Seif et Rechideh avait été exquisement tempéré par une réflexion de la princesse Zuleïka à propos de l'esclandre : « Que voulez-vous, tant de séduction ne s'accorde qu'avec un tempérament de feu ! » avait déclaré Zuleïka au téléphone, avec ces roulements d'r dont elle jouait comme jadis Eugène Isaye des changements d'octave. « Ismaïl est le plus beau garçon du monde, le papillon anglais s'y est brûlé les ailes ! » Le commentaire, un rien ampoulé, fleurait les lectures ordinaires de la princesse, Anna de Noailles (née princesse de Brancovan), Albert Samain et les mémoires de Boni de Castellane.

La compassion des cercles princiers pour Ismaïl put alors donner libre cours. Elle n'en attendait que le prétexte. Une semaine plus tard, la princesse Noureddine invita Ismaïl à déjeuner, ainsi que sa sœur Timmy.

« Tu vas me faire des reproches », dit-il au téléphone.

Son rire argentin le rassura. « Non, Ismaïl. J'ai aussi du chagrin pour toi. »

Il avait mauvaise mine, pour la première fois depuis toujours. La princesse en fut émue ; elle soupira. Elle avait connu peu de romans d'amour, mais en avait beaucoup lu. Son rang social ne s'accordait guère de passions telles que celle dont elle avait eu un aperçu grâce à son neveu.

Ils prirent le café sur la terrasse, à l'ombre des magnolias. Timmy s'était discrètement assise à distance, mais n'en perdant pas un mot pour autant.

« Une femme mariée ! soupira la princesse. Et par-dessus le marché, une femme de diplomate ! Et de diplomate de première classe ! Et anglais ! Mily, vraiment, tu as été fou ! »

Elle tendit la main vers le compotier, garni d'écorces d'orange confites, de dattes cristallisées, d'abricots secs et choisit un abricot. Il baissa la tête.

« Elle m'aimait, pourtant, dit-il.

— Pas au point », observa la princesse, usant d'une de ces tournures exotiques du français d'outre-mer, qui n'étaient pas dénuées d'éloquence. Quand il faisait chaud, par exemple, ou que le cuisinier avait raté un plat nouveau, la princesse commentait la situation en ces termes, et chacun comprenait qu'il ne faisait pas chaud au point qu'on défaillît, ou que le plat fût immangeable. Donc, Sybilla Hammerley n'avait pas aimé Ismaïl au point de quitter son mari, par exemple, ou d'éviter la réaction désordonnée qu'elle s'était autorisée au bal.

« Elle n'a pas cru en moi, dit Ismaïl.

— Cela signifie donc que c'est aussi ton amour-propre qui est blessé », dit la princesse, avec une nuance interrogative.

Ismaïl parlait un français sans défaut, mais certains mots lui étaient moins familiers que d'autres. De plus, le vocabulaire de ses émotions était également jeune ; il n'avait jamais songé que l'amour-propre se mêlât aussi à l'amour. Il en fut frappé.

« Amour-propre ? répéta-t-il.

— *Pride*, dit la princesse. L'amour de toi-même.

— Oui, l'amour-propre aussi.

— Aussi ou d'abord ?

— Aussi et aussi, répondit Ismaïl en souriant.

— Prends une tranche de cake. Tu fais peur tellement tu as maigri. Tu vas tomber malade ! Que croyais-tu qu'il pouvait advenir avec cette... – elle avait failli dire : "écervelée anglaise" – avec Sybilla Hammerley ? »

Il eût fait beau voir qu'elle, Rechideh Noureddine, se fût laissée aller à pareilles imprudences !

« Je voulais qu'elle divorce et qu'elle m'épouse. C'est tout. »

La princesse éclata de rire. « *C'est tout !* répéta-t-elle, haussant les sourcils. Vraiment, Ismaïl ! » s'écria-t-elle.

Il l'interrogea du regard.

« Mais enfin, expliqua-t-elle, tu es le fils de Tewfick Abou Soun Pacha, le président du Parti constitutionnel, dont les rapports avec les Anglais ont été déjà difficiles. Tu te vois épousant une Anglaise ? Et divorcée ? Divorcée d'un diplomate ? Et la réaction des Anglais ? Et celle de ton père ? Tu serais tellement embarrassé de l'avoir embarrassé que tu serais obligé d'aller vivre à l'étranger. Et où donc ? En Angleterre ? Mais enfin, Ismaïl, il faut devenir adulte ! »

Il fut consterné. Il n'avait qu'obscurément pressenti les difficultés de son union éventuelle avec Sybilla Hammerley, alléguant par-devers lui-même que plus d'un homme de la société égyptienne avait épousé une étrangère. Mais pas une divorcée, évidemment. Il n'avait commencé à distinguer la nature épineuse de l'affaire qu'à la colère de son père. Colère d'ailleurs ambiguë, qui semblait surtout viser une certaine société, celle qu'Abou Soun Pacha, musulman convaincu et passablement prude, traitait par le mépris. Les termes arabes utilisés par le pacha étaient particulièrement pittoresques : *mouqtama'ed ouroud, e'elouq wa sharamit*, ce qui signifiait à peu près « une association de singes, de tapettes et de putains ». Mais le pacha avait mal dissimulé la fierté que lui avait valu le sang chaud de son fils. Tel qu'il lui avait été rapporté, l'incident était finalement à l'honneur d'Ismaïl, qui avait, à son avis, traité l'Anglaise comme elle méritait de l'être. De plus, Ismaïl était pour son père « la perle de ses yeux », comme on disait en arabe, et le pacha éprouvait une secrète compassion pour la déconvenue du fils bien-aimé.

« Et puis, ajouta la princesse, et c'était la flèche du Parthe, selon une autre expression franco-égyptienne que Doria Pamphilopoulos utilisait à tort et à travers, à propos d'un bas filé, d'un rhume ou de roses prématurément fanées, n'oublie jamais que, pour les Anglais, nous sommes des *natives*, à peine mieux que des *niggers*. »

Là, Ismaïl rougit très fort, sans savoir lui-même pourquoi. Sa blessure s'aviva au point qu'il se leva et fit les cent pas sous les yeux de sa tante, déconcertée. Il avait donc été, c'était cela, un esclave sexuel.

« Il faudra désormais songer à ton avenir », reprit la princesse.

Mais il ne l'écoutait plus qu'à demi. Elle suggérait des études de droit ou d'économie, toujours utiles dans une famille politique, voire un stage à l'étranger, il répondit que son père lui avait trouvé un poste à la National Bank et envisageait aussi de lui confier la gestion de certaines terres. Mais il était déchiré, excédé, au bord des larmes. Son désarroi n'en était que plus visible et ancra dans l'esprit de sa tante une image romanesque de son neveu, assemblage de pièces rapportées, empruntées à des romans et à des films.

« Tu es comme mon fils, dit-elle à la fin, ne me fais pas de peine. »

La conversation s'effilocha là-dessus. Tout avait été dit et l'orgueil blessé d'un jeune homme ne s'accordait guère à la sagesse rassise d'une femme de grande naissance. Sybilla était partie. Ismaïl avait reçu sa première leçon de philosophie sur la brièveté des fêtes et l'amertume des illusions. Il prit congé de la princesse Noureddine et s'en fut vers sa voiture avec le sentiment profond de sa solitude.

17

L'homme tué par un bal

Les remous suscités par le mascaret qu'avait constitué le bal – et ce fut ainsi qu'on le désigna pendant des mois, « le bal », jusqu'à ce que des événements plus importants vinssent prendre sa relève – aux confins d'existences quiètes jusqu'à en paraître léthargiques, n'atteignirent leur quatrième victime, Nadia, qu'avec retard. La première victime avait été Ismaïl, la deuxième Sybilla et la troisième, Mourad Abd el Messih.

Depuis l'attaque subie par son père, Nadia avait été condamnée à ne pas sortir le soir afin de tenir compagnie à sa mère ; Soussou, elle, dînait en ville en compagnie de son futur époux. Leurs noces seraient célébrées à l'automne à Calancore, au palais du maharaja. Nadia en était donc réduite à lire dans le petit salon et en silence, la radio n'étant allumée que pour le bulletin de nouvelles de vingt heures ; jusqu'à l'heure du coucher, elle devait affronter les gémissements, reniflements et soupirs de sa mère, assise dans un fauteuil, qui parfois culminaient en crises de larmes ; Nadia les palliait alors par un verre d'eau de Vichy additionné d'extrait de fleurs d'oranger qu'elle tendait à sa mère ; c'était le

même extrait qu'avait concocté quelques mois auparavant Catherine Archenholz, et dont son fils Michel
Archenholz avait incidemment offert une bouteille au
juge.

Par la même occasion, Nadia s'interrogeait vaguement sur le sens du mariage, mais elle n'avait guère le
loisir de s'en ouvrir à son fiancé secret, Aldo Colestazzi,
puisqu'elle l'avait prié de ne pas téléphoner, de peur que
son appel ne déclenchât une tempête de plus rue Scott
Moncrieff. Un ange de miséricorde voulait régulièrement
que vers neuf heures et demie, abreuvée de gardénal et
d'eau de fleur d'oranger, Mme Abdel Messih se laissât
aller à la torpeur ; ses ronflements alertaient alors Nadia,
qui l'invitait à aller se coucher et montait elle-même s'al-
longer sur le lit en écoutant la radio en sourdine.

Elle l'ignorait encore, mais ses derniers jours de
rêverie s'en allaient au fil du Nil, avec le printemps et
bientôt le cours de l'histoire. L'été et la réalité, ou peut-
être la réalité et l'été mélangés lui préparaient une
équinoxe.

La première, cette abstraction paradoxalement
nommée réalité, ne l'avait jamais qu'effleurée. La mort
d'une chienne aimée, la douleur de piqûres d'antibio-
tiques dans la fesse à l'occasion d'une pneumonie, certains relents de sueur par les journées chaudes, les
sonores éructations de son père dans la précaire solitude de la salle de bains – « Je m'éclaircis la voix »,
condescendit une fois à expliquer le juge, comme sa fille
s'étonnait du vacarme cracheur – avaient jusqu'alors
représenté l'essentiel de son bagage en matière de réalité. Et bien sûr, ses premières règles, phénomène alar-
mant qu'elle ne pouvait associer qu'à une blessure, mais
dont Soussou lui avait assuré en riant qu'on saignait
sans blessure de « cet endroit-là », à certains jours du
mois. Mais il eût suffi de voir ses seins pour deviner
qu'ils n'avaient pas encore connu la réalité. Deux lotus
renversés de teinte à peine ambrée et dont le téton semblait représenter l'extrémité d'une tige coupée assez ras
et de couleur pourpre.

Les caresses indiscrètes, mais renouvelées plus d'un soir, qu'elle consentait à Aldo ne constituaient guère non plus une initiation à la réalité, même pas celle de l'amour. Elle ne connaissait de la nature physique des hommes que les turgescences d'une sorte de monstre velu, tapi dans les caleçons, que la main d'Aldo l'avait quasiment contrainte à explorer et qu'elle avait tâté sans excessif enthousiasme. Elle se demandait parfois si « la chose », ainsi qu'elle appelait le sexe d'Aldo, avait jamais joué un rôle déterminant dans les existences exemplaires de ses héroïnes, Greta Garbo, Norma Shearer ou Greer Garson. Point sotte, à coup sûr, mais passablement ignorante, elle devinait qu'un jour ou l'autre elle devrait souffrir une intrusion de la chose dans sa nature intime, mais elle en repoussait l'idée à plus tard.

De l'argent non plus, elle ne savait quasiment rien, n'ayant jamais disposé que des sommes modestes qu'elle consacrait à l'achat de tissu chez Cicurel, Benzion ou Gaon, toujours du tissu fleuri, car le juge n'eût rien toléré d'autre sur une femme de sa juridiction qui n'avait pas encore mis bas. Ledit tissu était ensuite coupé et cousu par une couturière qui venait à domicile habiller la maisonnée. Une robe à motifs géométriques avait dû être reléguée au fond du placard, parce qu'elle avait déplu au juge. « Et quoi encore ? avait-il clamé. Un fume-cigarette et des chaussures à hauts talons, je suppose ? »

Les rapports les plus fréquents de Nadia avec l'argent consistaient donc en achats de tickets de métro, de petits pains au sésame et de fromage grec quand elle allait au cinéma *Le Palmyre*, occasionnellement d'eau de Cologne « citronnée ». Le reste, tout le reste était à la charge de la famille.

Elle sommeillait dans la clarté de la lampe quand elle entendit, vers deux heures du matin, une voiture s'arrêter devant la grille du jardin et des portières s'ouvrir et claquer. Elle se leva d'un bond et courut à la fenêtre. Une Rolls-Royce bleu roi scintillait sous le lampadaire et Soussou s'engageait dans l'allée du jardin. Comme le chat devine l'orage, Nadia ressentit alors les frissons avant-coureurs de grands vents futurs. Voilà, songea-t-elle, je ne verrai plus souvent Soussou en robe du soir rentrer à la maison. Une anxiété diffuse la saisit. Elle accueillit sa sœur avec chaleur.

« Tu ne dors pas encore ? » demanda Soussou.

Nadia n'avait pas vu sa sœur partir pour le bal, car elle rendait alors, avec sa mère, sa visite quotidienne à l'hôpital Kasr el Aïni où gisait le malade ; elle admira la robe audacieuse. La jupe était une superposition artistique de volants de crêpe georgette moiré qui, selon l'éclairage, paraissait bleu ou rose ; le bustier moulant était orné des mêmes volants, mais disposés de façon plus suggestive.

« Quel goût merveilleux, Soussou ! s'écria-t-elle. Je suis sûre que tu seras un jour célèbre comme la femme la plus élégante du monde ! »

Elle le disait spontanément, sans jalousie. Les contes de fées ne peuvent rendre jaloux. Soussou raconta le bal et l'incident entre Ismaïl Abou Soun et Lady Hammerley.

« Une histoire d'amour, dit Nadia, quelque peu irréfléchie.

— Une histoire de gens qui croyaient à l'amour », lâcha froidement Soussou.

Un silence laissa à Nadia le loisir de filtrer ce constat glacé.

« Et papa ? questionna Soussou en posant son sac de soie turquoise sur la table.

— Il décline lentement. Le pouls est devenu imperceptible. »

Elles apprirent le lendemain par le téléphone qu'au moment où elles s'en étaient entretenues le juge Mourad Abd el Messih n'était plus de ce monde depuis plusieurs heures, mais que le médecin avait refusé d'en informer la famille à la tombée de la nuit : il était mort exactement à l'heure où sa fille arrivait en Rolls-Royce au bal de la princesse Zuleïka.

La nouvelle fut accueillie le lendemain par les deux sœurs comme la catharsis inéluctable et même souhaitée. Mme Abdel Messih n'étant plus que larmes et mouchoirs, Soussou avait pris le commandement de la nef familiale. Elle adressa les télégrammes en arabe aux parents de Tantah, de Damanhour et d'Assiout, régla les funérailles et le repas de funérailles, sans parler des innombrables formalités par lesquelles la société rend la mort d'un proche odieuse aux vivants et sans doute atténue le chagrin.

« En fin de compte, observa Nadia songeuse à l'adresse de sa sœur, papa a été tué par le bal.

— Il est mort parce que j'ai voulu vivre, dit Soussou. Si tu t'étais mariée de son vivant avec Aldo Colestazzi, il en aurait également fait une attaque. »

La veille de l'enterrement accoururent, tels des choucas de province conviés à un festin de ville, les nombreux parents de celui qu'on n'appelait, dans les lointains gouvernorats, que « le juge Abd el Messih Bey ». Ne l'avait-on pas, deux ans auparavant, reconnu sur une photo d'*Al Ahram*, à l'occasion de vœux présentés par le barreau au souverain, au palais d'Abdine ? Oui, le juge lui-même, portant la redingote grise de circonstance, la *stamboulié* ottomane ! Et à portée de bras du roi ! Le juge était donc une personnalité.

Cette vaste parentèle se faisait donc du patrimoine Abd el Messih une idée qui, elle aussi, n'était pas marquée au sceau du réalisme. Certains avaient espéré être logés à la Villa Arsinoë ; ils en furent pour leurs frais, Soussou leur ayant répondu que, vu les circonstances, la domesticité avait d'autres tâches que de leur dresser des lits. D'autres arrivèrent à la villa pour le repas de funérailles, après la messe et l'enterrement, animés d'une intention évidente : ramener en province quelque acompte sur l'héritage, une pendule, un guéridon, un tableau, que sais-je, car le plus banal paysage orientaliste dans son cadre de plâtre doré à la *porporina* leur semblait représenter un butin mirifique.

« L'inventaire n'a pas été dressé », répondit fermement Soussou.

Un cousin particulièrement distrait demanda à la fin
du repas, s'il n'y avait donc pas de dessert « pour se
sucrer la bouche », *lan halli*, comme on disait en arabe.

« C'est un repas de deuil », observa Soussou, le
verbe sec.

On se leva donc sur le goût de la salade pour passer
au grand salon où le café serait servi. Certains alléguè-
rent alors les frais de leur voyage et de leur séjour et
voulurent savoir quand l'inventaire serait dressé et les
parts d'héritage distribuées. Allusions furent incidemment faites, avec une fausse discrétion, au fait que le
juge ne laissait pas d'héritier mâle et que, selon la loi
islamique, qui prévalait pour tous les sujets égyptiens,
les filles n'auraient droit chacune qu'à un huitième de
l'héritage, la veuve se voyant allouer le tiers, le reste
étant dévolu aux parents mâles les plus proches, c'est-
à-dire aux deux frères de Mourad Abd el Messih, dont
l'assurance trahissait déjà les ambitions.

« Cela fait cinq douzièmes qui restent », observa l'un
des deux frères. Villa, mobilier et terrains dans la région
de Damiette, la plus cotée, cela représenterait bien, dit-
il, soixante mille livres, une belle somme. Il escomptait
donc vingt-cinq mille livres pour la parentèle, dont l'essentiel pour lui et son frère.

Soussou lui lança un regard sans aménité et fit alors
signe à un invité auquel nul n'avait prêté attention, chacun le tenant pour un collaborateur inconnu du défunt.
Il se présenta : c'était un avocat mandé par Soussou, et
musulman de surcroît. Amène et souriant, il expliqua
que la loi accordait un délai de deux années pour établir
l'inventaire d'une succession et que, le cas, échéant, elle
autorisait les héritiers directs, en l'occurrence les deux
filles du juge, à préempter la totalité du patrimoine pour
en prévenir la dispersion.

« Mais qu'en sera-t-il de nos droits, alors ? demanda
l'un des frères.

— Vous serez dédommagés au prorata », répondit l'avocat.

La consternation s'abattit sur l'assemblée. Adieu pendule, statues et tableaux ! L'on comprit que l'estimation traînerait des mois, sinon la totalité des deux années prescrites et qu'elle s'effectuerait de la manière la moins avantageuse pour les prétendants.

« Mais qui rachèterait l'héritage ? s'écria dédaigneusement l'autre frère. Et avec quel argent ?

— Mlle Josepha se propose de racheter l'héritage, répliqua l'avocat. Le mois prochain, elle sera princesse de Calancore. »

Princesse de Calancore ? Et pourquoi pas de Trébizonde ? Ils tendirent tous le cou vers Soussou, impassible dans son fauteuil. Nadia se retint de rire.

« C'est où, Calancore ? s'enquit le frère aîné du juge.

— En Inde, répondit Soussou.

— Princesse de quoi ? interrogea encore l'oncle.

— Calancore », précisa Soussou d'une voix égale.

Son oncle la considéra un moment et secoua la tête.

« Bien, dit-il au bout d'un moment. Je crois nous n'avons plus rien à faire ici. Nous attendrons l'inventaire. »

Il se leva et entraîna son frère. En quelques minutes, ils étaient tous partis.

« Quand même ! s'écria Grace Abd el Messih. Traiter ainsi tes parents...

— Ces parents ne m'auraient pas donné du pain et du sel si j'avais été dans le besoin. Et c'était cela ou bien perdre la maison et les terres et se laisser dépouiller par ces vautours. Car ils nous auraient jetées à la rue, rétorqua Soussou.

— Des vautours vraiment ! enchérit la veuve, qui avait, elle aussi, avisé les évaluations de l'argenterie, des tapis et des meubles, ainsi que les palpations de rideaux auxquelles s'étaient livrés certains des affligés. Peut-être s'imaginaient-ils rentrer en province avec les rideaux à franges et glands dorés. Oui, quand j'y pense, tu as bien fait.

— Tu auras la pension de papa et Nadia non plus ne sera pas dans le besoin. »

Nadia, elle, restait songeuse. Elle avait secrètement espéré que la mort de son père lui offrirait l'occasion de quitter Héliopolis ; elle se trouvait contrainte d'y rester jusqu'aux calendes grecques. Et d'un coup, elle détesta le mobilier prétentieux et pompeux, les Boulle Napoléon III, les médiocres lustres aux pendeloques poussiéreuses et les atroces tapisseries dont le juge avait juré, sa vie durant, que c'était des « Aubusson », ce qui, eût-ce été vrai, justifiait à soi seul dans l'esprit de Nadia la Révolution française. Elle haït jusqu'à son lit en cuivre, son archaïque coiffeuse, tout ce mobilier noirâtre qui avait si longtemps incarné la stabilité et la respectabilité, et jusqu'à l'éternelle odeur de cuisine à l'ail et d'essence d'eucalyptus qui flottait au premier étage de la Villa Arsinoë. Arsinoë ! Un de ces noms pédants choisis par quelque Belge de la société d'Héliopolis. Elle qui eût voulu habiter un appartement clair en ville, avoir à ses pieds les rumeurs et les lumières de la ville, bref, entrer dans le siècle, elle se trouvait recluse pour des années en compagnie de sa mère dans ce monastère de la Sainte Médiocrité ! Le sang lui monta au visage.

« Nous ne sommes quand même pas contraintes de rester ici jusqu'à notre mort ! s'écria-t-elle.

— Où veux-tu aller, malheureuse ! » gémit sa mère.

Nadia arpenta le salon avec agitation.

« Je veux que nous vendions toutes ces vieilleries et que nous allions vivre en ville, voilà. »

Sa mère poussa des cris indistincts. Soussou observait sa sœur du coin de l'œil.

« J'en ai assez de vivre dans cette nécropole ! reprit Nadia, excédée.

— Tu ne parlerais pas comme ça si ton pauvre père était vivant ! gémit encore Grace Abd el Messih. Mais vous l'avez tué de chagrin ! » Et de reprendre ses jérémiades avec d'autant plus de perfidie qu'elle associait désormais les deux sœurs dans l'indignité.

« Personne n'a tué personne ! rétorqua Nadia. Il est

mort parce qu'il n'avait aucune sens des réalités. Qu'est-ce que vous espériez tous les deux ? Que nous allions épouser des boucs poilus et fabriquer des gosses à la chaîne ? »

La verdeur des invectives de Nadia finit par exciter chez sa mère une soudaine production d'adrénaline. Elle se leva pour se jeter sur sa fille et la battre de ses petites mains grasses et garnies de bagues.

« Ce que j'avais espéré, petite traînée ! J'avais espéré que vous ne seriez pas deux putains ! Deux putains meurtrières, voilà ce que vous êtes ! »

Soussou vint les séparer et Nadia repoussa brutalement sa mère ; elle saignait à l'épaule, blessée par l'une des bagues de sa mère.

« Vieille bique, lança-t-elle froidement.

— Comment ? cria Grace Abd el Messih.

— J'ai dit : vieille bique, répéta Nadia et elle quitta le salon.

— J'aurais mieux fait de vous laisser à la rue, dit Soussou, allumant une cigarette.

— Je n'ai pas besoin de toi ! J'aurais été vivre chez ma sœur à Damanhour ! déclara sa mère.

— Eh bien, tu peux toujours le faire, répliqua Soussou, considérant d'un œil morne les décombres de ce qui avait été une vie de famille respectable.

— Tu ne penses qu'à l'argent, n'est-ce pas ! Tu nous as déshonorées devant la famille, parce que tu ne pensais qu'à l'argent ! Tu avais même amené l'avocat ! Un musulman !

— L'ingratitude la plus noire, grommela Soussou. Parce qu'ils pensaient, eux, à leur chagrin, n'est-ce pas ? Il aurait donc fallu les laisser nous dépouiller. Et toi, tu es une hypocrite comme eux !

— C'était leur héritage aussi », marmonna Mme Abd el Messih, sans se soucier de ses propres contradictions. Et elle recommença à pleurer, parce qu'au fond elle avait été élevée pour cela, que dans la religion chrétienne on identifiait les larmes à la piété.

Soussou haussa les épaules et quitta le salon à son

tour, sachant trop bien quel personnage elle abandonnait dans les ors et le luxe faux de cette pièce d'apparat, une mère et victime promue au destin tragique des femmes d'Orient, engraissées comme des dindes de basse-cour et destinées à se laisser planter dans le sexe le dard d'époux conquérants afin de perpétuer la tribu sous les étendards de la race et de la religion confondues.

La Villa Arsinoë s'écroulait dans un fracas beaucoup plus tonitruant que les marteaux des démolisseurs n'en eussent jamais causé, Grace Abd el Messih le savait aussi, et elle pleura longtemps des larmes amères. Elle pleura jusqu'à ce que la femme du cuisinier fût montée la consoler et lui offrir la tisane froide de fleur d'oranger que ses filles désormais négligeaient de lui offrir.

À l'étage, Soussou demeura immobile un moment, songeant qu'en fin de compte son père était mort non de colère, mais de peur, devant les changements qui menaçaient son dérisoire et rigide petit décor mental. Et que sa mère, elle, pleurait parce qu'elle savait quel prix Soussou avait payé pour maintenir la maison familiale. Pourtant, ce n'était plus qu'une façade de théâtre abandonné que la Villa Arsinoë ; Soussou la maintiendrait en l'état jusqu'à la visite du Vindra, maharaja de Calancore. Parce que l'Hindou y viendrait sitôt fini le deuil officiel de quarante jours, afin d'être présenté à la mère de sa future femme. Le sens pratique de Soussou reprit le dessus. Un meuble ou deux en moins, des fleurs dans les vases, et le salon prendrait un semblant d'élégance.

Elle entra dans la chambre de Nadia et la trouva allongée sur le lit, le regard fixe et sombre.

« Je déteste la maison autant que toi, Nadia, dit-elle, debout au pied du lit. Je ne veux la conserver que jusqu'à la visite de Vindra. Je sais ce que tu penses. Cette maison est un tombeau, en effet. Il faudra te marier. »

Elle passa dans sa chambre et Nadia la suivit d'un regard interrogateur.

Se marier, oui. Une fille n'existait pas sans le

mariage. C'était finalement une marchandise, un peu plus précieuse qu'une gamousse, car elle produisait de petits humains. Se marier. Avec Aldo, évidemment. Mais l'aimait-elle ? Elle se rappela avoir lu, elle ne savait plus où, que si l'on se posait la question, c'est que la réponse était négative. Mais pourquoi donc n'aimait-elle pas Aldo ? Et pas selon son image de l'amour ? Ces questions la tourmentèrent et elle se félicita d'avoir de la bonne lecture pour l'empêcher d'y penser. Elle relut jusque tard dans la nuit *Point Counterpoint*, d'Aldous Huxley.

18

The cruellest month

Cinq malles furent convoyées vers Port-Saïd par l'intendance de l'ambassade. Elles seraient acheminées vers Londres par le prochain paquebot de la P & O, le *Mooltan*. Le tableau des magnolias faisait partie des effets que Sybilla y avait serrés. Elle serrait dans la poche de son manteau un tout petit paquet qu'un inconnu, lui avait dit Athina, avait laissé à son intention. Un inconnu. Oui, en fin de compte, un inconnu, à peine découvert qu'il était déjà devenu un étranger. Une fois arrivé à destination, le pauvre Oliver serait astreint à la quarantaine comme tous les chiens venus de l'étranger.

Sir Charles et Sybilla partirent par le premier jour de grande chaleur, le dernier jour d'avril. Cette chaleur venue du temps des pharaons, qui s'installait comme une reine récupérant son royaume et conviant ses sujets les mouches à une fête de plusieurs mois, tandis que le moindre parfum et la moindre mauvaise odeur prenaient les proportions de phénomènes cosmiques. Cette chaleur qui gardait les corps moites et véhiculait plus vite les hormones dans le corps, gonflait les seins des femmes et des hommes à l'envi, transformant le moindre

frôlement de tissu sur les tétons en une caresse indiscrète. Cette chaleur à la fin africaine qui fouettait la jeunesse dans les corps et leur infligeait tour à tour des
éréthismes et des langueurs épuisantes. La chaleur du
roi Mykérinos. Sybilla songea furtivement qu'elle n'aurait sans doute plus souvent la lèvre perlée de sueur et
le sein luisant comme avait observé...

Athina pleura quand Sir Charles referma pour la dernière fois la porte du rez-de-chaussée. Sybilla ravala ses
larmes. De la voiture, elle jeta un regard amer sur les
hortensias en pleine gloire, les sourires des rosiers et
les flamboyants qui scintillaient de gaieté.
   « Nous devions partir un jour ou l'autre », murmura-
t-elle pour elle-même, tandis que le chauffeur prêté par
l'ambassade chargeait les valises dans la malle de la
Humber. La voiture était rachetée par l'ambassade ;
Sir Charles en achèterait une autre à Londres, cela éviterait les frais de transport. Il venait de s'installer sur le
siège avant, et le chauffeur prit la direction de l'aéroport
d'Almaza. Sybilla s'abstint de citer le vers d'Eliot qui lui
monta au cœur comme un sanglot : *April is the cruellest
month/Breeding lilacs out of the dead land...* Bizarrement,
ce fut Sir Charles qui, un peu plus tard, alors qu'ils passaient devant le faux temple d'Angkor Vât, l'acheva : *Win-
ter kept us warm.*

Heureusement, les formalités et les témoins les
contraignaient à la dignité. William Bakewell, le premier
secrétaire qui les accompagnait, les chargea de mes-
sages pour un tel et tel autre à Londres, d'une grande
boîte de dattes confites pour sa mère et de maints autres
riens.
   Les hélices du Superconstellation bleu et blanc de
la BOAC hachèrent l'air antique de l'Égypte. Les portes
furent fermées, les ceintures attachées et peu après,
Sir Charles et Lady Sybilla Hammerley regardèrent d'en
haut les Pyramides de Guizeh, comme jadis les voyait
sans doute l'épervier Horus. L'hôtesse vint leur propo-

ser des boissons. Au Club, ce serait bientôt l'heure des premiers apéritifs. Sybilla s'endormit et, huit heures plus tard, les falaises de craie de Douvres apparurent dans la grisaille bleutée de la mer du Nord.

« Comment vais-je le lui annoncer ? » se demanda Sybilla. La question, désormais, ne quittait plus son esprit.

Et soudain, d'une voix douce, Sir Charles se pencha vers elle et lui dit : « Je serais heureux que tu voies le Dr Fillermore demain. »

Elle l'interrogea du regard, interloquée.

« Je souhaiterais que tu gardes l'enfant, dit-il sur le même ton. Si tu n'y vois pas d'inconvénient. Je le reconnaîtrai, bien sûr. »

Les larmes jaillirent des yeux de Sybilla.

« *Thank you*, dit-elle au bout d'un moment. *Thank you, Charles. You're a kind man.*

— C'était l'enfant que j'aurais dû te faire, ajouta-t-il d'une voix sourde. Le sort en a voulu autrement. »

Elle avait bien fait, songea-t-elle, de ne pas quitter Charles. Elle eût brisé sa vie et ne s'en serait pas consolée.

Comme le bonheur est cruel, se dit-elle. Et elle fondit en larmes.

Les bâtiments de Heathrow défilèrent à toute allure sur le sol. Le vrombissement des inverseurs devint assourdissant. Le rêve égyptien avait vraiment pris fin. Mykérinos était reparti vers un passé encore plus lointain qu'une visiteuse du Musée l'eût jamais imaginé.

Peu avant l'atterrissage, Sybilla ouvrit le petit paquet : un petit Osiris de faïence bleue, monté en pendeloque au bout d'une chaîne d'or.

19

Les tourments du jeune Siegfried...

L'angle d'incidence du soleil avait soudain changé pour Siegfried Alp. Remontant la rue Soliman Pacha pour se rendre chez Groppi, le grand salon de thé suisse, il se rendit compte que le caractère familier de la ville s'était évaporé, comme lessivé. L'inquiétude vaporeuse et presque exquise que peut diffuser le pressentiment d'un événement majeur et inéluctable lui rendit une alacrité émoussée depuis un temps indéfinissable. Un dédain brusque l'envahit pour le petit luxe des soirées cairotes élégantes – son idée du grand luxe s'était longtemps défi-nie par le train de vie de gens tels que la princesse Zuleïka, mais les commentaires de Guy Burgess sur le bal l'avaient quelque peu désenchanté. Il éprouva une poussée d'enthousiasme irraisonnée et d'autant plus enivrante qu'elle était, justement, irraisonnée. La convic-tion qu'un autre monde l'attendait le rendit comparable à la chrysalide qui se défait de son cocon pour gagner le monde ultraviolet des fleurs. Puis il se confortait à l'idée qu'un homme, Guy, lui portât de l'intérêt. Un diplo-mate anglais, bien autre chose que les éphèbes basanés et distraits qui lui rendaient des services mercantiles.

Son ego s'épanouissait à la promesse d'un dîner en tête à tête avec Guy. Guy ! Et penser que Guy lui avait confié la clef de son appartement ! Il se félicita d'y avoir été, le matin même, faire le ménage, ranger les livres, retaper les coussins, refaire le lit, laver les verres et garnir les vases de renoncules et d'œillets.

Il avait rendez-vous avec sa mère chez Groppi. Assise sous les lustres en pâte de verre orangé Art-déco, elle l'accueillit de sa blondeur lasse et myope, mais néanmoins vigilante, puis le radiographia comme le font toutes les mères de tous les fils uniques.

« Tu as l'air agité, dit-elle.

— Agité ? »

À la fin, rien n'est plus transparent qu'un jeune homme. Ils commandèrent des Welsh rarebits et deux bières. Une femme passa, les balayant d'un regard de gazelle effarouchée.

« C'était Vivien Leigh », dit Cécile Alp.

Il parut indifférent. Elle attendit une repartie. Était-elle informée de la mésaventure avec Margaret Hartnell ? Il ne se le demanda pas longtemps. Quand ils entamèrent le Welsh rarebit, elle s'enquit d'un ton désinvolte :

« Et l'autre actrice ?

— Quelle autre actrice ?

— Tu sais, l'autre Anglaise. La vieille. »

La vieille ! Il réprima un mouvement d'humeur.

« Je ne vois pas pourquoi tu me parles d'elle.

— Parce que tout le monde en parle », dit-elle.

Il posa sa fourchette. « Et alors ? demanda-t-il d'un ton provocateur.

— Et alors rien. Elle ne t'écrit pas ? »

Il ne répondit pas.

À l'évidence, sa mère avait dû voir sur son bureau la lettre postée de Londres et la suscription à la fois anguleuse et féminine sur l'enveloppe. Peut-être avait-elle même eu l'indiscrétion de lire le contenu.

« De toute façon, je voulais te le dire, elle est trop vieille pour toi », reprit Virginia Alp.

Il connaissait les tactiques et les stratégies de sa

mère. Elle tâtait le terrain. S'il ne répondait pas, elle supposerait que l'affaire avait de l'importance pour lui. Il annonça donc d'un ton dégagé :

« Elle est partie.

— C'est pour cela que je te demandais si elle ne t'écrit pas.

— Et si elle écrivait ?

— Il faudrait que je le sache, dit-elle d'un ton soudain autoritaire. Je ne veux pas être la belle-mère d'une femme de mon âge !

— Je ne sache pas qu'elle m'ait demandé en mariage.

— Je m'entends, riposta Virginia Alp.

— Tout cela n'a aucune importance pour moi, répondit-il en guise d'esquive.

— Je l'espère. Elle te donnerait la tuberculose.

— La tuberculose ? déclara-t-il, indigné.

— Je m'entends ! redit-elle, encore plus autoritaire.

— Sottises ! » rétorqua-t-il, enregistrant une fois de plus une manifestation de la possessivité féminine. *La tuberculose !* Vraiment ! Où donc sa mère allait-elle pêcher pareilles idées. Dans le grand fonds d'idées traditionnelles, selon lesquelles l'exercice de la sexualité épuisait l'organisme et disposait aux maladies pulmonaires. Elle appartenait à ce décor absurde d'archaïsme qu'il fallait également quitter.

« Ces femmes-là donnent la tuberculose ! Ou pire. »

Il haussa les épaules. « Je n'épouserai pas Margaret Hartnell, dit-il. J'ai d'autres choses en tête.

— Quelles choses ?

— Je veux m'en aller.

— T'en aller ? Où ? interrogea-t-elle, alarmée autant qu'irritée.

— Il faut s'en aller.

— Mais s'en aller où ! s'écria-t-elle, excédée. Qu'est-ce que c'est que ces bêtises ! » Elle s'était congestionnée. « Nous sommes ici chez nous, dans notre ville, notre pays, notre maison ! Qui me paiera ailleurs la pension de ton père ? Et où veux-tu aller ? Tu veux aller mourir de froid à Londres ou à Paris ? Je ne sais pas qui t'a mis de telles idées dans la tête ! Sans doute cette haridelle peinte comme une roue de carrosse ! »

Siegfried sentit l'orage monter et battit en retraite. Les colères de sa mère étaient d'autant plus redoutables qu'elles ne comportaient pas une once de rationalité, comme chez tous les êtres retranchés dans des situations aléatoires. Une femme d'Orient, bien qu'elle fût prussienne jusqu'au bout des ongles. Elle avait été possédée, pénétrée jusqu'à la dernière fibre par l'Orient, ce havre de tiédeur, cette serre chaude pour les gens qui avaient peur de vivre. Chez ces gens-là, la réinterprétation de la réalité était devenue une seconde nature.

Il répondit calmement que, si elle croyait être chez elle dans un pays musulman, elle se faisait des illusions et s'en aviserait avant longtemps. Il eût parlé hébreu qu'elle n'eût pas compris davantage. Elle haussa les épaules.

Les gens, songea encore Siegfried, s'installent dans le confort comme les chiens dans un panier. Il avait eu la chance d'écouter Chester Lamotte et Guy Burgess. Il savait, lui, qu'il n'était pas chez lui. Il n'avait aucun lien avec les pharaons ni les Égyptiens contemporains.

Le repas s'acheva de façon morose. Siegfried connaissait l'emploi du temps de sa mère : elle irait au club à cinq heures et dînerait avec une des vieilles amies qui lui servaient de rempart contre la vie, sans doute en compagnie du gouverneur d'Alexandrie, un vieux soupirant. Il connaissait également le sien : il irait au cocktail des Mardouq, puis dînerait avec Guy.

En attendant, il avait besoin de vingt-deux mètres de soie syrienne rayée pour faire confectionner des rideaux pour une commande ; il héla un taxi et se fit conduire au Mouski, le quartier populaire où prospéraient les commerçants du peuple, les marchands de tissus bon marché, de vêtements de confection, de bijoux d'or dix-huit carats et de meubles pseudo-français débordant de fioritures dorées dont raffolait la petite bourgeoisie égyptienne. De là, il se rendit à pied à Khan Khalil, bazar surtout réservé aux touristes friands de plateaux de cuivre, de pâtisseries au miel et d'antiquités. C'était une promenade, c'était aussi un spectacle que celui de ces rues éternellement embouteillées par des transports hétéroclites, fiacres et voitures automobiles, charrettes à bras et voitures à âne, dont les conducteurs s'invectivaient avec vigueur.

« Eh, avance donc, bouseux ! Qu'un cortège funèbre t'escorte bientôt !

— Qu'est-ce que tu as, enfant de sept jours ? La chiasse t'a pris ? »

Les hommes portaient presque tous la *galabieh*, généralement une robe de cotonnade claire largement échancrée sur un gilet brodé, qui leur permettait de ventiler généreusement les génitoires, et les femmes, la *melaya*, une robe presque toujours noire et plus ou moins agrémentée de passementerie. Un gamin qui mangeait une tranche de melon le toisa avec ironie ; que faisait donc le frangui dans ces quartiers ? Il courait sans doute la gueuse.

Siegfried parvint enfin à la boutique du Khan Khalil où il avait ses habitudes, commanda ses vingt-deux mètres de soie rayée verte et blanche, se laissa offrir un café *mazbout*, c'est-à-dire moyennement sucré, tâta des soies brochées syriennes, puis rentra faire la sieste. À sept heures, rasé, lavé, parfumé, vêtu et cravaté de frais, il sonnait à la porte de Mardouq Pacha.

Éphémère ministre des Affaires étrangères et courtisan plus ou moins bien en cour de Farouk, celui-ci était ventripotent, disert, pontifiant, notoirement véreux et passablement promiscueux. Quand Siegfried arriva, le pacha tenait un discours sur les « Désorientés », c'est-à-dire ceux qui avaient perdu le sens de l'Orient, quelle que fût l'acception qu'il prêtait à ces termes. Son auditoire était constitué d'un secrétaire de l'ambassade de France, de l'ambassadeur de Belgique, d'un diplomate sud-américain, de deux ou trois potineuses et dames de l'hétéroclite société cairote, réceptacle des débris de ce que les autorités coloniales françaises appelaient dédaigneusement avant la guerre « Les Échelles du Levant » : Smyrniotes et Gallipolitains, Juifs chypriotes grécophones et Libanais de Palestine francophones, Arméniens d'Alexandrette anglophones et Chrétiens d'Alep arabophones. Et, parmi tous ceux-là, pas mal de convertis plus ou moins avoués, descendants de sujets ottomans juifs devenus musulmans et de musulmans devenus chrétiens de convenance, *gordjis*, parce que les puissances occidentales préféraient traiter avec des fonctionnaires chrétiens dans leurs tractations avec la Sublime Porte et son célèbre ministère de la Dette. Bref, ce que les Égyptiens de souche, eux, appelaient *bazramit*. Des gens de bazar. Louis Hanafi et Fatma el Entezami étaient également présents.

Siegfried écouta patiemment les flots de rhétorique académique de son hôte et quand ceux-ci semblèrent s'être enfin épuisés sur les plages de l'ennui, il se hasarda timidement à observer que le nord magnétique dépendait des puissances politiques. Il se fit vertement rabrouer. L'Orient n'était-il pas un centre magnétique ? L'Orient ! L'Orient de Goethe et des Romantiques ? L'Orient puissant qui accueillait en son sein toutes les confessions ? La tradition de l'Orient ne remontait-elle pas au IIIe siècle avant l'ère chrétienne, quand Alexandre avait fondé sa ville éponyme, Alexandrie ? Nouveaux flots de rhétorique devant un public médusé par l'éloquence de Mardouq Pacha.

Siegfried s'énerva. Goethe ! Ces gens n'en avaient pas lu une ligne ! Il joua son va-tout.

« Permettez-moi, Pacha, de dire que je ne crois pas à la tradition cosmopolite que vous décrivez, lança-t-il au pacha. En l'an cinquante, les Grecs d'Alexandrie ont massacré cinquante mille juifs. »

Le pacha resta saisi. Comme s'il avait découvert l'aspic de Cléopâtre dans la corbeille de fruits que lui tendait un serviteur. Louis Hanafi se dandinait d'un pied sur l'autre, retenant mal un immense sourire et dégustant visiblement la confusion de leur hôte.

« Qu'est-ce que vous racontez ? marmonna le pacha, déconcerté.

— C'est dans l'histoire antique, pacha. Lisez Dion Cassius et Flavius Josèphe ! »

La plus grande partie de l'auditoire demeura muette de consternation, mais même Fatma el Entezami riait.

« Vous êtes sûr ? » s'enquit le pacha.

Siegfried le toisa. « Les textes sont là, pacha. La tolérance actuelle n'est due qu'aux puissances coloniales, les mêmes qui ont imposé en Égypte les tribunaux mixtes. »

L'auditoire était atterré. « Cinquante mille juifs ! » répétèrent hoquetantes et caquetantes les dames du monde, parmi lesquelles plusieurs juives. Le secrétaire de l'ambassade de France lança à Siegfried un regard amusé.

« Vous lisez Flavius Josèphe ? lui demanda-t-il.

— C'est presque un auteur régional, non ? lâcha Siegfried. En tout cas plus que l'*Egyptian Gazette*. »

Le secrétaire éclata de rire.

« Vous tenez des discours séditieux, dit le pacha.

— Ce n'est pas moi qui tiens des discours séditieux, pacha, rétorqua Siegfried, c'est la réalité qui est séditieuse. »

La conversation s'égara dans les péripéties mondaines et le secrétaire de l'ambassade de France, que l'incident avait diverti, invita Siegfried à dîner pour un jour prochain. Sur quoi Siegfried posa son verre et s'esquiva à l'anglaise.

Il trouva un taxi qui l'emmena rue Chagaret el Dorr. Il leva les yeux ; les fenêtres de l'appartement étaient obscures. Il monta et releva, en éclairant l'appartement, que Guy n'y avait fait que passer pour prendre sa douche. Une serviette mouillée et une chemise froissée traînaient sur le lit, des chaussettes étaient éparses sur le sol ; à la salle de bains, le lavabo n'était même pas rincé des poils de barbe. Il se servit un scotch et attendit le retour du maître de céans. Trois quarts d'heure plus

tard, alors qu'il perdait patience, il entendit la clef cli-
queter dans la porte et vit apparaître Guy, le visage
défait.

Burgess ferma la porte derrière lui et considéra Siegfried un long moment, comme s'il voyait un fantôme.

« Si je suis malvenu, je m'en vais », dit à la fin Siegfried.

Burgess secoua la tête.

« Alors bonsoir, dit Siegfried.

— Bonsoir », répliqua l'autre, avançant dans la
pièce.

Siegfried, étonné, observa l'Anglais figé, le regard
noyé.

« L'enterrement était sans doute bouleversant, dit
Siegfried.

— L'enterrement ? répéta Burgess sans comprendre.

— L'enterrement dont tu as la tête. »

Burgess soupira et se laissa choir dans un fauteuil.

« Tu veux sans doute un scotch ? » demanda Siegfried.

L'autre hocha la tête.

« Nous étions supposés dîner ensemble, dit Siegfried
en versant un scotch dans un verre propre et y jetant
deux glaçons. Es-tu en état ? »

Burgess avala une rasade. « Oui, répondit-il à la fin.
Je serai en état. Il faut bien se nourrir. Pardonne-moi. J'ai
un... petit problème. » Il tendit la main vers le genou de
Siegfried et leva vers lui un visage déformé par l'angoisse. « Tu ne m'embrasses pas ?

— Tu n'as pas le comportement d'un grand amoureux », dit Siegfried. Mais il tendit le visage vers Burgess,
qui l'embrassa avec une tendresse désolée.

« Allons », dit Burgess, se levant.

Dans l'escalier, il expliqua qu'il ne voulait pas voir
trop de monde et qu'ils iraient dans un petit restaurant
grec à quelques minutes de marche. Éclairage au néon,
nappes blanches, un patron en bras de chemise. Ils dînè-
rent d'une salade de cornes grecques et de tomates à la

menthe, puis d'une brochette d'agneau au riz, le tout
arrosé de raki.

« Qu'est-ce qui se passe ? demanda Siegfried.
— Un imprévu professionnel.
— Qui ressemble à s'y méprendre à une contra-
riété. »
Burgess sourit.
« La nature humaine n'aime pas l'imprévu. Je quitte
mon poste.
— Quand ?
— Dans huit jours.
— Donc nous n'aurons été ensemble que dix
jours », dit Siegfried, visiblement abattu. Burgess parut
surpris.
« J'ignorais que cela te contrarierait. Mais ce n'est
pas ma décision. »
Siegfried soupira.
« Tu... Je sais que cela peut te surprendre... Je n'ai
réellement que toi. »
L'autre le dévisagea.
« Comment est-ce possible ?
— C'est ainsi. Notre relation est la seule... senti-
mentale que j'aie, la seule que j'aie eue depuis long-
temps. Ou jamais. »
Burgess resta silencieux.
« Mais nous nous connaissons trop peu pour que
déjà tu tiennes à moi.
— C'est également ainsi. » Siegfried but un peu de
raki et reprit : « Tu m'as été à peine donné que tu m'es
enlevé.
— Ne te laisse pas aller au romantisme.
— Pourquoi pas ?
— Pour la simple raison que cela te fera souffrir.
— Et toi, tu as une relation sentimentale ?
— Non. La seule relation qu'un diplomate puisse
avoir est avec une épouse. Et je ne suis pas marié. Je
suis constamment dans un pays étranger et, quand je

rentre en Angleterre, j'y suis comme un voyageur. Je n'ai que des aventures.

— J'en suis une de plus.

— J'espère ne pas te laisser un mauvais souvenir.

— Et moi ?

— Je vais te faire un compliment rare pour moi. Je regrette que tu ne sois pas avec moi, répondit Burgess.

— Tu vas loin ?

— Je ne sais pas. »

Sans doute le sait-il, mais il ne veut pas le dire, songea Siegfried.

« Nous avons huit jours à vivre ensemble, dit Burgess. Ne les gâchons pas. Changeons de sujet. J'apprends que Margaret Hartnell s'est entichée de toi ? questionna-t-il en souriant.

— Tu t'es informé sur moi ?

— Non, je l'ai appris par hasard, au cours d'une conversation au club.

— Elle m'a écrit. »

Burgess parut intéressé. « Une lettre d'amour ?

— Elle veut que je la rejoigne à Londres. Elle doit être bien seule, elle aussi.

— Margaret Hartnell t'a demandé de la rejoindre à Londres ? s'enquit Burgess sur un ton de grand étonnement.

— Oui, pourquoi ?

— J'espère que tu as accepté. »

Siegfried parut surpris. Il bredouilla qu'il n'avait pas répondu, qu'il ne voyait pas ce qu'il ferait avec une femme de cet âge... Burgess le coupa. Un jour ou l'autre, expliqua-t-il, Siegfried devrait quitter l'Égypte. Il n'avait pas de fortune. Et il ne connaissait personne en Europe. L'invitation de Margaret Hartnell était providentielle. Il fallait l'accepter d'emblée, soutint le diplomate avec chaleur.

« Mais moi ? se récria Siegfried.

— Toi ? Toi, tu dois d'abord survivre », dit Burgess.

C'était exactement ce qu'avait dit Chester Lamotte. Il en fut saisi.

Ils rentrèrent, se mirent au lit, firent furieusement l'amour et, vers deux heures du matin, Siegfried se rhabilla. Guy s'étant endormi, il partit donc sur la pointe des pieds après avoir éteint derrière lui.

Survivre, songea-t-il dans le taxi qui le ramenait chez lui. Sans argent, on n'avait donc pas de libre choix. L'évidence eût dû lui sembler élémentaire. Elle le blessa.

Il fut également blessé, mais d'une autre façon quand, à quelque temps de là, le 25 mai 1951, il apprit que Guy Burgess et un collègue, Duncan MacLean, étaient des espions à la solde de l'URSS et que, découverts, ils avaient pris la fuite pour se réfugier à Moscou. Rien de ce que le destin lui offrait n'était donc sain, valide, substantiel. C'était comme dans un conte fantastique dont le héros s'aviserait que tout ce qu'il touche tombe en poussière. L'Égypte ne lui avait donné que des simulacres.

20

... Et ceux du jeune Ismaïl

Après avoir pris congé de sa tante, et la mémoire résonnant encore de ses leçons de sagesse, Ismaïl Abou Soun rentra chez lui dans l'intention de faire une sieste. Sa vie était vide, se dit-il. Personne ne remplacerait jamais Sybilla. Il céda à une impulsion. Il téléphona au colonel Omar et Damanhouri, à la caserne des Blindés, à Matarieh. Et il l'invita à dîner. Il l'emmena au Café des Pigeons, sur la route des Pyramides, manger des pigeons grillés et des salades. Comme il eût été déplacé de boire de l'alcool en présence d'Omar, il s'était servi une forte rasade de scotch avant l'arrivée de son commensal. Mal lui en prit, il s'en avisa par la suite. L'alcool, en effet, lui déliait la langue.

Omar était le fils aîné de l'ancien intendant des propriétés ou *daïra* Abou Soun. Le pacha avait pris son éducation en charge quand le père Damanhouri était mort d'une insolation selon certains, d'une hémorragie cérébrale due à l'absorption d'une demi-bouteille de brandy sous un soleil torride selon d'autres. Omar avait donc été le pupille de la famille. Sur le conseil de son tuteur, il était entré à l'armée et y avait été rapidement promu, à la satisfaction de Tewfick Abou Soun. Respectueux et réservé, Omar avait toujours témoigné d'une claire conscience de sa dette et de son rang social aux rares occasions où Ismaïl l'avait rencontré, soit à la maison, quand Omar venait participer au Aïd el Fetr, à la fin du Ramadan, soit à la Sounieh, la plus grande des isbas familiales, près de Damiette, pour le Cham el Nessim, le Souffle de l'Auguste, comme traduisaient plaisamment ceux qui étaient versés dans l'arabe et le français à la fois. Rien n'aurait suscité une confiance particulière entre les deux jeunes gens, à peu près du même âge, n'était que, lors d'un déjeuner à la maison, Ismaïl avait surpris les regards que Omar coulait en direction de Timmy, et qu'au café, entre hommes, Ismaïl lui avait déclaré, tout à trac :

« Ma sœur te plaît. »

Omar en avait rougi jusqu'aux oreilles et Ismaïl avait éclaté de rire, en gosse de riches habitué à parler librement de sujets que des garçons plébéiens comme Omar n'auraient jamais osé aborder en public. Et puis cédant aux interrogations d'Ismaïl, et donc à la pression de la hiérarchie sociale, Omar avait avoué qu'il était vierge. Ismaïl lui avait alors fait un cadeau ; il l'avait emmené dans le bordel le plus convenable de la rue Clot Bey, y avait choisi la fille la plus avenante en expliquant à celle-ci qu'il fallait initier le jeune homme avec douceur puis il avait prié Omar d'« en finir ». L'arabe seul pouvait exprimer le mélange d'autorité et de familiarité humoristique de l'injonction. *Khallasna bel hekaya*, « finissons-en avec cette histoire », avait dit Ismaïl. Omar avait pouffé et presque à contrecœur s'était exécuté. Une heure plus tard, alors qu'Ismaïl sirotait au Bosphore un *khoushaf* – décoction fraîche de carcadet garnie d'amandes fraîches, Omar était réapparu, le front perlé de sueur, retenant mal son rire et sa gêne.

« C'est terrible, avait-il murmuré. On pourrait faire cela tous les soirs ! »

Et Ismaïl avait été pris d'une crise de fou rire.

« Pourquoi m'as-tu offert cela ? avait demandé

Omar, devant un thé noir, car musulman strict, il ne buvait pas d'alcool.

— Parce que tu avais un sentiment d'infériorité. Je te l'ai enlevé. Maintenant tu sais ce que c'est.

— Et je suis une fois de plus ton obligé.

— On est toujours l'obligé de quelqu'un, avait répondu Ismaïl. Autant l'être d'un ami.

— Mais je ne...

— Mais tu ne me considérais pas comme un ami, allais-tu dire ? Eh bien, accepte que je le sois. »

Un regard d'Omar, noir comme le thé, un sourire, une autre rougeur, celle-ci de plaisir, et l'amitié était née, comme une violette sur le limon, car cette masse musculeuse et placide d'Omar avait des délicatesses de jeune fille.

« Je m'étais pourtant promis..., avait-il commencé, sans achever sa phrase.

— Je sais, avait coupé Ismaïl. Tu t'étais promis que ta femme serait la première. Mais comme tu ne te marieras pas tout de suite, autant savoir de quoi il s'agit, pour ne pas avoir l'air d'un ignorant devant les cadets.

— Mais je ne vais pas être malade ? s'inquiéta Omar.

— L'établissement est correct, avait dit Ismaïl, rassurant.

— Tu y vas souvent ?

— Non. Quand je ne peux plus penser à autre chose.

— C'est-à-dire ? avait demandé Omar, avec l'indiscrétion des néophytes.

— Je ne sais pas, avait répondu Ismaïl.

— Tu n'as pas... tu as...

— Non, je n'ai pas de maîtresse. »

La petite bonne qu'il payait très occasionnellement cinq livres pour ses complaisances ne pouvait décidément pas être qualifiée de maîtresse. Et tout fils de pacha qu'il fût, Ismaïl en avait été réduit à des expédients, comme la majorité des jeunes Égyptiens jusqu'à leur mariage. Or, des milieux les plus humbles jusqu'aux plus fortunés, le mariage était en Égypte une formidable entreprise, équivalant à la création d'un petit parti politique. Il scellait, en effet, l'alliance de deux clans bien plus que celle de deux individus, et les époux y avaient moins droit de parole que leurs familles, leurs amis, les autorités religieuses compétentes et même le chef hiérarchique du lieu, que ce fut le *omdeh* de Darb el Zamamir à Beni Souef ou bien, dans le cas d'Ismaïl, le président du Parti constitutionnel, son propre père.

Bref, cette initiation destinée à conjurer la misère sexuelle avait scellé l'amitié entre Ismaïl et Omar. La complicité des jeunes mâles avait estompé leurs différences. Celles de leurs physiques accentuaient celles de leurs origines sociales. Alors qu'Ismaïl avait le teint clair, doré, et la peau fine, Omar évoquait un bronze à la patine inégale. L'un avait le cheveu ondulé et brillant et pouvait cultiver la mèche rebelle, l'autre l'avait crêpelé et était contraint de le couper aussi court que possible. L'un portait du miel vert dans ses yeux, l'autre, de la pâte de dattes noires. À la souplesse aisée d'Ismaïl s'opposait la raideur d'Omar, accusée par l'armée. Mais sans doute Omar tenait-il au moins un avantage sur Ismaïl, car il avait remporté l'an passé la médaille d'or des championnats de natation militaires et civils.

Déjà surpris par le coup de téléphone d'Ismaïl et le caractère pressant de l'invitation, Omar le fut encore plus quand les deux jeunes gens furent assis dans la voiture d'Ismaïl. Omar s'inquiéta de la mauvaise mine de son ami.

« Que se passe-t-il ? demanda-t-il quand ils furent assis sous les arbres du café des Pigeons.

— Rien. Je voulais te voir », répondit évasivement Ismaïl. Il se prit le visage dans les mains et pour la première fois depuis la scène méphitique du bal, il pleura, au désarroi dévastateur d'Omar. Celui-ci devina qu'Ismaïl le Magnifique lui demandait de la compassion, sentiment qu'il maîtrisait mal. Non qu'il fût dénué de cœur ;

mais ç'avait toujours été lui qui avait dépendu du bon vouloir des autres. L'armée n'avait que renforcé sa carapace.

« Arrête, Ismaïl, dit-il à la fin. Je ne peux plus le supporter. »

Et le récit suivit.

Omar écouta avec égarement ce parcours de l'égarement. Car pour lui, c'était égarement et de la pire espèce, celle de l'adultère, fût-ce avec une infidèle. Et la combinaison des folies du cœur et de l'argent le confondait.

« Ce fut une maladie », conclut sombrement Omar. Il sirota son thé vert, acheva le second de ses pigeons et ajouta : « J'ignore tout de ce monde et je m'en réjouis. Peut-être ce genre d'histoires y est-il banal. Mais pense un peu au mauvais tour que tu aurais joué à ton père ! »

C'était l'offense au père qui scandalisait le plus Omar ; elle équivalait à une trahison du clan. Il ajouta :

« Tu aurais cessé d'exister. »

La rudesse du ton frappa Ismaïl. Comme l'avait dit en termes plus modérés la princesse Noureddine, il eût été un paria. Banni de sa famille, de ses amis, de son milieu, peut-être du Caire.

« C'est parce que tu vois trop tous ces gens, poursuivit Omar.

— Évidemment, dans l'armée, tu n'as pas beaucoup de tentations, observa Ismaïl.

— Si tu étais dans l'armée, tu te porterais mieux. Tu n'aurais pas cette mine de tuberculeux. Tu es sûr que tu n'es pas tuberculeux ? »

Ismaïl rit.

« Tu devrais t'engager dans l'armée. Dans les blindés. Nous serions ensemble.

— Tout le monde ne peut pas être dans l'armée.

— Toi tu peux y être. Tu le dois. C'est dans l'armée qu'on bâtit l'Égypte de demain, Ismaïl. Et dans cette Égypte-là, ton monde ne vaudra pas lourd. Que vas-tu faire de ta vie maintenant ? Retourner au Guézireh Sporting Club, revoir des Anglaises et ainsi de suite ? »

demanda Omar en croquant la dernière frite sur son plat.

Ismaïl répondit par des discours vagues sur des projets de carrière dans la banque, de gestion foncière, de créations agricoles, mais Omar ne parut pas convaincu.

« Viens dans l'armée », redit-il.

Ce fut alors qu'un groupe d'officiers arriva, demandant si l'on pouvait encore les servir. Certes, répliqua le cafetier, mais il ne restait plus de tables. Omar se leva sur-le-champ, avec un empressement respectueux, et demanda à Ismaïl s'il pouvait inviter les arrivants à leur table. Ismaïl hocha la tête.

Ils étaient six. Le cafetier joignit deux tables à celle d'Ismaïl et fit porter du thé, du coca, des carafes d'eau garnies de glaçons.

« Vous êtes apparenté à Tewfick Abou Soun, le président du Parti constitutionnel ? questionna un officier assis près d'Ismaïl.

— C'est mon père. »

L'officier hocha la tête. Un grand homme jeune au nez en éperon et au sourire conquérant et carnassier. Tête massive d'Égyptien du Saïd, le sud, mâchoires carrées, et ces yeux sombres, étrangement brillants de tous les *Saïdis*.

« Il fait du bon travail, déclara l'officier.

— Pardonnez-moi, je n'ai pas entendu votre nom, dit Ismaïl.

— Gamal Abd el Nasser.

— *Hadretak ?* Vous ? » s'écria Ismaïl surpris, se souvenant tout à coup qu'il avait, en effet, vu dans la presse la photo de son interlocuteur.

Gamal Abd el Nasser sourit de fierté.

« Le héros de Falouja ? »

L'autre hocha la tête. Omar les observait, brûlant d'intérêt.

« Quel honneur pour moi ! s'exclama Ismaïl.

— Faire honneur à quelqu'un d'estimable est en soi-même un honneur », dit Gamal Abd el Nasser, un rien malicieux.

Il fut particulièrement cordial à l'égard d'Ismaïl. Il devait l'être encore plus dans les mois suivants.

Ce soir-là en tout cas, pour Ismaïl, le monde bascula. L'image d'un groupe d'hommes héroïques, investis de grandes responsabilités et campés sur le panorama d'un avenir glorieux s'imposa à lui. Qu'était son existence en regard de la leur ? Et son avenir ? Guère enclin aux nuances, il ne fut pas loin de conclure à son indignité. L'oisiveté, un luxe creux, l'ennui, des passions stériles... Et le mépris des autres !

Un spasme d'orgueil blessé parfois le secouait parfois quand il songeait à la façon dont les Anglais l'avaient traité.

Il vit Omar bien plus souvent. Ils allaient ensemble au cinéma, puis dînaient et rentraient se coucher avant minuit, comme des garçons sages. Et un soir, il l'accueillit avec un sourire énigmatique.

« Omar, dit-il lentement, je vais suivre ton conseil. J'entre à l'armée. Je serais content d'être dans ton unité. »

Omar resta silencieux un instant.

« Je crois que c'est bien pour toi », finit-il par répondre. Il lui mit la main sur l'épaule. « Et ce sera bien pour nous aussi. Nous avons besoin d'hommes tels que toi. Des hommes qui connaissent... le monde. »

Ils hochèrent tous deux la tête, émus, puis ils éclatèrent de rire pour dissiper leur gêne.

Le lendemain, Ismaïl Abou Soun prit un taxi et se présenta à la caserne de Matarieh. Il eût été inconvenant d'arriver dans une belle Américaine. Des hommes dignes ne font pas étalage de leur fortune.

21

Thé noir, fèves et rumeurs

Loutfi el Istambouli s'assit à sa place habituelle, au café de Mahmoud el M'aamour, de la petite rue El Gam'eyya, du quartier populaire de Sakakini. L'établissement présentait l'intérêt de se trouver sous ses fenêtres et de lui servir de cantine, quand il n'était pas invité à dîner en ville, le plus souvent par Louis Hanafi et parfois par Alexi Yacoub, riche Copte frais émoulu d'Oxford et frotté de politique. Les dix-neuf livres qu'il gagnait comme clerc au ministère de l'Instruction publique ne lui permettaient guère de faire bien meilleure chère. Et d'ailleurs, il trouvait par-devers lui plus de goût à un plat de fèves aux œufs durs et aux oignons et à la *ta'amiyya* de l'*oustaz* Ibrahim Taratir, qui tenait son échoppe de l'autre côté de la rue, qu'aux plats occidentaux qu'il était prié de consommer sans rechigner dans les restaurants occidentaux où l'emmenaient ses amis fortunés : gratins de courgettes et poulets demi-deuil, sans parler de cette aberration du goût européen qu'était la sole, un poisson ruineux qui ressemblait à une platée de nouilles battues, et au goût de sauvagin, *zefer*. Un thé noir, fort et chaud, à l'occasion additionné de clous de girofle, de menthe et

de cannelle, le fameux « thé des Barbarins », lui paraissait bien plus délectable que les boissons fadasses des
gens à la mode. Loutfi ne faisait exception que pour le
cognac et, bien que musulman pratiquant, l'austère Mahmoud el Ma'amour lui en gardait une bouteille dans un
placard, dont il lui servait une rasade dans un verre à
thé. Mahmoud, d'ailleurs, ne répugnait pas toujours à
partager un doigt de cognac avec lui, également dans
un verre à thé. L'un et l'autre, en effet, respectaient les
convenances.

De toute façon, Mahmoud venait s'installer avec lui
en fin de soirée et tous deux fumaient chacun sa *chicha*,
c'est-à-dire un narghilé et échangeant quelques observa-
tions, si besoin en était. Ni l'un ni l'autre ne prétendaient
faire montre de leur savoir ou de leur supériorité sociale,
morale, intellectuelle ou sexuelle. Ils tenaient simplement des propos de bonne compagnie. Loutfi passait
auprès de Mahmoud pour un homme savant, introduit
dans les cercles changeants et suspects du pouvoir.
Loutfi, pour sa part, appréciait en Mahmoud un bon sens
exempt des poses intellectuelles qu'il décelait d'un œil
sans pitié chez les gens de la bonne société qui recher-
chaient sa compagnie. Il fallait en convenir tout net :
Loutfi el Istambouli n'était pas un populiste ; il était du
peuple et, en tant que tel, préférait la compagnie du cafetier Mahmoud el Ma'amour à celle des amis de ses amis.

Dans les premiers temps qu'il s'était installé à Sakakini, trois ans auparavant, Loutfi s'asseyait déjà dans ce
café, mais à la table opposée ; puis il s'avisa qu'il faisait
face à une affiche de cinéma qui l'incommodait particulièrement ; c'était celle du film « Larmes d'amour », *Doumou'
el hob*. Non seulement le papier en était jauni et les bords
déchirés maintenus par une foison de punaises, mais les
visages larmoyants qu'elle montrait, et notamment celui
de l'actrice Mary Queeny, lui donnaient la nausée. N'osant
pas avouer sa répugnance à Mahmoud, il avait changé de
place et faisait désormais face à une affiche d'un film de
Kishkish Bey, « Son Éminence veut se marier », *Be salam-
tou 'ayez yetgawwez*, qui l'emplissait immanquablement

d'une secrète hilarité. Kishkish Bey, alias de l'humoriste Naguib el Rihani, stimulait en Loutfi une alacrité sardonique aussi délectable que la pincée de poivre sur le pigeon farci. Personne ne s'était moqué aussi adroitement de la bourgeoisie égyptienne, bête noire de Loutfi.

Vêtu de sa traditionnelle *galabieh* de soie grise à rayures noires, qui flattait le relief de son abdomen de luxueuses luisances, le pas claquant de ses vastes sandales de cuir, dont chaque pas évoquait une gifle, Mahmoud el Ma'amour vint le saluer avec aménité et lui demander s'il avait déjà dîné.

« Non, rétorqua Loutfi. Mais j'ai faim et je suis d'une humeur de chien. »

L'expression arabe était plus piquante : « Les nerfs de mon père me sortent », *tal'aa zarabin abouya.*

« Pourquoi ? questionna Mahmoud.

— Je sais et je ne sais pas, lui répondit Loutfi en levant les sourcils par-dessus ses grosses lunettes, d'un air à la fois gamin et provocateur.

— J'ai aussi les nerfs et je n'ai pas dîné. Viens, nous allons nous asseoir dans le fond et je vais faire venir quelque chose à manger de chez l'oustaz Taratir. »

Ils s'assirent près de l'escalier au fond du café, qui menait à l'appartement de Mahmoud. À trois tables de la leur, deux joueurs de trictrac se traitaient calmement de tous les noms en claquant leurs pions, « fils de la lionne », ce qui signifiait fils de pute, « momie de singe » et autres « maquereau ». Mahmoud appela son serveur, un garçon de dix-sept ou dix-huit ans qui s'appelait Boulboul, « Rossignol ».

« Boulboul, apporte-nous deux thés, puis prends un plateau et va chez Taratir. Dis-lui de nous faire un dîner pour des êtres humains masculins. » Et se tournant vers Loutfi : « Qu'est-ce qui ne va pas ? »

Loutfi haussa les épaules. « Tu sais tout. Pourquoi tu poses des questions ? »

Mahmoud sourit sous sa moustache. « Ce qui est extraordinaire avec toi, Loutfi, est que tu es savant, intelligent, introduit dans le monde du pouvoir et que tu n'es même pas à moitié aussi content de ton sort que Boulboul.

— Tu veux m'engager comme garçon de café ? » demanda Loutfi.

Ils éclatèrent de rire.

« Et toi, qu'est-ce qui ne va pas ? s'enquit Loutfi.

— Mon fils veut épouser la fille du propriétaire d'un café riche, le *Bosphore*, tu connais ?

— Oui, midan Bab el Hadid.

— Exactement.

— Qu'est-ce qui te contrarie ?

— La fille.

— Pourquoi ?

— Elle veut être moderne. Elle veut conduire une voiture et s'habiller comme les Afrangs, tu sais comment...

— Et elle, elle veut épouser ton fils ?

— Tu n'as pas vu Hosni ?

— Si.

— Toutes les femmes lui courent après.

— Mahmoud, dit Loutfi d'un ton pointu, peut-être est-il temps de te rappeler que ce n'est pas toi qui te maries, mais ton fils.

— Attends ! s'indigna Mahmoud. Est-ce que ce n'est pas le rôle d'un père que de conseiller son fils ? Imagine qu'il épouse cette fille. Elle est plus riche que lui. Elle va lui dicter ses volontés. Elle va cultiver des idées extravagantes. Il y a même de ces femmes qui veulent faire de la politique. Qu'est-ce qui s'ensuivra ? Qu'ils ne feront plus partie de leurs familles, ni lui ni elle. Il sera malheureux. »

Loutfi médita ces considérations et vida son verre de thé. Boulboul revint portant un plateau lourdement chargé : deux bols de soupe d'herbes gluante, de la *molokhia*, et deux bols de riz pour le mouiller avec la soupe, un grand bol de crème de pois chiche, la *tehina*, deux brochettes d'agneau grillé, et deux pains syriens, ronds et plats.

« Un festin ! » s'écria Loutfi. Et il demanda à Boulboul combien il lui devait. Le tout avait coûté dix-huit piastres.

« Laisse, je t'invite », dit Mahmoud.

Loutfi sortit quand même de la monnaie de sa poche et donna cinq piastres à Boulboul. Le visage du garçon s'éclaira. Une lueur scintilla dans ses yeux, naturellement maquillés de cils noirs et longs.

« C'est pour moi ? »

Loutfi hocha la tête.

« Tu vas pourrir ce garçon, dit Mahmoud.

— Ce n'est même pas la moitié du prix des taxis que j'aurais pris pour aller dîner en ville.

— Depuis quand tu prends des taxis ? Je t'ai vu de mes yeux prendre le tramway. »

Loutfi eut un rire silencieux. Ils versèrent le riz dans la molokhia et commencèrent à déguster la soupe, gluante et savoureuse, dont on disait qu'elle berçait le cœur et donnait du courage aux poltrons.

« Bref, dit Loutfi. Il faut que ton fils se marie.

— Je veux qu'il épouse Alia Abd el Fattah.

— Qui est Alia Abd el Fattah ? demanda Loutfi, en plongeant un cornet de pain dans la *tehina*.

— La veuve, qui possède l'immeuble d'en face.

— Tu veux que ton fils épouse une veuve ?

— Qu'est-ce qu'il y a là de mal ? protesta Mahmoud, après avoir reposé son bol vide. Le Prophète a bien épousé une veuve comme première femme. » Il se massa avantageusement le ventre.

« Quel âge a-t-elle ?

— Est-ce que quelqu'un connaît l'âge d'une veuve ? Quarante, quarante-cinq. Elle ne possède pas que l'immeuble d'en face : elle a aussi une maison de trois étages dans la Fikria et cinq feddans de coton près de Rosette.

— Et les enfants ?

— Elle n'a pas d'enfants.

— Il est donc douteux qu'elle en ait, à cet âge.

— Rien n'interdit que Hosni prenne une deuxième femme. Il en aura les moyens. Il aura alors des enfants.

— Tu veux dire qu'il prendra une deuxième femme avec l'argent de la première. Je ne comprends pas pourquoi tu veux que ton fils épouse une vieille riche plutôt qu'une jeune riche, dit Loutfi en tirant avec les doigts un quartier d'agneau de la brochette.

— Parce que je ne veux pas d'une femme moderne dans la maison.

Loutfi hocha la tête.

« Je veux ton aide, *ya oustaz*, dit Mahmoud.

— Mon aide ?

— Je veux tu fasses entendre raison à Hosni. Il me respecte comme père, mais il te respecte comme autorité morale. Il a lu tes articles dans les journaux. »

Loutfi goûta l'ironie du sort : du rôle de théoricien politique, il passait à celui de conseiller matrimonial. Les deux joueurs de trictrac élevèrent la voix, se traitèrent mutuellement de noms indécents et se menacèrent des pires sévices sur un ton belliqueux. Les consommateurs tournèrent la tête. Sur quoi les mêmes joueurs éclatèrent d'un rire sonore et l'un d'eux appela Boulboul, lui commanda deux cafés et dit : « C'est ce cornu qui paie ! »

« Bon, dit Loutfi. Envoie-moi Hosni.

— Et toi, déclara Mahmoud, tu devrais aussi te marier. Tu commences à attirer l'attention.

— Qu'est-ce que ça veut dire ? » s'enquit Loutfi.

Mahmoud prit un air entendu.

« On dit que tu es communiste. »

Le mot en arabe, *chouyou'i*, revêtait une connotation dangereuse. Un communiste était par définition un ennemi public ; un agent des Forces du Mal, probablement un sioniste, un être immoral, mauvais fils et mauvais père, sans doute malade, tuberculeux ou syphilitique, bref un profanateur des vertus sacrées de l'islam.

« Pourquoi, les communistes selon toi ne se marient pas ?

— Non, aucune femme n'épouserait un communiste. Tu es vraiment communiste ?

— Dès qu'on s'occupe du bien du peuple, Mahmoud, on est taxé de communiste, répondit obliquement Loutfi.

— Est-ce que le peuple t'a demandé de s'occuper de son bien ? »

Loutfi mâcha son dernier quartier d'agneau en silence. Il n'avait jamais imaginé que ses travaux sur le trotskisme trouveraient un écho dans ce café de Sakakini. Il trouvait ce soir au-dessus de ses forces d'expliquer la différence entre le communisme stalinien et le trotskisme. De toute façon, il n'augurait rien de bon de ces échos.

« Et qui dit que je suis communiste ? s'inquiéta-t-il.

— Les Frères. »

Il demeura impassible. La menace était grave. Les Frères Musulmans, association plus ou moins secrète d'intégristes, avaient la main longue. Ils comptaient des membres clandestins dans la police et dans le gouvernement. Ils pouvaient lui causer du tort professionnellement ; ils pouvaient aussi l'attaquer physiquement. Leurs sbires jouaient volontiers du couteau.

« Comment le sais-tu ?

— Ils sont venus me demander si je te connaissais.

— Qu'est-ce que tu leur as répondu ?

— Que tu me paraissais être un homme honnête et respectueux de la morale islamique. Que je ne te voyais pas avec des femmes de mauvaise vie, que tu ne jouais pas, que je ne t'avais jamais entendu proférer des propos immoraux. Ils ont objecté que tu n'allais pas à la mosquée et que tu étais communiste, c'est-à-dire athée. »

Loutfi hocha la tête.

« Autre chose ? demanda-t-il en scrutant du regard Mahmoud el Ma'amour.

— Ils ont dit que le jour du Jugement est proche. Que les infidèles et les étrangers paieront pour leurs crimes.

— Et tu le crois ?

— Je crois qu'il se prépare quelque chose. Ils ont appris, par exemple, au cousin de Boulboul à fabriquer des bouteilles explosives... Ils appellent ça des... malatov, je ne sais plus.

— Des cocktails Molotov, rectifia Loutfi.

— Pourquoi ? Qu'est-ce qu'ils veulent incendier ? demanda Mahmoud mécontent. L'islam n'a jamais enseigné cela. Boulboul a refusé de s'engager dans leurs rangs. Tiens, voilà Hosni justement. Je te laisse avec lui. »

Le regard soucieux de Loutfi balaya le jeune homme qui venait d'entrer et qu'il connaissait un peu, pour l'avoir déjà vu au café de son père. Grand et bien découplé, habillé de pantalons et d'une chemise avantageusement échancrée, une moustache en brosse sous le nez, il dégageait une aisance faraude. Il s'assit près de Loutfi et celui-ci rassembla ses esprits afin de s'acquitter le mieux possible de sa tâche de directeur de conscience et conseiller matrimonial.

Pendant qu'il déployait sa rhétorique pour convaincre le jeune Hosni de privilégier son confort social sur son confort sexuel, un homme d'une soixantaine d'années entra. Vêtu d'une *galabieh*, à l'égyptienne, et la tête nue, les pieds dans des sandales. Il s'assit à une table proche et commanda au jeune Boulboul un verre de thé, avec un accent qui eût aisément fait illusion. Le visage pâle, finement ridé, le regard vif sous une apparente indifférence, il balaya le café du regard, puis s'absorba dans la dégustation de sa boisson.

Loutfi ne cessa de l'observer. Quand son interlocuteur eut bu la moitié de son thé, Loutfi se pencha par-dessus sa table et, d'une voix volontairement sourde, lui dit en français :

« C'est un honneur de vous avoir parmi nous, monsieur Guénon. »

L'autre réprima un sursaut et considéra Loutfi d'un œil impassible. Il regarda devant lui un moment, puis se tournant vers Loutfi, lui demanda :

« Comment m'avez-vous reconnu ?

— J'ai un peu modifié dans mon esprit une vieille photo », lui répondit Loutfi en souriant.

L'autre hocha la tête sans satisfaction.

« Je m'appelle Loutfi el Istambouli. »

Le philosophe hocha de nouveau la tête.

« Vous protégez beaucoup votre espace vital », reprit Loutfi.

L'autre fit une moue. « Ce n'est pas par dédain, répliqua-t-il enfin. C'est parce que je suis comptable de mon temps. Je n'en ai guère pour la distraction.

— Vous appelez "distraction" vos entretiens avec vos disciples ? »

Le philosophe déclara avec lenteur et presque mélancolie :

« Ceux qui savent n'ont pas besoin de me voir, et ceux qui ne savent pas n'ont qu'à me lire. »

Un temps passa, le philosophe sirota son thé et demanda :

« Et que faites-vous donc, pour que vous me connaissiez ?

— La révolution, rétorqua Loutfi, la bouche gourmande.

— A-t-elle déjà eu lieu ?

— Non, s'exclama Loutfi en riant.

— En connaissez-vous une qui ait eu lieu ?

— Oui, la Révolution française.

— Croyez-vous qu'elle ait changé quelque chose ? »

Loutfi demeura interdit.

« Toute réaction est égale à l'action, reprit le philosophe. Ce n'est même pas de la philosophie, c'est de la thermodynamique. Une tyrannie en lieu de royauté, fût-ce la tyrannie de ceux qui se prétendent les représentants du peuple, fût-ce la tyrannie d'une majorité, ce n'est vraiment pas une révolution. C'est une péripétie. »

Loutfi écoutait, toujours stupéfait et privé de la parole.

« Vous avez dit que vous me connaissez parce que vous faites la révolution. Mais je ne vois guère le rapport ? demanda le philosophe.

— On m'a conseillé de vous lire, bredouilla Loutfi.

— M'avez-vous lu, alors ?

— Oui.

— Lequel de mes livres ?

— *Le Règne de la Quantité et les Signes des Temps.*

— Qu'y avez-vous trouvé qui vous encourage à faire la révolution ?

— Les arguments de ceux qui sont hostiles à la révolution.

— Je n'ai donc eu aucune influence sur vos pensées ?

— Comment le savoir ? Vous avez fait l'éloge du christianisme, mais vous vous êtes converti à l'islam. Puis-je vous demander pourquoi ? »

Le philosophe leva les bras, comme pour déplorer l'immensité de la réponse.

« Le christianisme est devenu un paganisme.

— Vous défendez donc l'islam. Mais ne croyez-vous pas que Mohamed ait fait une révolution ?

— Il n'en était pas conscient.

— Vous croyez qu'une révolution inconsciente est plus efficace qu'une révolution volontaire ?

— Nous revenons à notre point de départ, dit le philosophe avec une pointe d'agacement.

— Vous ne croyez donc pas à la révolution ? insista Loutfi.

— Celle dont vous parlez est une entreprise d'esclaves », répondit René Guénon en regardant son interlocuteur à travers des yeux mi-clos.

Il but le reste de son thé, sortit quelques pièces de sa poche et les posa sur sa table. Puis il se leva, hocha la tête en signe de salut et s'en fut.

Il ne reviendra plus dans ce café, songea Loutfi.

Et il se tourna de nouveau vers Hosni, afin de lui expliquer que la survie de sa personne était plus importante que la satisfaction immédiate de ses ambitions sexuelles.

Néanmoins, pendant même qu'il parlait, il éprouva une gêne : ce n'étaient pas vraiment là ses convictions. D'une certaine manière, il mentait. Et le pis est qu'il était conscient qu'il ne connaissait pas sa vérité. Ou ne la connaissait plus.

22

Tara

« Rien que des amis, ma chérie, des intimes, dit Fatma el Entezami. Nous serons vingt-cinq à peu près. Nous serons entre nous. »

Bien qu'elle n'eût pas de témoins, elle s'exprimait avec un luxe de gestes encore plus exubérant que lorsqu'elle le faisait en public. Elle tira sur ses genoux sa robe de chambre de soie orange comme une vedette de cinéma surprise dans l'intimité.

« Dis au chauffeur de téléphoner à Mahmoud, il connaît le chemin, il le lui indiquera, il le connaît par cœur. Oui... la maison est tout à fait terminée... Comment ? Ce sera une surprise. »

La conversation terminée, Fatma el Entezami barra le nom des Pamphilopoulos de la liste qu'elle tenait en main. Recomposant son expression à chaque appel, prêtant à son visage de mamelouk imberbe les stigmates de l'extase pour inviter successivement Dorothée Mardouk et son mari, Souki Marrani, l'ambassadeur Antoun Asfour, Siegfried Alp, Natacha Starivetsky, parce qu'elle soupçonnait Souki de la courtiser et que les manèges sexuels de Souki piquaient son voyeurisme, Alexi

Yacoub, parce qu'elle clamait qu'il était son « frère de
cœur », les Noureddine, l'honorable Ahmed Ahmed, cousin du roi, le décorateur William Markezian, parce qu'il
l'avait, avec Siegfried, tant aidée à décorer la nouvelle
maison et à trouver des objets « in-trou-va-bles », Nadia
Abdel Messih, parce qu'elle brûlait d'être informée sur
les préparatifs du mariage princier, extravagant, fabuleux, mythique de sa sœur avec le maharaja de Calancore, plus une poignée de princes, émirs et assimilés.
Elle avait enfin invité ceux qu'elle appelait « les Anglais
de service », en l'occurrence Chester Lamotte et Duncan
Stephenson, parce qu'ils étaient en fait les vrais auteurs
de son opus major, *A Garland of Lillies*, une anthologie
de la poésie élisabéthaine (la vérité voulait que sa
connaissance de l'anglais fût à peine suffisante pour la
guider à travers les rayons de Harrod's, à Londres, mais
loin de l'autoriser à réciter décemment des vers d'*Astro-
phil and Stella*, de Sir Philip Sidney, encore moins pour
les commenter et beaucoup moins pour affirmer, péremptoire, que Sidney était de loin supérieur à Edmund
Spenser).

Chaque invitation fut assortie d'un commentaire,
bassement courtisan pour les gens de haut rang, princes
et émirs, familier pour les égaux en fortune et rang
social, comminatoire pour les inférieurs.

À Emineh Noureddine, elle avait ainsi déclaré qu'elle
serait infiniment flattée que la princesse prît sur son
temps de passer une journée à la campagne pour lui
faire l'honneur d'inaugurer sa « petite villa ». À l'ambassadeur Asfour, « version copte de M. de Norpois »,
comme le décrivait Louis Hanafi, elle avait adressé l'ex-
hortation de ne pas se disputer avec Souki Marrani, car
l'ambassadeur exécrait furieusement ce dernier. À Alexi
Yacoub, elle avait commandé : « Et surtout, ne vous
branlez pas dans la baignoire avant de venir, car cela
vous donne l'air malade. » Et à Duncan Stephenson : « Je
vous interdis de vous moquer publiquement de mon
accent anglais, sans quoi je dirai que vous faites le trottoir à Sayyeda Zeinab.

— *What's wrong with Sayeda Zeinab ?* avait rétorqué Stephenson. *Would that be the privileged quarter of someone else ?* »

Repartie qui la laissa sans voix. Et dire que Stephenson et cette peste de Lamotte faisaient des gorges chaudes de sa manière de réciter Shakespeare ! Mais enfin, elle ne pouvait les omettre de sa liste, sous peine de déclencher un essaim de ragots furieux.

Elle n'invita pas Aldo Colestazzi ; elle savait ce que la principale intéressée ignorait : qu'à son instigation et sur les instances de Souki Marrani, il avait reporté ses ardeurs sur Natacha Starivetsky, avec laquelle il se marierait la semaine suivante à Londres. Et Fatma el Entezami n'entendait pas qu'on se mariât contre son gré.

Elle n'invita pas non plus Loutfi el Istambouli. Louis s'en chargerait. La seule évocation de Loutfi l'assombrissait. Ce garçon gauche, au discours intempérant et inconvenant, révolutionnaire de surcroît, avait-on idée d'être révolutionnaire ! Et trotskiste ! Bref, ce garçon représentait tout ce que Fatma el Entezami exécrait : la mise en cause radicale de la société à laquelle elle appartenait. Elle avait consacré la meilleure partie de sa vie à parvenir à son niveau social, et ce n'était pas pour souffrir les sarcasmes de cet intellectuel hâve. Fille d'Entezami Bey, vice-président du Sénat, brièvement secrétaire d'État aux Travaux publics et prévaricateur notoire, courtisan à l'échine souple et lui-même fils d'un mignon du Khédive, Fatma avait longtemps suscité des sourires condescendants en raison de ses arrogances théâtrales. Le nom même d'Entezami excitait la verve de ceux qui en connaissaient l'origine. Le grand-père de Fatma avait été, en effet, un ravissant négrillon doté d'un talent particulier à ranger le linge de son maître ; le Khédive lui avait alors donné le surnom d'ordonnateur, « Mon Ordonnateur », *Entezami*. La barbe lui étant venue, le négrillon s'était vu donner la main d'une des nombreuses filles naturelles de son maître et généreusement doter. Il en découlait donc qu'en dépit de ces origines ancillaires, qui lui valaient un teint de quarteronne,

Fatma était la petite-fille du Khédive. Quelques princes indulgents avaient accrédité la version la plus honorable de ce fabliau galant, en foi de quoi Fatma el Entezami s'adressait avec une aisance désinvolte aux princesses, royales, c'est-à-dire d'origine albanaise, et turques, c'est-à-dire circassiennes à la peau de lait, comme si ç'avait été elle qui, de la main gauche, tenait le bon bout des ascendances royales.

Mais si l'on voulait éviter les agressions verbales de Fatma, l'on se gardait de rappeler qu'apercevant Entezami Bey pour la première fois, à une réception du palais, le feu roi Fouad, père de Farouk, avait murmuré : « En voilà bien un qui est né par le cul ! » Et que Farouk, parfois agacé par les embrouilles financières du même Entezami dans des affaires de coton, avait déclaré, dans ce français savoureux et dru qui était le sien : « C'est la première fois que je vois un cul se salir dans du coton. »

À force d'intrigues, Fatma avait néanmoins repeint ces façades douteuses. Secondée par la culture : elle avait épousé l'intellectuel le plus respecté de l'Égypte, à l'exception de l'éternel nobélisable qu'était Taha Hussein. Un véritable intellectuel, un séditieux, un ancien trotskiste, apparenté au surréalisme. Comme tous les humiliés, et l'avait-elle été ! Fatma el Entezami cultivait l'offense et Louis Hanafi était son étendard. Noble étendard. André Breton avait lui-même émis, disait-on, des propos élogieux sur l'*Étoile des Sables*, recueil de textes poétiques de Louis Hanafi. Fatma avait appris à en réciter les premières lignes :

> « Fixe dans le dense désert est le cœur de l'autre rose, celle que les vents n'ont jamais su faire tourner. Fixe est le regard au cœur des pétales tournoyants. Fixe est le cœur qui sait qu'il n'y a rien à savoir, car le seul vide est porteur du savoir, inachevable inventaire du vide... »

La poétesse roumaine Natalie Onesco, égérie de l'ésotérisme oriental, en avait elle-même fait la lecture publique – et sépulcrale – devant un cercle de *happy few*, dans sa résidence de Rodah, entre une statue de la déesse Sekhmet et une autre d'Anubis, appuyée sur une commode hollandaise chargée de vases canopes.

Brûlant de partager avec son époux les lauriers de la Polymnie africaine, Fatma el Entezami s'était donc jetée à corps perdu – et noyée, murmuraient les perfides – dans les subtilités de la poésie élisabéthaine.

« C'est notre Édith Sitwell », disait à l'occasion son féal Alexi Yacoub, ajoutant parfois une variante à cet éloge énigmatique : « C'est notre Ottoline Morell. » Car, en vertu de son passage au Magdalen College d'Oxford, Yacoub se piquait de références à la vie littéraire anglaise, bien que peu de gens connussent plus que le nom de la poétesse et que moins encore eussent la plus vague idée de l'égérie de Bloomsbury. Mais le compliment avait influencé le personnage de Fatma el Entezami, qui avait adopté la manie des bijoux extravagants d'Édith Sitwell et s'ornait les doigts, les oreilles et les poignets de breloques de vierge miraculeuse, bagues de mandarins, pendentifs de négrier du Dahomey et bracelets par douzaine, qui lui donnaient l'apparence d'un sapin de Noël pérenne.

« *Very colorful people* », avait commenté l'écrivain anglais Cyril Connolly, qui les avait rencontrés lors d'un passage au Caire, par l'intermédiaire de Duncan Stephenson. L'auteur du *Tombeau de Palinure* s'était diverti du bariolage humain du couple Hanafi, où les discours d'extrême gauche jouxtaient un goût effréné du luxe et chez qui le beau langage français ou anglais se colletait fréquemment avec des propos de charretier.

Mais enfin, Fatma el Entezami tenait pignon sur rue. Et, d'un seul regard, Loutfi réduisait son œuvre en poussière. Avec la complicité ambiguë de Louis. Loutfi était son Ange Exterminateur. Il n'aspirait qu'à faire voler en éclats un monde qu'il jugeait sans ambages faux et méprisable.

Le pis était que Louis avait décidé de léguer sa fortune à Loutfi. Ils n'avaient pas d'enfants. La première grossesse de Fatma avait été la dernière, s'étant prématurément achevée par une fausse couche à l'Hôpital français. Or, Louis voulait un héritier ; ce serait donc Loutfi, son frère d'armes. La mort dans l'âme, elle avait été contrainte de l'accepter. Parce que Loutfi incarnait la jeunesse de Louis. Alors que Louis se réfugiait dans la mélancolie, Loutfi prolongeait ses rêves.

Ce serait à Tara que Loutfi apprendrait sa désignation, ainsi en avait décidé Louis. Mais d'ici qu'ils mourussent, elle et Louis, songea Fatma el Entezami, il aurait coulé bien de l'eau sous les ponts du Nil. Elle trouverait bien moyen de détourner le souhait de Louis. Et d'ailleurs, que ferait ce va-nu-pieds de Loutfi avec une telle fortune ? Trente feddans de bonnes terres cotonnières et dix de vergers dans le Delta, une vaste propriété familiale, des titres... Sans parler de Tara.

Tara : Fatma el Entezami en avait trouvé le nom dans son roman réellement favori, non pas *Crime et châtiment* ou *Oblomov*, qu'elle citait à tort et à travers, mais l'ouvrage de Margaret Mitchell, *Autant en emporte le vent*. Tara, la propriété familiale des O'Hara, que Scarlett avait tant peiné à relever, usant pour cela de la ruse et du sexe avec une opiniâtreté héroïque. Fatma el Entezami avait donc, sous le regard ironique de son époux, fait construire en plein Fayoum, terre des délices au pays des dieux, à deux pas de l'antique Crocodilopolis, une copie de résidence du Sud américain d'avant la Guerre civile. Le Caire en bourdonna.

Le jour de l'inauguration, la stupeur se peignit dans les yeux des privilégiés. Au bout d'une longue allée de casoarinas, les premiers invités découvrirent une façade blanche, un péristyle de six colonnes sommé d'un fronton néo-classique. À l'ombre de ces colonnes, une véranda dominait des magnolias. Des orangers et des citronniers en fleurs cernaient la demeure. La reconstitution du Sud américain d'avant la guerre de Sécession était parfaite. Au premier étage, un balcon ceinturait la maison. Fatma el Entezami en robe blanche, et Louis Hanafi en costume clair accueillaient leurs hôtes au sommet du perron, entre deux vases Borghèse crachant des buissons de gardénias. Du premier regard les invités découvraient la perspective des salons, jusqu'aux jardins de l'arrière. Au bout de la perspective miroitait une pièce d'eau. Les parquets en point de Hongrie luisaient doucement sous une profusion de meubles anglais du siècle dernier, des sofas tendus de chintz et des rideaux également de chintz.

Cris admiratifs et modestie de Fatma el Entezami.

« Bienvenue à Tara, Excellence ! Bienvenue à Tara, princesse ! Bienvenue à Tara, ma chérie… »

Une escouade de *souffraguin* dispensait des rafraîchissements, des juleps, disait la maîtresse de maison. Le ciel était limpide, une brise légère à la fois charriait les parfums des orangers en fleurs et chassait les mouches. Venu dans la voiture d'Alexi Yacoub, Loutfi fut saisi par la douceur et le luxe qui se dégageaient de la mise en scène, aussi calculée fût-elle. Il l'éprouva de manière poignante. Cela n'avait jamais été son monde et ne le serait jamais. Ou bien il s'y résignait, ou bien il se suicidait. Il éprouva le désir soudain de n'avoir jamais vu tout cela et de se retrouver par enchantement dans son humble deux pièces de Sakakini, mangeant du fromage blanc devant la fenêtre tout en lisant l'*Ahram* ou *Rose el Youssef*, comme à son habitude.

L'accueil de Louis atténua sa révolte.

« On dirait une scène d'une maison de campagne en Russie en 1905, murmura-t-il. Du Tchekhov.

— J'avais toujours rêvé d'être chauffeur de taxi », répondit Louis.

Ils rirent. Fatma était à portée d'oreille et de voix. Ils ne pouvaient rien dire de plus.

« Les travaux forcés, songea Loutfi. La comédie forcée. »

Les invités se répandirent dans la demeure, admirant les candélabres qui se reflétaient dans les miroirs William and Mary, la fresque d'Angelo de Riz, le peintre surréaliste local, dans le petit salon, l'épinette dénichée par Siegfried Alp, la bonne volonté des bougainvillées qui poussaient du côté jardin.

« Il ne manque que la guerre civile, observa Louis Hanafi.

— Le roi adorerait Tara », dit le prince Chérif Abbas, feignant de n'avoir pas entendu.

Nadia, dépaysée, errait dans les salons du rez-de-chaussée, décontenancée par cet étalage d'opulence et le comparant avec le faux cossu de la Villa Arsinoë. Elle n'avait rien vu de tel qu'au cinéma. Même les gens lui paraissaient fictifs. Depuis trois semaines qu'elle n'avait vu ni sa sœur, ni Aldo Colestazzi, tous deux en voyage, elle se sentait orpheline. Soussou était partie pour célébrer son mariage à Calancore et Aldo était en Angleterre pour affaires. Et elle était enchaînée à la villa Arsinoë, ne pouvant laisser sa mère seule. Au détour d'un vestibule, elle se heurta presque à Loutfi.

« Tout ce luxe… Je crois rêver, murmura-t-elle.

— Alors, réveillez-vous », lui dit-il en penchant vers elle son visage maigre aux yeux charbonneux.

Elle ne l'avait jamais vu de si près. Elle explora son visage. Ces yeux charbonneux dans un masque émacié et pâle, sa bouche à la fois tourmentée et charnue, ce front barré de ravines horizontales sous un buisson de cheveux noirs et drus, *des cheveux violents*, songea-t-elle. Elle fut effrayée par l'intensité des yeux. Deux bêtes fauves au fond de trous. Était-ce le désir qui les faisait brûler ? *Le désir ?* Elle poursuivit l'exploration dans son imagination, se représenta ce corps dans sa nudité, à coup sûr osseux et probablement gauche, et à sa surprise, elle n'en fut pas rebutée. Loutfi ne disait mot. La tension devint insupportable. Nadia recula imperceptiblement. Comme dans les pièces de boulevard anglaises, elle fut sauvée de son trouble par le gong. Un vrai gong ! Trois coups ! La voix de Fatma el Entezami domina le brouhaha :

« C'est Cham el Nessim, vous n'échapperez pas à l'agneau rôti. »

La voix de Louis Hanafi susurra :

« L'agneau divin, bien sûr ! »

Nadia éclata de rire.

« Est-ce que Louis cesse parfois de se moquer ?

— Louis est contraint de se moquer, dit Loutfi. Sans l'ironie, il ne survivrait pas. »

Ils rejoignirent le flux des invités qui, le long du vaste couloir central, se dirigeait vers la terrasse du côté jardin. Des rideaux de gaze et des ventilateurs y tenaient les mouches en respect. Cinq tables y avaient été dressées, chargées d'une argenterie étincelante. Fatma el Entezami avait établi des plans de table, mais céda à la princesse Noureddine, qui préféra que chacun choisît ses voisins de table comme bon lui semblait. Ce fut ainsi que Nadia se trouva assise entre Loutfi et l'ambassadeur Asfour, à la même table que la princesse et une potineuse cairoise. L'on servit des fonds d'artichaut au foie gras, avec du pouilly fuissé. Le parfum des orangers en fleurs s'invita au repas, poussé par le vent du nord. La pièce d'eau frissonna. Chacun se promit bruyamment d'aller visiter « les cuisines de Riquet à la Houppe », d'où sortaient tant de merveilles.

« Pourquoi ce nom de Tara ? demanda la princesse Noureddine.

— Vous auriez préféré Tsarskoïé-Sélo ? repartit plaisamment l'ambassadeur Asfour.

— Je vois quand même mieux Fatma en Scarlett O'Hara qu'en Grande Catherine, dit la princesse.

— Et qui serait Rhett Butler ? s'enquit l'ambassadeur. Ce serait vous, Louis ?

— Je n'ai pas vraiment l'accent », répondit Louis Hanafi.

À l'une des tables voisines, la voix quasiment masculine de la princesse Khadria Abbas, vigoureuse beauté brune aux épaules de nageuse, s'éleva : « C'est vrai que ça ressemble beaucoup au Sud américain. Tout y est, le soleil, le coton, les nègres...

— Ça pourrait ressembler aussi à la Russie d'avant la Révolution, lui lança Loutfi. Tout y est également, les grandes propriétés féodales, les serfs et les nationaux qui parlent français. »

Nadia sourit à l'insolence du jeune homme.

« Bref, observa l'ambassadeur, entre Margaret Mitchell et Tourgueniev, nous sommes en quête d'auteur.

— Nous avons même notre révolutionnaire, clama Souki Marrani en désignant Loutfi.

— Vous êtes révolutionnaire ? demanda à Loutfi la princesse Kadria Abbas d'un ton narquois. De quelle obédience, marxiste-léniniste ou trotskiste ?

— Trotskiste, altesse.

— Qu'importe. De toute façon, vous vous proposez de renverser le régime, non ?

— Le régime, comme vous l'appelez, est en train de rendre le pays diabétique, répondit Loutfi.

— Loutfi, pas de politique chez moi ! cria Fatma el Entezami.

— Remerciez le ciel ou le roi, comme vous voudrez, que les diabétiques vous laissent circuler, jeta la princesse Noureddine, ironique. D'ailleurs, vous devriez manger un peu, vous m'avez tout l'air de faire vous-même un diabète maigre, ajouta-t-elle en lançant un regard éloquent à la silhouette étique de Loutfi.

— Vous me trouvez vraiment si maigre ? » demanda Loutfi à Nadia.

Elle baissait les yeux, souriant toujours. Non, elle venait de le trouver beau. Elle aimait sa révolte.

« Non, intervint l'ambassadeur, s'adressant à Loutfi, et faisant mystérieusement écho à la réflexion de Nadia, vous avez simplement le physique de l'emploi. On n'a jamais vu de révolutionnaire obèse. »

Loutfi évoqua fugitivement les derniers mots de René Guénon la veille : *C'est une entreprise d'esclaves.* Oui, les esclaves étaient maigres.

Le repas s'acheva sur un gâteau glacé, puis l'on servit le café et des fruits caramélisés. Les invités firent force compliments, tous en français ou en anglais, à l'exception de Loutfi, qui lança à Louis Hanafi un *Souffra daï-man !*, « Que ta table soit toujours servie ! » La plupart des convives partirent à l'exploration des jardins, d'autres se dispersèrent dans les salons. Loutfi entraîna Nadia à l'écart sur la terrasse ; ils s'assirent sur l'un des canapés d'osier.

« Qu'est-ce que vous faites ici ? lui demanda-t-il tout à trac. Vous n'avez l'air ni d'une princesse, ni d'une aventurière.

— Je suis une amie des Hanafi, répondit-elle, feignant de paraître un peu offensée. Pourquoi, vous trouvez que vous êtes plus à votre place ici que moi ?

— Non, je n'y suis pas non plus. Je ne suis qu'un ami de Louis. Tous ces gens au mieux m'indiffèrent, au pis ils m'agacent. De toute façon, ils disparaîtront avant longtemps...

— Comment disparaîtront-ils ? » questionna-t-elle, intriguée.

Souki Marrani les rejoignit, le geste flou et gras, ce qu'expliquait le verre de cognac qu'il tenait à la main.

« Toujours avec les jolies filles, Loutfi, dit-il.

— Toujours le compliment ambigu, Souki, expliqua Loutfi.

— Pourquoi ambigu ?

— Parce que celui-ci laisse entendre que je serais un coureur, donc un personnage de peu de foi.

— Que veux-tu, je suis ambigu, dit Souki, la lèvre molle.

— Tu es une éponge du monde oriental, lança Loutfi, soudain agressif. Tu en aspires les miasmes, comme ces créatures marines qui ne sont ni plantes ni végétaux et qui filtrent l'eau.

— Je purifie donc mon milieu », observa Souki, badin, en s'adossant à la balustrade. Il sourit à Nadia. « Je bénis ces mariages qui font que nous pouvons enfin jouir pleinement de votre compagnie.

— Vous voulez parler du mariage de ma sœur. Je regrette de n'avoir pu y aller. Nous attendons avec impatience les photos, ma mère et moi. »

Elle s'abstint d'évoquer sa conversation téléphonique incohérente avec Soussou, la veille. Cela avait dû
coûter une fortune. Trente-cinq minutes intercontinenta-
les ! Les festivités du mariage avaient duré trois jours et
Soussou était à bout de forces. Pis, quand sa mère avait
pris l'écouteur, elle avait été saisie d'une crise de hoquè-
tements, lamentations et sanglots qui avaient consterné
les interlocutrices, Soussou à l'autre bout du monde, à
Calancore, et Nadia à Héliopolis. Nadia préférait même
ne plus y penser. Recluse à la Villa Arsinoë, elle était
sans nouvelles du monde et même d'Aldo Colestazzi,
parti depuis plusieurs jours, avait-il prétexté, en voyage
d'affaires. Seule une dispense extraordinaire l'avait autorisée à quitter Héliopolis pour un jour et une nuit.

Souki Marrani hocha la tête, le regard rivé sur Nadia.

« Bref, c'est la saison des mariages, dit-il.

— De quel autre mariage voulez-vous donc parler ?
demanda Nadia.

— La semaine prochaine, je serai témoin d'Aldo,
annonça-t-il, sans détacher son regard de la jeune fille.

— Où donc ?

— Londres. »

L'information la frappa comme un choc physique.
Bien qu'assise, elle recula. Son teint vira au gris et sa
lèvre inférieure trembla. Elle baissa les yeux et tendit la
main vers la boîte de cigarettes de Loutfi, mais éprouva
de la difficulté à en extraire une cigarette. Loutfi avait
suivi la scène avec attention. Il se pencha vers Nadia
pour lui donner du feu, puis se tourna vers Souki et lui
dit froidement :

« Je crois que tu ferais bien d'aller te faire foutre
ailleurs.

— Respire la brise, lui répondit calmement Souki en
arabe. *Shem el nessim.*

— Je sens la merde », rétorqua Loutfi.

Nadia le sentit prêt à l'esclandre. Elle posa la main
sur sa manche.

« Ingrat, dit simplement Souki en tournant les talons.

— Souki », appela Nadia.

Il se retourna.

« Qui épouse-t-il ?

— Natacha Starivetsky. Ils vont vivre à Londres.

— Les rats quittent le bateau », dit Loutfi.

Nadia se retrouva seule avec Loutfi.

« Vous l'aimiez ? » demanda-t-il.

Elle baissa la tête, la bouche amère.

« Comment le saurais-je, maintenant ?

— Pardonnez mon indiscrétion : il vous avait offert le mariage ?

— Pas vraiment. » Elle jeta sa cigarette par-dessus la balustrade. « Et de toute façon... c'était impossible... Il était... il est juif.

— Il vous a donc rendu service. »

Elle se pencha et se prit la tête dans les mains. Elle trembla, espérant pleurer pour chasser la souffrance.

« Nadia, dit doucement Loutfi, vous me faites de la peine. »

Il tendit lentement la main vers son épaule, n'osant achever le geste, puis enfin ses doigts atterrirent avec une douceur infinie, comme dans un film au ralenti, sur l'épaule de la jeune fille. Mais ils se retirèrent aussitôt. Elle se redressa, lui adressa un regard mouillé et se leva pour aller à la salle de bains. Sur le chemin, elle rencontra Fatma el Entezami, suivie d'Alexi Yacoub, dont la chemise, comme toujours après les repas, sortait du pantalon. Elle se composa une attitude sereine.

« Nadia chérie ! s'écria Fatma el Entezami. Vous êtes la rose de ce déjeuner ! »

Nadia s'efforça de sourire.

« Je vais me repeigner, murmura-t-elle.

— Allez ma chérie. Et venez nous rejoindre. Nous allons goûter aux dattes confites de Maître Osman. » Et avisant Loutfi, qui observait la scène d'un œil sardonique, elle ajouta d'un ton précieux : « Et nous inviterons votre nouveau chevalier servant, s'il est sage.

— *Toz*, lui lança Loutfi de loin, ce qui en arabe signifiait "zut".

— *Toz* vous-même ! répliqua Fatma el Entezami. Vous n'aurez pas de dattes. »

De retour de la salle de bains, Nadia chercha Loutfi des yeux. Il franchit les quelques pas qui le séparaient d'elle. Ils allèrent rejoindre Fatma el Entezami et Yacoub dans la véranda côté jardin, meublée de canapés d'osier également garnis de coussins de chintz. Un domestique apporta sur un plateau un bocal de dattes rouges, des *zaghloul*, givrées de sucre et fourrées chacune d'une amande, flanqué d'une carafe en cristal de Bohême, de verres, de soucoupes, d'une longue fourchette et de petites cuillers de vermeil. Selon la coutume turque, la carafe contenait de l'eau glacée parfumée à la rose.

« Quelles nouvelles de Soussou ? demanda Fatma el Entezami.

— Le mariage a eu lieu. Il a duré trois jours !

— Trois jours ! s'écria Fatma el Entezami en plongeant la longue fourchette dans le bocal pour en tirer une datte qu'elle déposa sur une soucoupe et tendit à Nadia. Ce devait être une féérie !

— Ça a beaucoup fatigué Soussou », répondit Nadia, considérant la datte sur la soucoupe et lui trouvant une ressemblance inopportune avec le gland masculin.

Fatigué était un faible mot ; « exténuant », avait dit Soussou.

« Et tout va bien avec sa belle-mère ? »

Nadia se résolut à mordre dans la datte.

« Très bien », assura-t-elle, mentant effrontément.

« Ils me prennent pour une gouvernante, avait dit Soussou en français, parce que personne autour d'elle ne parlait cette langue. "Il faudra que vous méritiez votre chance", m'a dit la belle-mère. Et ma belle-sœur Devi est une peste. »

« Soussou mérite tous les bonheurs, dit Fatma el Entezami avec exaltation. Elle a tellement d'élégance, d'intelligence, de séduction !

— Surtout depuis qu'elle est devenue maharani », observa Loutfi.

Fatma el Entezami lui lança un regard noir et Nadia, en dépit de sa tristesse, se retint de rire.

« Et où vont-ils vivre ? s'enquit Alexi Yacoub, brandissant une datte entre le pouce et l'index.

— À Calancore une partie de l'année, je suppose. Puis ils voyageront. Soussou aime beaucoup Londres. En tout cas, ils seront ici en janvier pour un bon mois.

— Un vrai conte de fées ! » clama une fois de plus Fatma el Entezami.

La princesse Noureddine gravit le perron, une branche de gardénia à la main et escortée par l'Honorable Ahmed Ahmed.

« Qu'est-ce qui est un conte de fées ? demanda-t-elle.

— Le mariage de la sœur de Nadia, Soussou Abd el Messih, répondit Fatma el Entezami. Goûtez une de ces dattes, princesse. Maître Osman les a vraiment réussies. »

La princesse s'assit, accepta une datte, fit un compliment et déclara à l'intention de Nadia : « J'ai vu votre sœur à un bal, il y a quelques semaines. Il faut donc que les étrangers aient l'œil plus aigu que les Égyptiens, car nul n'eût peut-être songé que Soussou ferait une princesse aussi digne de son rang. Je vous souhaite autant de chance. »

Nadia agréa le compliment sans enthousiasme excessif. Elle seule savait de quel prix Soussou avait payé son rang princier : le renoncement à l'amour.

« Elle avait au bal un éclat étonnant, renchérit l'Honorable Ahmed Ahmed.

— Et comment va Ismaïl ? s'enquit Fatma el Entezami. On ne le voit plus au club...

— Il est dans l'armée, répliqua la princesse. Cadet.

— Dans l'armée ! se récria Fatma el Entezami. Et qu'en dit le pacha ?

— Il se fait une raison.

— Je ne vois rien d'infamant à être dans l'armée », observa Loutfi. Il plongea la fourchette dans le bocal et se servit d'une datte qu'il avala d'un coup. Et s'adressant à la princesse : « Et puis votre neveu sera probablement ministre. »

La princesse parut déconcertée.

« Eh oui, reprit Loutfi, après la révolution, vous aurez un neveu au pouvoir. »

Là, Rechideh Noureddine fut carrément médusée.

« Quelle révolution ? C'est encore votre fantasme trotskiste ?

— Loutfi dit n'importe quoi, coupa Fatma el Entezami. Loutfi, vous effrayez mes invités. Arrêtez ces âneries !

— Je ne vois pas pourquoi j'effraie les gens en prédisant qu'Ismaïl Abou Soun sera ministre », s'obstina Loutfi.

La princesse resta rêveuse. Au bout d'un temps, elle s'adressa à Loutfi :

« Alors, vraiment, vous croyez ?... »

Mais elle n'acheva pas sa phrase. « Il faut songer à rentrer, dit-elle. Il se fait tard et nous avons un dîner ce soir. »

Elle se leva. Déjà, d'autres invités sur la véranda avaient les attitudes compassées des gens qui s'apprêtent à partir. Chester Lamotte et Duncan Stephenson, visiblement bus, caquetaient au bas du perron. Isolé des autres, Siegfried Alp, une branche de gardénia à la main, observait pensivement les adieux. On s'embrassa, on se félicita, on se palpa le bras et l'épaule, on se fit des serments, on se félicita, les superlatifs fusèrent. Les domestiques firent appeler les chauffeurs. Le vent chaud de l'après-midi agita ces chevelures rêches de vieilles femmes qu'ont les casoarinas et offrit une dernière bouffée d'orangers en fleurs. Nul n'y songeait, mais c'était le même vent qui avait jadis agité les guirlandes funèbres sur le tombeau de cristal d'Alexandre et décoiffé Cléopâtre au dernier soir de sa vie, quand ayant poussé son amant au suicide et échoué dans la séduction d'Octave, elle se glissa un aspic dans le sein. Il évapora avant la nuit les ultimes chaleurs de la terre grasse comme il dissipa les dernières vapeurs des vanités de la journée. Les portières des voitures claquèrent.

Nadia ne devait rentrer que le lendemain. Loutfi et Alexi Yacoub passeraient la fin de la semaine à Tara avec les maîtres de maison. Pour Nadia, ce serait sans doute ses seules vacances d'été. Elle et Loutfi se retrouvèrent un instants seuls sur la terrasse, regardant le paysage du Fayyoum cligner de l'œil avant la sieste. Il se tourna vers elle.

« Vous êtes belle comme Isis, lui dit-il. Vous êtes ici sa seule fille. »

Louis Hanafi et Fatma el Entezami gravissaient lentement le perron tandis que les domestiques débarrassaient les tables et les guéridons, remettaient les sièges en ordre et tapotaient les coussins.

« Qu'est-ce que c'est chiant d'être chic ! » s'exclama Louis Hanafi, tandis que sa femme se récriait.

Nadia éclata de rire. « Je vais faire la sieste ! »

23

La nuit de Tara

Le soir tombe en Égypte avec la brusquerie d'une immense et lourde draperie qui s'écroulerait sur la scène. Sans doute est-ce l'un des traits qui inspirent l'impétuosité de l'Orient, ses pulsions impérieuses et ses langueurs soudaines. Nulle part la colère n'y est aussi proche du rire, le délire amoureux du sarcasme, l'orgasme de la première caresse. Le décor change à vue. Alors, comme celle des sources du Nil, âpre et brûlante, et celle du Delta, humide et limoneuse, la terre du Fayyoum, celle-là même sur laquelle s'élevait Tara, libère alors ses esprits. Les plus anciens habitants de cette oasis du désert libyque reprennent leurs droits suzerains, que les trains, l'électricité, les usines et les querelles des humains ne sauraient entamer. Ce ne sont pas des fantômes, ce sont les dieux.

Ils sont tous amènes, et la majesté n'enlève rien à leur bonhomie ; ils connaissent les faiblesses des humains ; n'ont-ils pas eux-mêmes été créés pour y remédier ? Leur devoir de justice ne les aveugle pas : que servirait-il de tancer les mortels ? Ne sont-ils pas assez punis d'être mortels ? L'austère Anubis à tête de chacal, le peseur des cœurs, et la douce Hathor à tête de vache, déesse du plaisir amoureux et de la danse, Thoth le bienveillant à tête d'ibis, introducteur des morts dans l'au-delà, et la douce Anoukis aux jambes longues, déesse des femmes agiles, ils reviennent tous, les dieux de l'inerte et du flambant, du caché et de l'éclatant, les pieds nus sur la terre de leur royaume. Tous, même Mīn au membre éternellement dressé et à la bouche moqueuse, même la redoutable Sekhmet à tête de lionne, qui veille aux vengeances, mais aussi à la fidélité amoureuse. Et surtout Isis, qui cherche la nuit, par les routes et les maisons, un interlocuteur suffisamment tendre et candide pour reconnaître ses formes sveltes dans la confusion des ténèbres, la distraire par ses compliments et ses histoires, et peut-être assez ardent pour la séduire. Sous leurs formes humaines, ils ont la bouche du baiser et l'œil velouté.

Là, ils rôdent parmi les orangers de Tara. Ils examinent cette maison étrange et luxueuse, dont les hôtes sont en train de dîner. Ils goûtent les mets, écoutent les propos, sondent les cœurs et les reins. Nul ne sait qu'ils sont alentour, mais instinctivement, chacun modère sa voix. Il ferait beau voir qu'on criât des sottises alors qu'Anubis écoute.

Ils étaient six convives autour de la table, les époux Hanafi, Loutfi, Nadia, Souki Marrani et Alexi Yacoub.

« Loutfi, déclara Fatma el Entezami d'une voix solennelle, vous savez combien Louis vous aime. Vous êtes insupportable, mais c'est parce que vous êtes jeune. »

Loutfi écoutait, l'air moqueur et les verres de ses lunettes, fraîchement polis, scintillaient sous les lumières.

« Vous êtes notre fils, en quelque sorte. »

Là, tout le monde suspendit sa fourchette. Sans doute Anubis suspendit-il son pas.

« Nous n'avons pas d'héritier », poursuivit Fatma el Entezami.

Elle ménageait ses silences.

« Louis et moi avons décidé de vous nommer notre héritier. »

Nouveau silence.

« Tout ceci, cette maison, ces terres et notre appartement en ville, toute notre fortune vous reviendra quand nous ne serons plus là. »

Loutfi demeura silencieux un moment. Il eût dû être subjugué ; il ne fut que sceptique, voire contrarié. Pareil héritage annulait tout son personnage. Comment rester révolutionnaire alors qu'on est l'héritier d'une fortune sinon immense, du moins appréciable ?

« Et que dois-je faire pour cela ? finit-il par demander.

— Nous survivre, répondit Louis Hanafi.

— Je suis très touché.

— Embrassez-vous alors ! » s'écria Alexi Yacoubi.

Loutfi se leva pour aller embrasser Fatma el Entezami et Louis Hanafi.

« Sale coup pour la révolution », observa Souki Marrani.

Les rires dissipèrent la gêne suscitée par la solennité de l'événement. La soirée s'avança. Les commentaires sur les invités avaient été épuisés. Comme la journée avait été longue, les convives se retirèrent avant minuit.

Nadia ni Loutfi ne parvinrent à s'endormir.

Elle évoqua Aldo Colestazzi. Cette fausse liaison, faites de caresses qui, pour être audacieuses, ne parvenaient jamais au terme qu'il avait impérieusement demandé. Et cette lâcheté couronnée par une trahison. Non, sans doute, il n'avait pas eu le courage de lui dire que ces éternels préliminaires sexuels ne pouvaient le satisfaire ; qu'il avait compris l'hostilité de la famille Abd el Messih à l'égard d'un prétendant juif ; et les réserves de Nadia elle-même. Natacha Starivetsky, celle qu'elle avait aperçue lors de la soirée au désert, celle qui prétendait qu'elle se retrouvait vierge après l'amour, convenait bien mieux aux besoins d'Aldo Colestazzi. Elle faisait vraiment l'amour. Elle était libre, elle, et ni famille ni religion ne s'opposaient à un mariage avec lui. « J'ai été sotte, songea Nadia, allongée dans des draps de percale brodée. Je n'aurais jamais dû. » Il était beau. Elle avait été romanesque. Une mesure pour rien. Mais enfin, elle se retrouvait seule. Comme une pauvresse en train de manger à laquelle on arrachait brusquement son plat. Et tout cela pourquoi ? Parce qu'elle ne faisait pas *entièrement* l'amour. C'était une affaire que de faire l'amour. Si elle s'était donnée, il ne l'aurait pas quittée aussi facilement. Ils auraient tous deux surmonté les obstacles du mariage. Elle l'aimerait encore. Il l'aimerait encore.

Elle s'agita, elle eut chaud et, sans allumer sa lampe de chevet, enfila sa robe de chambre et ses pantoufles et sortit sur la terrasse qui faisait le tour de la maison. Elle fut stupéfaite d'y trouver Loutfi, pieds nus et en caleçons. Il fumait, accoudé à la balustrade, et regardait la nuit. Il se retourna, nullement gêné, et parut la considérer d'un air songeur. Sans mot dire, il ouvrit la boîte de cigarettes Gianaclis à bout doré posée sur la balustrade et la lui tendit. La flamme de l'allumette éclaira brièvement le visage de Nadia et le torse blanc, maigre et lisse de Loutfi.

« C'était le premier homme de votre vie ? » questionna-t-il d'une voix basse.

Elle hocha la tête.

« Il aurait pu me prévenir, murmura-t-elle.

— C'est peut-être une délicatesse de sa part que de ne l'avoir pas fait.

— Une délicatesse ?

— En vous laissant une image de lâche, il vous dispense de le regretter. Vous auriez préféré des mouchoirs trempés ? »

Avait-il vraiment prémédité cette délicatesse ?

« Et vous, demanda-t-elle, pourquoi ne dormez-vous pas ?

— Non, personne ne m'a quitté, répondit-il d'une voix teintée de sarcasme. Personne ne peut me quitter, parce qu'il n'y a personne.

— C'est cela qui vous empêche de dormir ? »

Le parfum citronné des magnolias montait dans la nuit, presque ironique dans sa candeur. Il haussa les épaules.

« Non, je suis habitué.

— C'est l'héritage, alors ? »

Il tira fortement sur sa cigarette et ne fut plus qu'un point rougeoyant dans la nuit.

« Pour moi, c'est une perfidie, et je ne peux même pas m'en plaindre, dit-il.

— Je ne comprends pas... »

Ils tournèrent ensemble la tête. Avaient-ils entendu un bruit dans l'une des chambres qui donnaient sur la terrasse ? Peut-être les vibrations de leurs voix avaient-elles réveillé l'un des deux autres hôtes, Yacoubi ou Marrani. Loutfi mit un doigt sur ses lèvres, indiqua sa chambre et y précéda Nadia. Après une fraction de seconde d'hésitation, elle l'y suivit. Il lui indiqua un fauteuil et s'assit sur le lit.

« En annonçant si solennellement cet héritage, Fatma a trouvé le moyen de me tourner en ridicule. Personne, même parmi mes amis, ne croira plus que je puisse être un révolutionnaire sincère alors que je dois hériter des dizaines de milliers de livres.

— Mais personne ne le saura..., objecta Nadia.

— Croyez-vous ? Elle va le clamer dans tout Le Caire et dans tout Alexandrie.

— Mais pourquoi se livrerait-elle à une pareille perfidie ?

— Parce qu'elle sait que Louis m'envie ma liberté et mon action de révolutionnaire. Je suis l'un des seuls que la jeunesse intellectuelle, les étudiants, écoutent encore. Elle en est jalouse et furieuse. Elle a donc trouvé le moyen de me réduire au silence. De faire de moi sa créature. »

Nadia interdite resta sans réponse.

« Mais enfin... vous hériterez quand même...

— Quand ? s'écria-t-il avec violence. Ils ne mourront

pas avant vingt ou trente ans. Je serai peut-être mort avant eux !

— Mais que vouliez-vous qu'ils fissent ?

— Rien. C'eût été plus sincère et plus délicat. À leur mort, si j'étais encore vivant, j'aurais appris que j'étais leur légataire universel. C'est tout. Là, ils créent une situation intolérable et font publiquement de moi leur obligé. Je ne peux le dire à Louis, ce qui déclencherait une violente querelle avec Fatma.

— Je peux avoir une cigarette ? demanda Nadia, consternée. Fatma vous déteste autant que cela ?

— Elle est jalouse de l'affection que me porte Louis. Elle a même imaginé que je couchais avec Louis.

— Quoi ? s'écria Nadia, indignée.

— Vous ne l'avez pas encore démasquée ? dit Loutfi. Pourquoi croyez-vous qu'elle vous ait invitée ? Pour vos beaux yeux ? Non, parce que vous êtes désormais la sœur de la maharani de Calancore ! Et qu'elle pourra se targuer de fréquenter des princes hindous ! C'est ce qui manquait à sa panoplie de vanités !

— Vous êtes féroce », murmura-t-elle. Mais elle craignit que ce qu'il disait fût vrai.

« Et vous ne savez pas tout, reprit-il. C'est elle qui a poussé cette femme, je ne sais plus comment elle s'appelle, à épouser votre... votre soupirant. Et c'est elle qui a chargé ce porc de Souki de vous le révéler. »

Les larmes jaillirent des yeux de Nadia.

« Mais pourquoi... » Elle se sécha les yeux et acheva sa phrase : « Pourquoi tant de méchanceté ?

— Le goût du pouvoir, dit sombrement Loutfi. Elle s'imagine régner sur tout ce monde. Elle croit vous avoir rendu service. Et elle fera valoir à votre sœur qu'elle lui a évité d'avoir un beau-frère juif. »

Prenant soudain conscience de son impuissance entre les mains de ces deux matrones, sa mère et Fatma el Entezami, Nadia se remit à pleurer.

« Qu'est-ce que nous faisons ici ! » murmura-t-elle.

Elle se trouva désespérément seule au monde, emmurée dans un tombeau en forme de villa avec une mère qui n'était plus qu'une guenille glapissante. Elle renifla et se leva pour regagner sa chambre. Il se leva aussi.

« Vous me faites de la peine », dit-il. Et il lui prit les épaules, la tenant à distance pour la considérer. Elle pencha la tête et la posa contre la poitrine qui luisait doucement dans la pénombre. Ils demeurèrent ainsi un moment, jusqu'à ce qu'elle eût cessé de pleurer. Il lui releva la tête. Le visage de Nadia ne fut plus qu'à un doigt de distance du sien. Il l'attira lentement vers lui et posa ses lèvres sur les siennes. Elle ne se débattit pas, non, elle saisit l'épaule nue de Loutfi. Il l'embrassa plus profondément et elle se liquéfia. Elle lui enlaça le cou des deux bras. L'immobilité attisa la chaleur des corps. Il recula d'un pas, attirant Nadia vers le lit. Puis d'un autre. Elle se défit de sa robe de chambre, puis de sa chemise de nuit. Il n'eut qu'à laisser tomber ses caleçons.

Il y avait peu, l'érection de Loutfi lui eût paru effrayante, mais là, dans l'immense revirement causé par le défi, Nadia l'accueillit comme l'une des puissances du monde qu'il lui restait à découvrir. C'était un corps d'homme jeune, sans apprêts, sans parfums. Pour Loutfi, qui n'avait pas fait l'amour depuis des mois, la vue et la sensation mélangées du corps de Nadia le portèrent au délire. S'il en savait peu en matières galantes, il n'ignorait pas qu'on chauffe le fer avant de le battre. Leurs orgasmes furent pareils à l'électrocution. Nadia rejeta violemment la tête en arrière, happant l'air, la main plaquée sur l'épaule de son amant et faisant un effort désespéré pour ne pas crier. Le visage de Loutfi se creusa comme celui d'un agonisant au dernier souffle. À vrai dire, à la fin le plaisir de la chair y comptait pour peu, il avait été dépassé. Ils s'étaient l'un l'autre accouchés.

L'aube pointait quand leur sang reprit un rythme plus paisible.

« Nadia, murmura Loutfi bouleversé, j'étais donc le premier ? »

Elle lui caressa le visage.

« Je suis heureuse que ç'ait été toi.

— Mais je ne suis pas un parti...

— Je m'en fiche, dit-elle nonchalamment en s'asseyant. Je ne suis pas de ce monde-là, tu l'as dit toi-même. »

Elle se glissa dehors par la porte-fenêtre et rentra dans sa chambre.

Sur la terrasse déserte, Mîn l'ityphallique et la svelte Isis glissèrent vers les restes de nuit avec un sourire où la malice le disputait à la tendresse.

24

Premiers roulements du tonnerre

Comme d'habitude depuis la fin de la Seconde Guerre mondiale, l'été partagea les pauvres et les riches, ainsi que Moïse la mer des Roseaux. Car c'était une épreuve que l'été égyptien : fuyait qui pouvait. De la troisième heure qui suivait son lever jusqu'à celle qui suivait son coucher, dans l'indigo qui affolait les jasmins, de la Troisième cataracte jusqu'au Delta et des falaises roses du Mokattam aux confins du désert libyque, le dieu Râ répandait un déluge d'or en fusion du haut d'un ciel d'argent incandescent. Dans les rues des villes, l'asphalte fondait et le piéton qui s'attardait rue Emad el Dine, par exemple, s'y enfonçait puis s'y collait la semelle. Un œuf cru oublié au balcon durcissait dans les minutes suivantes. De temps à autre, un tourbillon de poussière râpeuse déboulait sur les avenues avec une fureur vengeresse, emplissant les narines jusqu'à la suffocation, crissant sous les dents et faisant jaillir les larmes. Dans les villages, les ânes patients secouaient leurs touffes de voyous et battaient de la queue pour chasser les taons, et fermant les yeux pour ne pas être éblouis. La chaleur, dense, sèche, sans merci, s'amassait durant la matinée jusqu'à rendre l'après-midi impraticable, justifiant le célèbre dicton anglais selon lequel seuls les chiens enragés et les Anglais affrontent l'après-midi africain : *Only mad dogs and Englishmen...*

Le climat n'était pas la seule ordalie. De juin à septembre, tout humain se changeait en soldat dans la guerre contre l'empire des insectes, les mouches obstinées et les cancrelats opulents, les punaises, les puces, les moustiques, les guêpes, les taons, les fourmis, les scolopendres, les sauterelles, auxquels la chaleur offrait l'occasion de leurs plus sauvages offensives aériennes et terrestres. En province, à Damanhour, Tantah ou Minieh, la proximité des campagnes exigeait de surcroît qu'on montât la garde contre les scorpions et les cérastes cornus, éloquemment surnommés « serpents-minute », vipères d'autant plus redoutables qu'elles ressemblaient à un bout de ficelle. Aucun Égyptien avisé n'enfilait ses savates avant de s'être assuré qu'une scolopendre ne s'y était pas nichée, aucune Égyptienne ne mettait son enfant au lit sans vérifier également qu'un scorpion ne somnolait pas sous l'oreiller.

Mais les plus féroces fléaux étaient alors les mouches. Jaillies de l'enfer, elles déferlaient en escadrons furieux, bourdonnants, vibrionnants, assoiffés de sucs animaux ; dans les maisons désertes, elles commençaient par tournoyer sous les lustres, et dès que les humains apparaissaient, elles couraient se coller aux fronts, aux nez, aux yeux, à la moindre surface de peau, jusqu'à ce qu'une claque les réduisît en un minuscule étron noirâtre et sanglant et qu'on fût obligé d'aller se laver. La nuit venue, c'étaient les cancrelats qui prenaient leur relève, surgissant de sous les meubles et les portes comme des panzers lilliputiens, guidés par leurs antennes vers la nourriture, la moindre tache de sauce égarée sur un carreau ou l'écorce de melon qui dépassait de la poubelle. Seul un coup de savate suspendait le cours de leur nauséabonde infamie, souillant les carreaux d'une infection gluante, hérissée de pattes velues, qu'il fallait essuyer avec du papier hygiénique. Du haut

en bas des immeubles l'on reconnaissait, aux heures de
la sieste et du coucher, le halètement des pompes à l'in-
secticide de rigueur, le *Flit*, contre les mouches et les
moustiques. L'application des produits contre les cancrelats, une pâte phosphorée anglaise et verdâtre au
nom déconcertant de *Common Sense*, restait, elle, silencieuse.

C'était aussi la saison des grands nettoyages, à
commencer par celui des matelas, qu'on étalait sur les
balustrades des balcons et les toits, afin d'expulser de
leurs bourrelets, à l'alcool à brûler, les œufs de punaises
qui s'y étaient immanquablement nichés. Par la même
occasion, on lavait également les planchers à l'alcool, ce
qui déclenchait à l'occasion des incendies. Toute maison
honnête et bien tenue fleurait donc l'alcool à brûler à
partir de juin.

Les pauvres, donc, restèrent au pays pour asphyxier
les mouches et claquer la savate sur les cancrelats. À
Faggalah, Bab el Louk, Khoronfish, Sakakini, Sayyeda Zeinab, Bab el Hadid ou Ezbékieh, quartiers populaires du
Caire – les banlieues élégantes de Zamalek, Garden City,
Guizeh, Rodah ou Guézireh étaient, elles, quasi déser-
tées – les oubliés de l'élégance prolongeaient leurs
siestes derrière des persiennes closes, vautrés sur leurs
lits en picorant des raisins glacés, les *banati*, aux grains
minuscules et sans pépins, des goyaves, des dattes,
zaghloul rouge sang et croquantes, ou *amhari*, jaunes et
fondantes, dévorant pastèques et melons jusqu'à en
éclater ou suçant des citrons doux dans des courants
d'air organisés selon de savantes stratégies. Ils ne sortaient que sur le tard, pour se rendre dans des cinémas
en plein air, moins chers que les deux uniques salles
climatisées du royaume, le *Metro* et le *Rivoli*. Tandis que
les vrais pauvres s'avachissaient sur les balcons, tous
orteils à l'air, croquant pépins, lupins et cacahuètes,
échangeant des confidences à la cantonade, d'un
immeuble à l'autre, les autres – les hommes généralement chaussés du fin du fin, des chaussures deux tons –

achevaient leurs soirées sur la dégustation de glaces dans les endroits à la mode, *Sarian* au Caire ou *Athineos* à Alexandrie, puis ils rentraient se coucher et rêver de mousquetaires américains et de pulpeuses stars italiennes.

Les moins pauvres des Cairois, c'est-à-dire les pas vraiment riches, mais raisonnables, partaient pour Alexandrie et sa plage la plus prisée, Agami, où la domesticité dépêchée à l'avance avait recréé leurs chez-soi occidentaux dans des chalets blancs. Les vrais modestes, ceux qui, vers sept heures du soir, se contentaient de respirer les premières brises vespérales sur leurs balcons des banlieues de Cléopâtra, de Sidi Gaber ou de Camp de César. Plus modestement encore, certains louaient des appartements à Port-Saïd, ou bien encore des huttes de roseaux à Ras el Bar, villégiature favorite des petits bourgeois résignés, parce que son débraillé sans façons leur permettait de passer la journée en caleçons, en pyjama ou en robe de chambre. Grecs, Juifs (surtout sépharades), Syriens, Italiens ou Italiotes, Coptes, Libanais, Arméniens ou Maltais, bref, les *bazramit*, ils avaient alors licence, toutes prétentions ravalées, de dîner en savates et en plein air comme le vrai peuple, celui des *fellahin*, de se régaler de fèves écrasées, *foul médammès*, à l'œuf dur, à la tomate ou à l'oignon, ignorants de l'interdiction d'Hermès Trismégiste, le roi des arcanes initiatiques : « Mieux vaut manger la tête de ton père que de manger des fèves. » Ils pouvaient aussi, et sans vergogne cette fois, agrémenter leur ordinaire d'autres délices populaires, viande fumée à l'ail ou *bastourma* arménienne, poisson cru fermenté à l'égyptienne ou *fessikh*, fromage blanc et aigre, également fermenté (et souvent véreux), puis se gaver de pâtisseries au beurre, feuilletés aux amandes pilées et au miel ou *baklawa*, chevelures de pâte fourrée de pistaches et de miel ou *kounafa*, pâte de miel et de pistaches ou *halawa*, le tout arrosé de raki et de vin Gianaclis du Fayyoum ou Richon-le-Zion des coteaux de Galilée. Autant de plaisirs robustes, inconnus des gens élégants, et qu'en d'autres saisons les pauvres et les humiliés ne s'accordaient que clandestinement. Les rots et les pets se perdaient discrètement dans le vent du soir. C'étaient vraiment des vacances.

Les vrais riches, eux, retenaient leurs vents et se gardaient de la *bastourma* comme de la peste ; ils se nourrissaient de tournedos Rossini et de filets de sole Dugléré chez *Pastroudis* et parlaient doctement du ver du coton et de la concurrence de l'industrie sucrière cubaine. Mais surtout ils prenaient le bateau, plus rarement l'avion pour aller faire provision d'images et de bon ton à Londres, Paris ou Rome, soigner leur foie, éternel coupable, à Vichy ou Montecatini ou s'occuper de leurs écuries de courses à Deauville. Leurs conversations s'émaillaient plusieurs jours à l'avance de noms de navires illustres, *Esperia*, le plus luxueux des paquebots qui assuraient les liaisons entre l'Égypte et les autres pays de la Méditerranée, *Atlantic, Champollion, Campidoglio, Adana*, voire des vétérans de la P & O, tels le *Malaya* ou le *Mooltan*, venus de la Lune, c'est-à-dire d'Australie, pour rallier Liverpool cinq semaines plus tard. Le roi, lui, passait une partie de l'été dans sa résidence alexandrine de Ras el Tine, le gouvernement suivant l'exemple et se déplaçant également à Alexandrie ; puis il embarquait sur le yacht royal, le *Mahroussa*, pour se rendre à Monte-Carlo et sur la Côte d'Azur.

La plupart des princes et princesses – un recensement insolent en avait dénombré deux cent trente-huit, de diverses lignées – partirent pour la Turquie, afin de retrouver les parfums de l'antique mère-patrie et se détendre dans leurs pavillons ajourés des bords du Bosphore ou des îles. Siegfried Alp embarqua plein d'appréhension comme passager de seconde classe sur le *Mooltan*, chargé d'immigrants malais et cinghalais ; il répondait enfin à l'invitation de Margaret Hartnell à séjourner chez elle, à Londres. Sa mère, Cécile, prit ses quartiers d'été chez la sienne, Catherine, qui louait pour trois mois une maison de bois à la turque à Aboukir, juste sur la rade où dormaient les épaves des navires français coulés par l'amiral Nelson, un siècle et demi plus tôt, et où, à son tour, Napoléon avait battu les troupes turques qui avaient prétendu y débarquer. Ayant fait ses adieux au Caire, Chester Lamotte s'envola vers Londres sur un avion de la BOAC. Louis Hanafi et Fatma el Entezami prirent l'*Esperia* pour Gênes, d'où ils gagneraient Rome et puis Paris en train. Ismaïl Abou Soun décida de passer ses quinze jours de congé militaire dans le chalet familial d'Agami, où il invita son alter ego, le lieutenant des blindés Omar el Damanhouri. Bien qu'héritier virtuel d'une fortune immense, depuis l'annonce faite à Tara, Loutfi el Istambouli, toujours aussi fauché, mais nanti d'un petit viatique consenti par Louis Hanafi – cent livres – ne trouva comme distraction que de se livrer à un grand ménage dans son petit appartement de Sakakini, seul lieu où il pût retrouver Nadia Abd el Messih. Cette dernière restait isolée dans la vétuste Villa Arsinoë, avec les vents du désert et des romans anglais pour seul délices estivaux, sa mère clamant qu'il eût été indécent de rompre le deuil par des vacances. Enfin, Soussou et son époux, le maharaja de Calancore, séjournèrent à Monte-Carlo.

Les vents de l'été agitèrent les flamboyants au-dessus des pelouses désertes du Guézireh Sporting Club, qu'ils parsemaient de pétales écarlates ou mauves. Les ibis se perchèrent par douzaines dans les banyans, les sycomores, les bauhinias et les figuiers des bords du Nil, sans plus craindre d'être dérangés par le trafic automobile, désormais somnolent. Aucun événement majeur ne semblait devoir troubler la vacance des âmes et des corps.

Des nécropoles de Sidi-Gaber, à Alexandrie, aux pyramides méroïtiques, au-delà des cataractes, les dieux pouvaient enfin faire de longues siestes sans être agacés par le bruissement frivole des humains. Horapollon et Thoth dégustaient leurs figues et leurs dattes en paix. Nul, sauf eux, ne se doutait que l'exode de cette année-là constituait une répétition générale qui serait bien plus dramatique.

Soussou téléphonait deux fois par semaine à Nadia. Complexe opération inaugurée par des échanges en mauvais anglais entre la standardiste monégasque chargée des appels internationaux et le central téléphonique du Caire, au terme desquels l'un et l'autre opérateurs s'assuraient avec force interjections que la communication était bien établie entre les correspondants.

« Je crois que je vais devenir folle, déclara Nadia à sa sœur au cours de l'une de ces communications.

— Non, tiens bon, je reviens début septembre. Nous vendons la maison et je vous installe ma mère et toi dans un appartement en ville. Nous ne trouverions aucun acheteur en plein été. Prends patience. Tu n'as personne pour te tenir compagnie ? Aldo ?

— Il s'est marié », dit Nadia d'un ton sec.

Un silence suivit.

« Je devine ton état d'esprit.

— Et toi ?

— Nous voyons du monde. Il passe son temps au Casino. Je m'ennuie. J'ai appris ce qu'est la chasse à l'amitié. *Wild goose chase, my dear.* Mais enfin, nous sommes débarrassés de sa mère et de sa sœur. Ce n'est pas un méchant garçon. Mais je suis une potiche. »

Mélancolies ravalées, Nadia s'abstint de mentionner Loutfi.

À quatre cents kilomètres de là, Ismaïl Abou Soun contemplait la mer et le sable blanc, surpris que l'univers pût se résumer à ces deux éléments. À la forme la plus proche du vide. Car il éprouvait le sentiment du vide. Il n'éprouvait même que celui-là. Passé les premières semaines d'accoutumance à l'armée et quand la routine se fut instaurée, il se découvrit un état d'esprit que seul pouvait qualifier le terme « minéral ». La blessure causée par l'abandon outragé de Sybilla s'était refermée, mais la cicatrice, elle, était comparable à un éperon de pierre. Il avait été, se disait-il, amputé, mais comme tant de vrais infirmes, il souffrait de douleurs fantômes. On croit souvent pouvoir nommer les senti-

ments ; autant décrire les couleurs d'une bulle de savon :
ce ne sont que nuances, tonalités, dominantes, bref des
irisations. Regret, frustration, humiliation, telles étaient
les principales colorations des humeurs d'Ismaïl. Il se
reprenait de plus en plus souvent à songer à sa brève
liaison avec Sybilla, analysant jusqu'au vertige le
comportement de l'Anglaise et le sien propre. Et il se
pénétrait de plus en plus de la conviction qu'il avait été
pour Sybilla un objet, un *toy boy*, un corps et, pourquoi
ne pas l'avouer, un sexe ; de la chair à plaisir ; et que,
pour les Anglais et en général tous les Occidentaux, les
Égyptiens étaient des serfs. Car s'il avait été anglais,
Sybilla n'eût pas hésité à divorcer pour l'épouser. Mais
égyptien, elle eût pensé déchoir. Et pas un mot d'elle
depuis trois mois. Peut-être cela valait-il mieux.

Omar le rejoignit sur la plage. Plusieurs de ses amis
officiers séjournaient à Alexandrie et il estimait courtois
de les inviter à passer une journée avec eux, si Ismaïl n'y
voyait pas d'objection. Comme il trouvait parfois le
temps long, Ismaïl accueillit la proposition avec empressement. Saisi d'une hâte juvénile, Omar courut leur téléphoner et revint annoncer leur visite pour le lendemain.
Ismaïl fit donc organiser par les domestiques un déjeuner pour six personnes.

« Peux-tu faire dresser la table sur la terrasse ? »
demanda Omar.

Ismaïl acquiesça, un peu étonné par cette requête,
venant d'un garçon qui se souciait peu de formalités
mondaines.

« Mais pourquoi sur la terrasse ?

— Les conversations..., répondit évasivement
Omar, s'entendent moins en plein air. Fais baisser les
stores, aussi.

— C'est une réunion secrète ? »
Omar sourit.

« D'une certaine façon, oui. »

Ils furent quatre visiteurs, dans une voiture militaire
qu'ils garèrent discrètement à l'arrière de la maison.

Ismaïl les avait souvent aperçus en compagnie d'Omar, mais il n'avait jusqu'alors échangé avec eux que des propos banals. Un seul, un gaillard au visage rieur, appartenait au corps des tankistes et il était du même grade qu'Ismaïl et Omar ; il s'appelait Khaled Mohieddine et, dès qu'il le vit, Ismaïl comprit l'intrigue qui se nouait autour de lui et s'en trouva même flatté. Mohieddine publiait, sous les directives de l'officier qu'il avait rencontré au Café des Pigeons, Gamal Abd el Nasser, un bulletin à peine clandestin et violemment critique du régime, *La Voix des officiers libres*, les autres appartenaient à des régiments de fantassins. Ils faisaient tous partie du même mouvement. À l'évidence, ils venaient le recruter, mais comme il était le fils d'une personnalité du Parti constitutionnel, ils prenaient des précautions.

La conversation s'engagea sur de nouvelles banalités, autour de cafés et de jus de fruits. Mais Ismaïl pressentit que ses visiteurs se servaient de ces préliminaires pour le jauger, avec la complicité d'Omar. Au bout d'un temps, la conversation dériva sur la situation politique. La teneur se résumait en peu de mots : ça ne pouvait plus durer comme ça. Toute la colère des officiers et de nombreuses personnalités du monde, politique, du barreau et de la presse contre la corruption du pouvoir n'aboutissait en fin de compte qu'à filer des tuyaux à deux ou trois journaux sympathisants ; et quand les journalistes s'en servaient, ils étaient jetés en prison, comme le rédacteur en chef de *Rose el Youssef*, Ihsan Abd el Kaddous.

« Tu ne dis rien. Qu'est-ce que tu en penses ? demanda Mohieddine à Ismaïl.

— La même chose que vous, répliqua Ismaïl en riant.

— Et qu'est-ce qu'en pense ton père ?

— La même chose que moi », répondit Ismaïl sur le même ton.

Un des officiers, un grand flandrin moustachu, Gamal Salem, se mit aussi à rire.

« Tu connais ça ? » s'enquit encore Mohieddine en

tendant à Ismaïl un exemplaire de *La Voix des officiers libres.*

Ismaïl hocha la tête.

« Tu ne m'as jamais fait l'honneur de m'en donner un exemplaire, mais je le connais.

— Comme tu es le fils d'un homme politique, je ne savais pas quelle serait ta réaction.

— Tu aurais pu me la demander, observa Ismaïl. Bref, maintenant tu la connais.

— Mais tu es avec nous ? » questionna Mohieddine.

Ismaïl lança un regard ironique à Omar. « Vous ne vous seriez pas donné la peine de venir jusqu'ici si vous pensiez le contraire, répondit-il, avec une autorité qu'il ne se connaissait pas. Ce qui compte maintenant, c'est ce que vous voulez faire et quand vous comptez le faire. Parce que vous pensez que vous n'avez pas le choix. Il me semble que vous risquez de tout perdre en prenant l'initiative.

— Comment ça ? demanda Gamal Salem. Qu'est-ce que tu veux dire ?

— Vous avez vu ce qui est advenu à l'un de vos meilleurs amis, le capitaine Abd el Kader Taha, qui était l'un de vos atouts les plus précieux, puisqu'il faisait partie de la garde rapprochée de Farouk : il a été assassiné. Sur l'ordre du général Sirry Amer. Les services de renseignements de l'armée, les *moukhabarât*, sont plus efficaces que vous le croyez. Demain, n'importe lequel d'entre nous ici peut suivre Taha au tombeau. Vous vous dites donc que, si vous ne réussissez pas du premier coup, vous serez fichus. Je pense, moi, que si vous agissiez tout de suite, vous êtes sûrement fichus. »

Les visages autour de lui se rembrunirent. La carafe de limonade était presque vide. La sueur perla sur les fronts.

« Explique-toi, déclara enfin Gamal Salem.

— Des ennemis aussi efficaces que les *moukhabarât* veillent dans l'ombre : ce sont les Frères Musulmans. Eux aussi veulent le renversement du régime. À la première occasion venue, ils nous balaieront. Ils organise-

ront des émeutes et ils prendront le pouvoir de fait.
Surtout qu'ils ont des alliés dans l'armée. Dès que vous
prendrez l'initiative, ils agiront à votre place.

— Qu'est-ce que tu as contre les Frères Musulmans ? » s'écria Khaled Mohieddine d'un ton inquisiteur.

Ismaïl se rappela alors les rumeurs entendues chez
son père, selon lesquelles les Frères Musulmans avaient
infiltré l'armée. Il s'avisa que tous les regards étaient
braqués sur lui et il devina qu'ils se demandaient s'il
n'était pas au fond anti-islamique plutôt qu'anti-inté-
griste. Il connaissait le préjugé des hommes autour de
lui, partagé par tous les gens du peuple et de la petite
bourgeoisie : des fils de famille riches n'étaient en réalité
que des fruits pourris, buveurs d'alcool et baiseurs adultères, contaminés par l'Occident. Ces réflexions
n'avaient duré qu'un instant, le temps nécessaire pour
qu'Ismaïl parût prendre le temps de la réflexion.

« Vous prenez les Frères Musulmans pour des alliés,
répondit-il, parce qu'ils vous paraissent semblables à
vous et qu'ils sont hostiles au régime. Certains officiers...

— Lesquels ? » interrompit Gamal Salem.

Surpris par le ton de la question, Ismaïl demanda
doucement :

« Dois-je vraiment citer leurs noms ? »

Mais ils attendaient tous ces noms, même Omar. Ils
voulaient vérifier la justesse de ses informations et de
ses analyses.

« Très bien, reprit Ismaïl. Anouar Sadâte, Kamaled-
dine Hussein, Abdel Moneim Abdel Raouf... d'autres
aussi. Ce ne sont que les plus célèbres. Je ne tiens pas
un service de renseignements. Ceux-là et tous ceux qui
croient pouvoir s'allier les Frères Musulmans se trom-
pent : les buts des Frères sont différents des vôtres : ils
veulent le pouvoir pour eux et eux seuls. Ils veulent faire
de l'Égypte une sorte d'Arabie Saoudite et vous, Gamal
abd el Nasser en tête, vous voulez en faire un État démo-
cratique moderne. Vous croyez monter sur un cheval

docile et c'est le cheval qui montera sur vous. Ou bien est-ce moi qui me trompe ? »

Un long silence suivit.

« Tu as l'air d'avoir raison, répondit à la fin Khaled Mohieddine, et peut-être as-tu raison, en effet. C'est la lucidité de ton analyse qui nous étonne. Tu avais l'air d'un charmant garçon fils de ministre...

— ... Et je suis un peu moins bête que ça, n'est-ce pas ? » s'écria Ismaïl en riant.

Ils secouaient la tête, déconcertés.

« C'est par ton père que tu sais tout ça ? » s'enquit Mohieddine, visiblement surpris.

Ismaïl hocha la tête.

« Mais qu'est-ce qu'il dit vraiment, ton père ? demanda Mohieddine avec insistance.

— C'est un constitutionnaliste. Il est scandalisé. Mais il craint qu'une révolution serve de tremplin aux Frères Musulmans. Et je partage son avis. »

Ils demeurèrent tous cinq silencieux. Des enfants criaient sur la plage. Le bruit des vagues parvenait jusqu'à la terrasse. Les visiteurs gardaient le regard fixé sur Ismaïl, comme s'ils attendaient d'autres informations.

« Si nous voulons faire quoi que ce soit, reprit Ismaïl, nous devrons affronter trois autres grands ennemis. Le premier, c'est l'armée. »

Gamal Salem poussa un cri d'indignation, Ismaïl n'y prit pas garde.

« Je dis bien : l'armée. Combien y comptons-nous de véritables alliés ? continua-t-il. Une minorité, deux ou trois poignées d'hommes, vous le savez mieux que moi. La grande majorité de nos collègues est encore très attachée à la monarchie, sinon au roi lui-même. Oui, oui, en dépit du scandale des armes, en dépit de la corruption que nous connaissons. Le deuxième ennemi, c'est le seul parti politique vraiment populaire dans ce pays, et c'est le Wafd. En dépit du fait que son chef, Nahas, soit sénile, ce parti possède un vrai pouvoir. Et le troisième ennemi...

— ... Ce sont les Anglais », coupa Omar.

Ismaïl hocha de nouveau la tête.

« La garnison du canal de Suez est assez forte pour paralyser n'importe quelle action que les Anglais jugeraient contraire à leur intérêt.

— Et alors ? demanda Gamal Salem.

— Et alors, mais ce que je dis là ne reflète que mon opinion, nous ne pouvons pas prendre d'initiative dans les prochains mois. Nous serions massacrés. Nous devons attendre que quelqu'un d'autre la prenne.

— Et alors ?

— Nous, nous interviendrons plus tard.

— Pourquoi plus tard ?

— Parce que ce qui se passera alors sera forcément désastreux et aura discrédité les uns et les autres. Ce sera à nous de nous faire valoir. Nous apparaîtrons en sauveurs. Le gros de l'armée se ralliera à nous. Les Moukhabarât auront été décapités. Le Wafd sera accusé de n'avoir pas su maintenir l'ordre. Resteront les Anglais. »

Khaled Mohieddine se mit à rire.

« Ce garçon-là – en arabe, *el chab dah* – a oublié d'être bête ! »

Ils se détendirent tous.

« Tu es vraiment avec nous ? »

Ismaïl jeta un regard circulaire : cinq corps moites de sueur, cinq machines de pouvoir. Il était désormais l'un d'eux. C'était bien plus exaltant que de donner des orgasmes à une petite Anglaise. Il se contenta de sourire.

« Bon, conclut un des officiers qui n'avait dit mot jusque-là, le lieutenant Fattah Badri. Notre visite n'aura pas été inutile. Nous avons trouvé un ami et une tête de plus. Saluons notre chance.

— Une bière ? demanda Ismaïl à la ronde. Nous déjeunerons bientôt. »

Ils hochèrent la tête. Une bière, ce n'était pas vraiment alcoolisé, juste un peu fermenté.

Quand ils furent partis, le soir, Ismaïl demeura songeur. C'était la première fois de sa vie qu'il avait un but. La première aussi qu'on lui reconnaissait une identité et

de l'intelligence. De sa vie ? Chaque être humain a plusieurs vies. Il en avait achevé une avec le départ de
Sybilla. Il en commençait une autre. Cela n'impliquait
pas qu'il eût oublié sa vie antérieure.

25

Le Bûcher

« Et alors ? » demanda Duncan Stephenson. Sous ses boucles de bébé blond, ses yeux bleus brillaient d'espiè-glerie derrière les grosses lunettes du professeur qu'il était.

À ses côtés, dans le petit appartement de Stephen-son, rue Elfi Bey, Siegfried Alp joua avec son couteau et haussa les épaules. Ce samedi 26 janvier 1952, au Caire, ils déjeunaient tous deux de petits riens, des tomates farcies aux crevettes, des côtelettes d'agneau aux petits pois, une salade préparée à la diable par le célibataire anglais.

« Que puis-je te dire, Duncan, que tu n'imagines déjà ? répondit-il. L'appartement de Margaret est grand et agréable. Margaret est une femme émouvante par moments. Elle se donne parfois l'air ridicule, mais sa comédie est une défense. Elle sait bien qu'on la voit vieil-lir. Elle jouera un ou deux films encore, puis elle devra changer de personnage. Elle veut écrire des pièces de théâtre. Elle voudrait que je l'y aide. Ma situation était souvent inconfortable. Ses amis me regardaient d'une façon qui signifiait : ah, un nouveau morceau de chair fraîche. Certains étaient bienveillants, d'autres ironiques. *"So you're the young Egyptian one hears so much about!"* dit Siegfried, parodiant les commentaires qu'il entendait le plus souvent.

— Et le jeune acteur avec lequel elle était venue ?

— Harvey Manners ? Il est devenu une loque. L'alcoolisme.

— Mais tu as quand même vu Londres, l'Angleterre, dis-moi ?

— Oui, je me suis beaucoup promené. J'ai usé une paire de chaussures... Mais Londres est cher, tu sais... »

Stephenson réfléchit un instant. « Siegfried, la vie n'est pas faite de lys et de roses, tu le sais. » Et devant le regard interrogateur de son convive, il poursuivit : « Tu as eu une grande chance de retenir l'attention de Margaret Hartnell. Ne la néglige pas.

— C'est ce que disaient Chester et Guy... » Mais Siegfried n'acheva pas sa phrase. Il se leva pour aller à la fenêtre et dit : « Il y a un incendie. »

Une colonne de fumée noire montait droite dans le ciel calme et pur. C'était apparemment un gros incendie. Siegfried évoqua l'inquiétude qui l'avait saisi durant le trajet vers la maison de Stephenson quand il avait vu des commerçants fermer en hâte les rideaux de fer de leurs magasins et décamper à toutes jambes. Un commerçant passait, deux à la rigueur, mais toute une rue !

Stephenson servit le café. Vingt minutes plus tard, une autre colonne de fumée montait dans le ciel, à bonne distance de la première.

« Deux gros incendies à la même heure à peu près, c'est étrange », dit-il.

Les deux hommes n'avaient pas touché la deuxième tasse de café qu'une troisième colonne de fumée apparaissait. Puis une quatrième.

« Il se passe quelque chose », dit Siegfried, inquiet.

Lui et Stephenson décidèrent d'appeler un journal, n'importe lequel, et choisirent l'*Egyptian Gazette*. On leur répondit qu'en effet plusieurs incendies s'étaient déclarés, mais qu'on en ignorait la cause.

« Mais que font les pompiers ? » s'étonna Stephenson.

Les propos prémonitoires de Chester Lamotte revinrent à l'esprit de Siegfried. Il décida de rentrer, car il n'habitait pas loin et s'alarmait pour sa mère. Mais, se penchant par la fenêtre, il vit des bandes de gens du peuple courir dans la rue déserte, poussant des cris indéchiffrables pour Siegfried. L'air sentait fortement le brûlé et des morceaux de papier calciné voltigeaient, emportés vers les hauteurs par les courants d'air ascendants.

« *Cairo is burning* », déclara Stephenson, livide.

Il devenait risqué de s'aventurer dehors. Siegfried téléphona à sa mère et la trouva affolée.

« Où es-tu ? demanda-t-elle.

— Rue Elfi Bey. Pas loin, mais il est risqué de s'aventurer dehors. Ne bouge pas de la maison.

— Je suis ici avec la lingère, Om Demian. »

Il lui donna le numéro de Stephenson au cas où elle voudrait lui téléphoner.

Stephenson fit du thé. Vers quatre heures, l'ambassade de Grande-Bretagne lui téléphona, lui enjoignant de ne pas sortir de chez lui. À cinq heures, alors que le jour déclinait, le ciel était obscurci par la fumée d'au moins trente incendies. Un peu plus tard, le voisin de Stephenson, un Égyptien d'une quarantaine d'années nommé Mahmoud Ansari, vint sonner pour conseiller aux deux hommes de ne pas mettre le nez à la fenêtre et même de tirer les rideaux. Stephenson commençait à trembler.

« Mais que se passe-t-il ? s'enquit-il.

— Le Caire brûle. Mais n'aie pas peur, je suis là. Ils ne mettront pas le feu à la maison.

— Qui, *ils ?*

— Je ne sais pas, répondit énigmatiquement Ansari.

— Je t'en supplie, lui dit Stephenson, reste avec nous, au cas où ils viendraient frapper à la porte ou la forcer, que sais-je. »

L'Égyptien réfléchit un instant et hocha la tête. Puis il appela son frère dans l'escalier pour le prier de le rejoindre.

« Ihsan, viens avec nous. Dis à ma femme que nous passons la nuit ici. Nous monterons peut-être manger un morceau vers neuf heures.

— Fais comme si tu étais chez toi », dit Stephenson, et il courut lui chercher des pantoufles.

Ansari et son frère sourirent.

« Tu parles arabe ? » demandèrent-ils à Siegfried.

Il répondit en arabe ; ils hochèrent la tête.

« Fermez la porte pour l'amour de Dieu ! demanda Stephenson. Vous voulez du thé ?

— Dans un verre, et fort, à l'égyptienne », répliqua Ihsan.

À huit heures, par la fenêtre de la cuisine, maintenue dans l'obscurité, Siegfried vit des gamins de douze ou quatorze ans jeter des chiffons enflammés dans les boutiques et un groupe d'hommes, assez jeunes, forcer une armurerie. Ils s'y bousculèrent et ressortirent brandissant des fusils et des pistolets, mais sans doute n'avaient-ils pas trouvé de munitions.

Vers neuf heures, alors qu'Ansari et son frère se préparaient à monter manger un morceau, comme annoncé, on entendit une foule marteler de leurs pieds l'escalier en poussant des cris et des vociférations. On frappa brutalement à la porte.

« Emmène-le dans la salle de bains, chuchota Ihsan à Siegfried, indiquant Stephenson fou de peur.

— Ouvre, fils de chien ! »

Ansari alla ouvrir le grand judas de verre, protégé par une grille.

« Qu'est-ce qu'il y a ? Qu'est-ce que c'est que ce langage ? » cria-t-il avec une colère feinte.

La radio de l'appartement diffusait un poste parlant l'arabe. Et le volume était assez fort pour que les insurgés sur le palier l'entendissent.

« Où est l'Anglais ?

— Quel Anglais ? Il n'y a ici que moi et mon frère.

— On nous dit qu'il y a un Anglais, beugla un homme de l'autre côté de la porte.

— Ihsan, cria Ansari, et son frère apparut, astucieusement débraillé : Tu es anglais maintenant ?

— Qu'est-ce que c'est ? Qui sont ces gens ? rétorqua Ihsan.

— Ils disent qu'il y a un Anglais.

— Mais il a déménagé il y a longtemps ! »

Les autres derrière la porte semblaient déçus. Ils s'entretinrent entre eux pendant quelques minutes.

« Au nom du Coran, ne venez pas déranger les croyants de cette façon, déclara Ansari d'un ton autoritaire. Si vous cherchez des Anglais, allez au Canal !

— Au nom du Coran ! crièrent plusieurs voix dans l'escalier. Mort aux infidèles !

— *El sabr tayeb*, "La patience est bénie" », dit Ansari, et il referma le judas.

Il écouta un moment. Le bruit des pas décrut dans l'escalier. Au bout d'un moment, il ouvrit la porte. Ils étaient partis. Siegfried alla en informer Stephenson, qui s'était enfermé dans le cabinet de toilette. Quand l'Anglais déverrouilla la porte, il était visiblement en proie à un crise de nerfs. Il haletait.

« Reprends-toi, un peu de dignité », lui souffla Siegfried en anglais.

Ansari et son frère observaient Stephenson, méditatifs.

« Donne-lui un peu de thé, dit Ihsan.

— Vous nous avez sauvé la vie ! s'écria Siegfried dans un soupir. Qu'est-ce qui se passe donc en ville ?

— Ça ressemble à une révolution, émit Ansari.

— Mais que fait donc donc l'armée ? Et la police ? »

La sonnette de la porte retentit et tout le monde se raidit. Stephenson courut se réfugier de nouveau à la salle de bains. Mais c'était la fille d'Ansari, qui venait informer son père que l'Opéra et le célèbre cabaret Badia Massabni avaient brûlé.

Ansari haussa les épaules.

« Nous en saurons plus demain. » Il lança à Siegfried un regard désolé, et lui et son frère remontèrent dans leur appartement.

Mais l'obligeant Égyptien ne savait pas quel désastre intime il quittait dans l'appartement de la rue Elfi Bey, désormais jauni dans la mémoire comme une vieille photo. Ce n'était pas seulement Le Caire qui brûlait, c'était la jeunesse d'un homme, les mille souvenirs qui étaient jusqu'alors vivants et qui soudain étaient desséchés, la distillation des roses dans l'appartement de Catherine Portilacqua, les après-midi frivoles du Guézireh Sporting Club, les dîners pleins de rires, les siestes dans le parfum des manguiers en fleurs, les amours passagères et rieuses, la douceur de vivre. Il ne restait plus rien qu'un chaos sinistre, et lui n'avait plus d'autre perspective immédiate qu'une chambre à Londres qu'il fallait payer d'une livre de chair. Il s'assit et fondit en larmes. Stephenson sortit de la salle de bains et le regarda, consterné.

Cependant, Le Caire continuait de brûler. Partout, d'Héliopolis à Bab el Hadid, le long de la voie du chemin de fer, des immeubles entiers crachaient le feu de toutes les fenêtres et s'effondraient au bout de quelques heures sous les regards égarés de leurs occupants. Des familles surprises pendant le dîner, parfois pendant le sommeil, contemplaient toute une vie, toute une intimité, des photos, des souvenirs, des meubles, des vêtements disparaître dans des avalanches de gravats fumants. Même les chiens regardaient le désastre.

Depuis trois heures de l'après-midi, les pompiers n'intervenaient plus, car chaque fois les incendiaires coupaient les tuyaux à la hache et parfois attaquaient les pompiers eux-mêmes.

Près de la Gare centrale, les incendiaires pénétrèrent dans plusieurs immeubles, assommèrent les locataires chrétiens, violèrent les femmes et les défenestrèrent avant de mettre le feu. Rue Chérif Pacha, ils avaient investi le Turf Club à huit heures et demie, à l'heure où les membres s'apprêtaient à se mettre à table, les avaient bastonnés et, s'étant emparés de trois Anglais, les avaient poignardés et jetés encore agonisants sur un bûcher bâti en pleine rue. À dix heures, les cadavres n'étaient plus que des formes noircies où se dessinaient les squelettes.

Les bars et les cinémas étaient visiblement les objets privilégiés de la vindicte des émeutiers ; tous ceux qui étaient repérés étaient aussitôt incendiés et, le plus souvent, les flammes gagnaient les immeubles où gîtaient ces lieux de perdition.

Et toujours pas trace de police.

À trois heures de l'après-midi, les rumeurs exaspérées de la ville atteignirent le vénérable Hôtel Shepheard's, caravansérail datant des temps héroïques de l'Empire britannique. La direction helvétique, en la personne de M. Förster, invita fermement la clientèle à quitter la terrasse, où quelques étrangers impavides sirotaient leur gin-tonic en regardant la fumée noircir le ciel, et à regagner leurs chambres. À sept heures et demie, les rares clients impénitents du bar furent à leur tour priés de se replier vers le jardin d'hiver ou de regagner également leurs chambres. Toutes lumières éteintes, le bar fut verrouillé. La salle à manger et le jardin d'hiver resteraient néanmoins ouverts. Pareils à des assiégés, l'œil vrillé par l'inquiétude, les clients, dont une troupe d'opéra italienne, erraient dans l'enceinte de l'hôtel, entre les palmiers en pot et les divans arabesques.

C'était au Shepheard's que le maharaja de Calancore et son épouse Soussou séjournaient pour une semaine, en attendant de gagner Louxor. Soussou avait attendu la visite de Nadia pour le thé, mais en vain ; les nouvelles colportées par les domestiques affolés suffirent à lui expliquer pourquoi sa sœur n'était pas venue : métro, autobus et tramways s'étaient arrêtés vers trois heures de l'après-midi, et les taxis ne se fussent pas aventurés dehors pour tout l'or de Golconde. À six heures du soir, quand la terrasse fut évacuée, et en dépit des admonestations de M. Förster et des exhortations de son épouse, Vindra, le maharaja, sortit « pour voir l'émeute », assuré que son teint basané l'exemptait des avanies des incendiaires. Dix immeubles flambaient alentour. N'augurant rien de bon de la suite des événements, Soussou regagna ses appartements, tandis que la chèvre noiraude qui lui servait de secrétaire attendait le retour du maharaja à la salle à manger.

Elle ouvrit les lourdes et coûteuses malles et en tira le coffret à bijoux : quelques-uns des plus beaux joyaux des princes de Calancore, six diamants jonquille de taille exceptionnelle, des rubis sang-de-pigeon gros comme des œufs de caille, une émeraude hors-pair, des diamants, une rivière de saphirs étoilés... Bref, une dizaine de kilos de pièces exceptionnelles. Elle y joignit son passeport indien et tout l'argent disponible, une petite fortune en livres sterling, et fourra le tout dans un sac de voyage noir. Cela fait, elle s'empara d'un vaste foulard sombre et redescendit en empruntant l'escalier, car elle se méfiait de l'ascenseur.

Vindra n'était pas revenu de son exploration du désastre. À la réception, on informa Soussou que l'ambassade de l'Inde avait décommandé le dîner prévu pour ce soir-là. Elle gagna alors la salle à manger, où la secrétaire l'attendait, seule à une table et proche de la crise de nerfs. Partout cette odeur de brûlé. Le maître d'hôtel suisse et le personnel égyptien tenaient conciliabule. Soussou commanda un Tom Collins et commençait à le siroter quand on l'avertit qu'on le demandait au téléphone. Le combiné lui apporta une réduction de la voix de Nadia, entrecoupée de sanglots, hystérique, au bord de l'incohérence.

« Où es-tu ? demanda Soussou.

— Rue Chérif Pacha, chez des amis... J'ai vu... des hommes jetés encore vivants dans les flammes.... »

Des sanglots coupèrent la voix haletante de Nadia.

« Calme-toi, ordonna Soussou. La panique ne servira

qu'à te faire faire des bêtises. Ne mets pas le nez dehors. Si on t'interroge, parle arabe. L'armée va intervenir. »

Ça, elle venait de l'inventer. Toutefois, l'émoi de Nadia avait imperceptiblement gagné sa sœur. Elle se demanda si Vindra n'avait pas été, lui aussi, assassiné. Puis elle se rassura en se disant que les émeutiers en avaient apparemment aux Européens. Il était clair comme le jour que c'étaient les Frères Musulmans. Elle téléphona ensuite à sa mère, à Héliopolis, pour l'informer que des troubles avaient éclaté en ville et qu'il serait plus prudent que Nadia passât la nuit en sécurité chez des amis. Elle coupa court aux gémissements et clameurs de Mme Abd el Messih et raccrocha sur un bref : « Je te rappellerai. »

Au moment où elle regagnait sa table, Vindra apparut, hagard, et des cris déchirants, des bruits de verre cassé et un fracas indistinct, sans doute des portes qui cédaient sous les coups de boutoir emplirent l'air. Des gens couraient dans le hall et le personnel prenait la fuite. Dans le grand hall pharaonique, les émeutiers bâtirent un bûcher monumental avec les banquettes et les sièges, les tapis, les tableaux et, l'ayant arrosé d'essence, ils y mirent le feu. Le brasier explosa littéralement, créant une colonne d'air chaude qui attisa la propagation des flammes vers le haut, c'est-à-dire vers la grande coupole qui sommait le hall.

De là, les flammes gagnèrent les étages. La coupole craqua de façon sinistre, puis au bout de quelques minutes s'effondra dans un fracas épouvantable. Elle eût pu étouffer le brasier, mais les flammes avaient déjà gagné l'ensemble du bâtiment.

Le directeur apparut pour crier : « Tout le monde à la porte du jardin !

— Les bijoux ! » cria Vindra, et il tenta de fendre la foule des incendiaires pour gagner le grand escalier.

Les cris d'angoisse mélangés aux appels assassins des émeutiers, à l'intérieur même de l'hôtel, emplissaient l'air.

« Vindra ! cria Soussou courant derrière son mari. Vindra !

— Altesse ! Altesse ! » hurlait la secrétaire.

Mais il ne les entendait visiblement pas, il avait déjà gravi les premières marches de l'escalier, ne comprenant pas quel était ce liquide qui inondait les marches. Les incendiaires avaient, en effet, inondé le premier étage de pétrole et y avaient déjà mis le feu. Une masse de fumée intense déboula à la rencontre du maharaja de Calancore. Les plâtras de la cage d'escalier s'effondrèrent par plaques énormes, assommant l'Hindou ; les flammes ne firent qu'une bouchée des lattes de bois qu'ils dénudèrent. L'escalier et la cage de l'ascenseur n'étaient plus qu'un chaos de flammes grondantes.

Le prince de Calancore périt dans un bûcher, comme les veuves de son pays. Cependant que la secrétaire hurlait comme une furie, Soussou regarda, pétrifiée, le corps de son époux disparaître dans le brasier, puis la foule mêlée aux émeutiers qui s'enfuyait par la porte du jardin. Si elle s'y aventurait, elle risquait d'être piétinée. La fumée, noire et dense, menaçait de suffoquer les derniers occupants. Les plafonds commençaient à s'effondrer. Une main toujours soudée sur la poignée du sac noir, Soussou tira la secrétaire, désormais aphone, tétanisée de terreur, et s'élança dans la direction que suivait le personnel.

Elle se retrouva ainsi dans les cuisines et comprit qu'il existait également une porte de service. Son châle accrocha la queue d'une casserole qui se répandit par terre. Des foies de volaille sautés ! Au bout d'un couloir, elle, les cuisiniers et les femmes de chambre se retrouvèrent à l'extérieur, rue Ibrahim Pacha. Là, un attroupement regardait l'auguste hôtel Shepheard's transformé en brasier grondant. La secrétaire tremblait de tous ses membres. Les membres de la troupe d'opéra italienne, surpris dans leurs chambres, étaient les uns en robes de chambre, les autres à demi nus et tous en larmes.

Les émeutiers n'allaient-ils pas, dans l'ivresse de la victoire, venir massacrer tout ce monde ? Soussou s'éloigna de la foule et s'engagea dans des rues et ruelles, suivant un parcours apparemment déterminé, évitant les immeubles déjà en feu. Une demi-heure plus tard, elle arriva devant une modeste maison bourgeoise de la rue Fouad et frappa à la porte cochère. À la fin le portier vint ouvrir le panneau de vitre dépolie que protégeait une grille en fer forgé. Il regarda les deux femmes et le billet de dix livres, une fortune pour lui, que Soussou tenait bien en évidence.

« Je vais chez le Dr Mahgoub, dit-elle. Au nom du Prophète, laisse-nous entrer. »

La porte fut déverrouillée, les deux femmes entrèrent, le billet changea de mains, la porte fut reverrouillée.

Le docteur se tenait au sommet de l'escalier, sur le palier d'entresol, en chemise de nuit. Il regarda les deux femmes, effaré.

« Soussou ! » s'écria-t-il. Et il lui fit signe d'entrer.

L'épouse du Dr Mahgoub se tenait derrière son mari, stupéfaite, elle aussi en chemise de nuit et les pieds nus. Les deux femmes entrèrent dans l'appartement. Soussou s'assit sur la chaise la plus proche et posa par terre le sac noir. Elle resta comme sans vie pendant un long moment. La secrétaire sanglotait. L'épouse du docteur leur apporta à chacune un verre d'eau généreusement additionné d'eau de fleur d'oranger.

Soussou regarda sa montre ; il était minuit cinq.

« Assieds-toi sur le canapé », dit Mme Mahgoub.

Soussou se leva péniblement, fit quatre pas de somnambule et se laissa tomber sur le siège indiqué. Elle ferma les yeux et sombra presque immédiatement dans la torpeur. Elle perçut à peine que quelqu'un prenait son poignet pour en tâter le pouls et disait : « Laissez-la dormir. Elle est épuisée. »

Ismaïl Abou Soun et onze autres officiers de la caserne de Matarieh s'étaient mis sur leur trente et un dès onze heures et demie du matin, l'heure à laquelle les émeutiers incendiaient le premier des innombrables édifices qui devaient brûler ce jour-là, le cabaret *Badia*, dont la danseuse du ventre Badia Massabni avait été la propriétaire. Les chaussures, les boutons de leurs uniformes et le cheveu impeccablement lustrés, les douze officiers, dont Khaled Mohieddine, montèrent dans les trois Chevrolet kaki qui devaient les mener au palais d'Abdine. Ce jour-là, en effet, le roi donnait un déjeuner pour six cents officiers, pas moins, en l'honneur de la naissance du prince héritier Ahmed Fouad. L'itinéraire ne passant pas par la place de l'Opéra, ni Ismaïl ni ses compagnons de route ne virent donc à l'aller les signes les plus évidents du désordre qui allait marquer d'une pierre noire l'histoire du Caire moderne.

Sur le trajet, Ismaïl releva cependant que les rues présentaient un spectacle inhabituel. Au lieu des foules paisibles qu'on voyait d'habitude, les rues étaient quasiment désertes, mais des groupes compacts de gens apparemment excités couraient de çà, de là. Il le fit remarquer aux trois autres passagers de la voiture, qui s'étonnèrent de l'étrangeté. L'étonnement fit place à l'inquiétude quand les Chevrolet militaires durent ralentir pour se frayer un passage parmi l'un de ces groupes, qui devait compter plus de cent personnes ; les émeutiers, puisque c'étaient eux, les interpellèrent, criant des slogans tels que : « Mort aux Anglais ! Mort aux chiens d'infidèles ! Vivent nos immortels héros d'Ismaïlia ! Mort au traître Haïdar ! »

Les immortels héros en question étaient évidemment les morts de la Garde nationale, les Boulouk Nizam, qui s'étaient rendus la veille aux Anglais après avoir donné l'assaut à leurs vastes dépôts de munitions de la région du Canal. Et « Haïdar », c'était Haïdar Pacha, commandant en chef de l'armée, vieille et putride baderne.

« Il se passe décidément quelque chose, dit l'un des officiers.

— Sans doute une manifestation pour les Boulouk Nizam, dit un autre.

— Dans toute la ville ? s'étonna Ismaïl.

— Les Boulouk Nizam de la caserne d'Abbassieh se sont mis en grève ce matin ; par solidarité avec ceux d'Ismaïlia, dit le chauffeur.

— Pourquoi ne sommes-nous pas informés ? s'écria l'un des officiers, indigné.

— On n'aura pas voulu nous informer pour ne pas déclencher de mouvement de solidarité parmi les officiers alors que nous allons déjeuner chez le roi, dit Ismaïl d'un ton morne. Est-ce que nous avons une arme à bord ? » s'enquit-il au bout d'un moment.

Les trois officiers lui lancèrent des regards perplexes. Il n'était pas question de se rendre à une invitation du Palais avec une arme sur soi.

« Pourquoi faire, un revolver ? demanda l'un des officiers.

— Je n'exclus pas que nous soyons attaqués.

— J'ai emprunté un revolver et des munitions, dit le chauffeur. J'espère que nous n'aurons pas à nous en servir. »

D'humeur sombre, ils arrivèrent enfin au Palais. Là, tout paraissait en paix dans le royaume de la Vallée du Nil. La garde en uniformes rutilants, avec les fourragères, formait une haie d'honneur devant le portail. Dès l'entrée, on reconnaissait la haute stature de Haïdar Pacha, en grand uniforme, et sa face noirâtre au-dessus. Quelques pas plus loin, on reconnaissait le roi, également en grand uniforme, le visage épanoui et serrant les mains des premiers officiers qui lui étaient présentés.

« Quel est en réalité l'objet de ce déjeuner ? questionna l'un des officiers qui étaient arrivés avec Ismaïl, alors qu'ils faisaient la queue pour serrer la pogne du monarque.

— Officiellement, la naissance de l'héritier. En réalité, s'assurer la fidélité de l'armée et la brandir contre le Wafd comme un revolver », répondit Ismaïl à voix basse.

Quelques minutes plus tard, il arriva devant Farouk qui, l'ayant reconnu, lui adressa un sourire rapide.

Ils écoutèrent un discours de Haïdar Pacha sur l'unité indéfectible de l'armée et du trône et blablabla. Puis un autre du roi sur l'armée, qui représentait la force du royaume de l'Égypte et du Soudan à la conquête de l'avenir et blablabla. Trente tables de vingt couverts avaient été dressées dans le vaste hall du Palais. Ismaïl et les officiers venus de Matarieh s'arrangèrent pour se retrouver ensemble. Ils entamaient le plat principal, de la dinde rôtie, quand, on ne savait comment, un message, un simple bout de papier plié en quatre, parvint à l'un des officiers. Après l'avoir lu, il le glissa discrètement à son voisin, lequel le remit de la même manière à son voisin. En cinq minutes le message avait fait le tour de la table. Il était laconique : « Le Caire brûle. Des centaines de morts. » Il passa à la table voisine.

Ismaïl chercha du regard Haïdar Pacha, assis à la table royale. Il riait. En revanche, un changement net s'était produit dans l'atmosphère. Attitudes et expressions s'étaient assombries. Plusieurs officiers posèrent leurs couverts, l'appétit coupé. Ismaïl saisit le regard de Khaled Mohieddine et se massa le menton, geste arabe qui indiquait la perplexité autant que le danger. C'était le seul signe d'intelligence possible.

Il était près de trois heures quand le déjeuner s'acheva. Les officiers quittèrent le Palais et Khaled et Ismaïl montèrent dans la même voiture. Khaled donna l'ordre au chauffeur de faire un tour en ville. Le chauffeur leur lança un regard sceptique dans le rétroviseur et se mit en route. Et là, tandis que la voiture se frayait difficilement un chemin parmi les rues encombrées de badauds et d'émeutiers, ils prirent la mesure du désastre. On eût dit que Le Caire avait été bombardé. Des rues entières n'étaient plus que ruines.

Mohieddine commença à s'agiter. Ismaïl lui saisit le bras et lui lança un regard d'avertissement, indiquant le chauffeur d'un mouvement imperceptible du menton. Il pouvait appartenir à la police militaire.

De retour à la caserne et quand ils furent hors de portée des oreilles indiscrètes, Ismaïl dit à Mohieddine :

« Voilà, la première initiative a été prise. On nous facilite l'action. »

Mais Mohieddine paraissait bien sombre.

« Pourquoi n'intervenons-nous donc pas ? s'indigna-t-il.

— Tu sais bien que l'armée est de fait sous les ordres du roi, répondit Ismaïl. Farouk va laisser Le Caire brûler pour démontrer au pays tout entier que Serageddine est un incapable et limoger tout le cabinet du Wafd. »

Serageddine, le gros Fouad Serageddine, était le ministre de l'Intérieur et le chef de fait du Wafd, le parti dominant, hostile au roi et exécré de celui-ci. Pour le roi, c'était l'occasion rêvée de le discréditer.

Ismaïl téléphona à son père, dont la voix paraissait accablée. Non, Zamalek n'avait pas été touché. Ils en parleraient plus tard. Évidemment, les téléphones étaient écoutés.

Des ordres attendaient les officiers : ils devaient se tenir prêts à intervenir en ville. L'ordre de mission n'arriva en fait qu'à quatre heures trente. Et les rares auto-mitrailleuses qui entrèrent en action ne le firent que vers six heures du soir, alors que Le Caire avait déjà été détruit.

Loutfi avait pris rendez-vous la veille avec Nadia chez Groppi, le grand café de style Art Déco, place Adly Pacha, où se retrouvait le Tout-Caire élégant. Ils pourraient y déjeuner d'un sandwich et d'une bière. Après quoi, lui avait annoncé Nadia, elle irait prendre le thé avec sa sœur au Shepheard's. Mais peu avant neuf heures, le propriétaire du café du rez-de-chaussée, Mahmoud el Ma'amour, au fils duquel il servait de mentor, monta frapper à sa porte et lui dit, l'air grave :

« Je crois qu'il serait plus prudent que tu disparaisses aujourd'hui de la circulation. Ne m'en demande pas plus, je t'en prie. »

Loutfi fut abasourdi.

« Aujourd'hui seulement ? Mais qu'est-ce qui se passe ?

— Demain, avant de revenir, téléphone à Taratir. Voilà son numéro. » Et il tendit un bout de papier.

« Enfin, Mahmoud, tu peux quand même m'éclairer un peu, au moins ! s'écria Loutfi.

— Les Frères », répondit Mahmoud el Ma'amour, laconique.

Ils se regardèrent un moment, sans mot dire. Loutfi comprit. La tragédie des Boulouk Nizam d'Ismaïlia, cinquante morts au moins et cent blessés, avait déclenché une fièvre nationaliste que les Frères Musulmans allaient faire mousser. Ceux-ci allaient organiser des manifestations et probablement déclencher des émeutes. Si Mahmoud lui conseillait de disparaître, c'est que les Frères Musulmans comptaient profiter de l'occasion pour organiser une chasse aux « éléments infidèles », dont ceux qui étaient marxistes ou passaient pour l'être. Loutfi hocha la tête.

Dix minutes plus tard, il était assis sur l'une des banquettes de bois du tramway qui menait à l'Ezbékieh, espérant pouvoir quand même rejoindre Nadia et, le cas échéant, trouver asile chez l'un de leurs amis, Louis Hanafi, par exemple. Il observa la rue, et elle lui parut nerveuse, en effet. Il s'inquiéta pour Nadia ; parviendrait-elle à gagner sans encombre la place Adly Pacha ? Il s'inquiéta ensuite pour lui-même : pourrait-il rentrer chez lui le lendemain ? L'Égypte était volatile ; d'un instant l'autre, les humeurs flambaient comme de l'étoupe imprégnée d'essence. Une simple manifestation de trois douzaines d'agités pouvait tourner à l'émeute et s'enfler de la résistance qu'elle rencontrait, réunissant alors des milliers de gens, ou bien elle pouvait arriver essoufflée au bout de la rue et finir dans un soupir, comme une vesse. Il tenta de se représenter ce que serait une insurrection des Frères Musulmans et se refusa d'abord à prendre l'hypothèse au sérieux. Le Palais, l'armée, le

Wafd et la majorité de la population l'étoufferaient en peu de temps. Comme tous les extrémistes, en effet, les Frères Musulmans étaient minoritaires. Néanmoins anxieux, il s'efforçait de maîtriser ses alarmes. Car même si les Frères Musulmans ne parvenaient pas à déclencher une révolution, La Révolution, il devinait trop bien qu'en raison des événements d'Ismaïlia la situation était plus grave qu'il voulait bien le reconnaître.

Faute d'informations, son humeur fluctuait d'un instant l'autre. Arrivé à l'Ezbékieh, il décida d'aller à pied jusqu'à la place de l'Opéra. Là, il téléphonerait à Louis ou bien à Alexi Yacoub, afin de leur demander asile pour la nuit. Il lui restait une bonne heure avant le rendez-vous avec Nadia.

Il y arriva au moment où le cabaret *Badia* flambait.

Comme le tremblement de terre, l'inondation, la foudre, tout incendie déclenche dans l'être humain l'instinct primal de la peur. Sa première pensée devant les flammes qui dévorent un bâtiment, même si ce n'est pas le sien, est que son territoire va être détruit. Une bande de cinquante ou soixante émeutiers avait investi le quartier. Il était évident de loin qu'ils étaient saisis par une agitation frénétique, et sans doute drogués. Ils couraient, criaient, levaient les bras, et les bras étaient armés de bâtons ou bien brandissaient des bouteilles. Les cocktails Molotov mentionnés par Mahmoud el Ma'amour.

« Que fait donc la police ? Et l'armée ? » se demanda-t-il. Mais il devinait les réponses à ses questions : ni l'une ni l'autre n'avaient reçu l'autorisation d'intervenir. Pourquoi ? Impéritie du ministre de l'Intérieur, ou bien plutôt calcul : ce dernier pouvait bien avoir imaginé que les incendies effraieraient le roi et l'amèneraient ainsi à résipiscence. Mais l'armée ? Elle pouvait être l'instrument d'un calcul symétrique de Farouk : en l'empêchant d'intervenir et en laissant Le Caire brûler, le roi démontrerait publiquement que le ministre de l'Intérieur avait failli à son devoir.

Pendant qu'il réfléchissait, la foule courut au cinéma *Rivoli*, à quelques centaines de mètres de *Badia*. De loin,

Loutfi assista au choc entre les émeutiers et le public qui assistait à la séance du matin et qui tentait de s'enfuir, mais que les émeutiers bâtonnaient avec fureur. Dix minutes plus tard, les fumées annonciatrices de l'incendie s'échappèrent du cinéma. Un peu plus tard, le cinéma Rivoli n'était plus qu'un brasier.

Il devait en être ainsi dans toute la ville. Comment donc Nadia pourrait-elle circuler ? Loutfi s'affola. Il pressa le pas dans la direction de la place Adly Pacha. Il y arrivait à peine que Groppi était à son tour investi par les émeutiers. Il consulta sa montre : midi et quart. Il trembla que Nadia fût arrivée en avance et eût été piégée à l'intérieur de l'établissement. Il parcourut la place du regard et ne reconnut dans les paquets de gens qui couraient de çà, de là, aucune silhouette qui pût ressembler à celle de Nadia. Il ne pouvait plus téléphoner nulle part. Les magasins qui n'avaient pas été incendiés avaient baissé leurs rideaux de fer. Dévoré par l'angoisse, il décida de se rendre alors à pied chez Louis Hanafi.

Il marcha un temps qui lui parut infini. En dépit du temps frais, il était en eau, assoiffé. Une voûte de fumée noire, alimentée par des centaines d'incendies, recouvrait la plus grande partie de la ville et s'étendait au-dessus du Nil. Partout l'air empestait l'odeur âcre de brûlé. Quand il parvint à la maison des Hanafi, l'autre rive du Nil évoquait des images de guerre. Des dizaines de colonnes de fumée charriant des brandons enflammés montaient dans l'air et, là-haut, formaient de vastes panaches noirs, pareils à ces plumets funèbres dont on garnissait les corbillards.

« Loutfi ! » s'écria Louis Hanafi en lui ouvrant la porte.

Hagard, presque spectral, Loutfi titubait au seuil de la porte.

« Entre ! »

Une fois assis, il fondit en larmes. Il ne se rasséréna que lorsque Fatma el Entezami lui apprit que Nadia avait téléphoné pour savoir si l'on avait des nouvelles de lui.

Nadia était saine et sauve chez des amis, mais elle semblait éprouvée.

Mais que serait donc la suite de cette effroyable journée ?

II

DES GRAINES DANS LE VENT

1

Un enfant ! Un enfant !

Soussou ouvrit les yeux sur une aube grise qui peignait de désolation le canapé sur lequel elle s'était endormie, les meubles sombres et les murs qui, en d'autres temps, eussent paru verts. Elle reconnut la salle d'attente du Dr Bahgat Mahgoub. Elle frissonna et consulta sa montre : 5 h 10 du matin. La secrétaire de son défunt mari, le maharaja de Calancore, ronflait avec conviction dans un fauteuil dédoré, la tête penchée sur le côté ; presque une agonisante. Elle évoqua les événements de la veille. Le maharaja avait donc péri dans un bûcher imprévu de l'histoire de son pays. Le regard plus charbonneux que d'habitude, pareille à une momie du Fayoum qui serait revenue à la vie, elle médita un moment sur ce destin passablement grotesque et le sien. Le maharaja était mort pour sauver des bijoux et pis encore, des bijoux qui étaient déjà en sécurité. Puis elle perçut des voix et des bruits de casseroles, s'empara du sac noir qu'elle avait glissé sous le canapé avant de s'endormir et se dirigea vers cette source de vie ; c'était la cuisine, où le Dr Mahgoub et sa femme Blanche, tous deux en chemises de nuit et savates, les traits tirés, se trouvaient déjà, préparant une collation.

« Tu ne pars pas ? » demanda Blanche Mahgoub, alarmée par son apparition, pareille à celle de l'héroïne de *Lucia di Lamermoor* dans la scène de la folie, un succès garanti au défunt Opéra du Caire.

Les rues ne devaient pas être encore sûres, en effet.

« Pas tout de suite, répondit-elle.

— Tu ne trouverais de toute façon ni taxis, ni tramways, ni métro. Assieds-toi, dit le Dr Mahgoub, s'affairant devant l'antique cuisinière à charbon. Thé ou café ?

— Café, s'il te plaît. »

La scène évoqua pour Soussou ce qu'elle imaginait de la vie des chrétiens dans les Catacombes de la Rome antique, du moins d'après le film qu'elle avait vu dans son enfance, *Quo Vadis ?*

« Ta secrétaire ?... s'enquit Blanche Mahgoub.

— Elle dort. Laisse-la dormir. Elle va se remettre à crier et pleurer quand elle se réveillera.

— Il semble que la moitié du Caire ait brûlé, dit le Dr Mahgoub.

— La moitié du Caire ? s'écria Soussou, effrayée.

— C'est ce que nous a rapporté tout à l'heure notre voisin, qui travaille dans la police. Près de cinq cents immeubles, des cinémas, des hôtels... »

Sur ces propos sinistres, il posa devant Soussou une tasse de café et un sucrier, son épouse poussa vers la jeune femme un plat garni de petits gâteaux poudrés de sucre. Elle gardait son regard posé sur Soussou, lourd d'une interrogation qui n'était que trop évidente.

« Ton mari ?... finit-elle par demander.

— Mort. Mort. Mort. »

Soussou contempla la tasse de café et reprit :

« Il était monté chercher la malle à bijoux, il ne m'a pas entendue quand je lui ai crié de revenir, que j'avais les bijoux... L'escalier s'est écroulé sur lui.

— Les bijoux étaient-ils tellement importants ? questionna Blanche Mahgoub.

— Il y avait là près de la moitié des joyaux de la famille », expliqua Soussou.

Blanche Mahgoub laissa son regard couler vers le sac noir que Soussou avait posé par terre.

« Les bijoux étaient avec moi, expliqua encore Soussou après avoir bu une longue gorgée de café.

— Ça fait beaucoup ? interrogea naïvement l'épouse du docteur.

— Il y en a ici pour près de cinq millions.

— Cinq millions ! » ne put s'empêcher de répéter Blanche Mahgoub.

Elle ne chercha pas à voir à quoi pouvait ressembler, matériellement pareille fortune. C'était sans doute par prudence. Elle avait déjà subi assez d'émotions.

« Héliopolis ? demanda Soussou.

— Apparemment, ils n'y ont presque pas touché. »

Soussou hocha la tête. La Villa Arsinoë était donc encore debout. Elle acheva sa tasse de café et mordit dans un des petits gâteaux devant elle. Bahgat Mahgoub s'empressa de regarnir sa tasse.

« Je peux te voir un moment en privé ? lui demanda-t-elle.

— Maintenant ? »

Elle hocha la tête.

« Emporte ta tasse », dit-il en se levant et tenant lui-même à la main son verre de thé noir. Il la précéda dans son cabinet, d'un pas auquel les pantoufles prêtaient un dandinement de jars, spécifiquement oriental. Puis il s'assit derrière son bureau et la considéra d'un œil soucieux.

« Tu es mon parrain et tu as toujours été bon pour moi, dit-elle. Ce dont je vais te parler est pour moi d'une extrême importance. Connais-tu un homme sain qui soit de groupe sanguin zéro ? »

Il fronça les sourcils.

« C'est pour une transfusion ?

— Non. »

Seuls les yeux du Dr Mahgoub bougèrent dans le cabinet. Et encore : à peine un battement de cils. Avait-il compris ? Il mit, en effet, bien plus de temps qu'il n'eût fallu pour répondre à cette question apparemment anodine.

« J'ai quarante-huit heures au plus pour être encein-te », dit-elle.

Le médecin reconstitua mentalement les pièces manquantes de l'énigme que venait de lui soumettre sa filleule.

Un moment passa.

« N'importe qui, Soussou ? demanda-t-il avec affliction.

— N'importe qui », déclara-t-elle avec force.

Il soupira.

« Je suppose que le moment s'y prête ?... »

Elle hocha la tête.

« Parce que tu dois partir pour l'Inde dans trois jours ? »

Elle hocha la tête derechef.

« Et n'importe quel homme de groupe sanguin zéro ferait ton affaire ? »

Et comme elle lui répondait d'un nouveau signe de tête, il soupira de nouveau et réfléchit un moment. « Comme tu peux l'imaginer, dit-il, je ne connais pas le groupe sanguin de tous les gens autour de moi. Mais je connais celui de Labib.

— Labib ?

— Le plus jeune de nos domestiques. C'est un gar-çon sain et vigoureux. Je connais son groupe sanguin parce que j'ai dû l'établir avant de le faire opérer de l'ap-pendicite. »

Un long silence suivit.

L'un et l'autre soupesèrent la situation : la maharani de Calancore devait donc se faire engrosser d'urgence par un domestique. L'absurdité excluait tout commen-taire.

« Je ne connais personne d'autre. C'est un groupe sanguin plutôt rare, dit le Dr Mahgoub.

— Et comment fera-t-on ?

— Il y a une salle d'eau sur la terrasse, dit lentement le Dr Mahgoub. C'est celle où Blanche fait faire la lessive le lundi. Mais nous sommes dimanche. »

Soussou ne voyait toujours pas où son parrain voulait en venir.

« Tu iras tout à l'heure te laver plus haut, reprit le Dr Mahgoub. J'enverrai Labib me chercher une valise dans la pièce à côté, celle qui nous sert de débarras. »

Elle cligna les yeux, ne comprenant toujours pas.

« La porte de la salle d'eau ferme mal. Il te verra. Je ne peux pas faire plus, Soussou. »

Elle hocha encore la tête.

« Mais il ne faut pas qu'il te voie avec un sari, si tu veux mon avis.

— Je n'ai rien d'autre. »

Il se leva, passa dans une pièce voisine et revint un moment plus tard portant à bras tendu une sinistre petite robe noire, sans doute une de celles de sa femme.

« Mets-la tout de suite. »

Il tendit à Soussou une serviette, un savon et un carré de loufah.

« Pars tout de suite après, sans repasser par ici. Que dois-je dire à ta secrétaire ?

— Qu'elle aille dès qu'elle le pourra à la Villa Arsinoë, où je la rejoindrai. Et si... Labib me demande qui je suis ?

— Dis-lui que tu es une bonne que je vais prendre à mon service. »

Elle se défit de son sari, le fourra dans le sac noir et enfila la robe noire, qui lui donnait vraiment l'air d'une boniche. Le Dr Mahgoub la conduisit à l'escalier de service, sous le regard intrigué de son épouse. Elle se retrouva parmi des poubelles, sur le palier d'un escalier de fer que dévala précipitamment un chat roux.

La terrasse était jonchée de débris de papier brûlé que les incendies avaient dispersés dans l'air du Caire. Le ciel était clair. Soussou jeta un regard circulaire. Une brume roussâtre flottait encore au-dessus des bâtiments, dans la lumière argentée du matin. Çà et là, des ruines fumaient encore. Mais elle n'avait pas de temps à perdre en inventaires du désastre. Six chambres s'alignaient sur la terrasse, et toutes les portes en étaient verrouillées, sauf une, et c'était bien celle de la buanderie. De toute façon, quelques ablutions seraient bienvenues. Un WC à la turque était installé dans un coin, sur le sol carrelé, et un gros robinet surplombait une bouche de vidange ; elle l'ouvrit et l'eau crépita bruyamment sur les carreaux, d'une façon que Soussou ne put s'empêcher de trouver vulgaire. Elle mit son sac à l'abri sur un banc, se défit de son horrible robe et l'accrocha à un clou, puis pendit ses sous-vêtements à un autre clou. Une fois nue, elle commença de se savonner les pieds, puis les jambes, frissonnant au contact de l'eau froide. « Cinq millions et se laver comme une boniche ! » marmonna-t-elle. Quand elle en fut aux cuisses et au bas-ventre, elle ne put se retenir et urina abondamment, gémissant de soulagement, comme si elle se libérait d'un poison. Et elle se demanda si le nommé Labib viendrait. À quoi ressemblerait-il ? Et remplirait-il le rôle qui lui était assigné ? Soudain le plan du Dr Mahgoub parut tissé de folie. Mais elle n'avait pas le choix. Elle se savonna les seins en se remémorant le commentaire de son époux défunt le soir de leur nuit de noces : « Des seins de petite fille. » Elle frissonna une fois de plus au souvenir de ce gros corps mou et plein de fossettes, comme celui d'un bébé monstrueux. Et le désastre sexuel, l'incapacité d'érection au terme d'une séance pourtant harassante, où cette masse de chairs impotentes et flaccides l'avait écrasée à lui couper le souffle... Elle commença à se rincer en se servant du revers de la loufah.

Ce fut en se penchant pour saisir le savon qu'elle perçut un grincement. La porte. Elle se retourna. Un jeune homme en *galabieh* et au crâne tondu l'épiait par l'entrebâillement. Pommettes hautes, nez busqué, presque la tête de Nefertiti en masculin. Et cette forme caractéristique du crâne, ramassé et bossué comme un caillou : un Copte. Elle en éprouva un soulagement. Au moins elle n'aurait pas trahi sa race. Sous la *galabieh*, pourtant ample, l'érection devenait rapidement évidente. Le nommé Labib paraissait aussi angoissé qu'elle. Peut-être était-il puceau. Ils se firent face un instant. Non, elle en était consciente, elle n'avait pas l'attitude d'une vierge effarouchée, et elle contrôlait instinctivement ses gestes, afin de ne pas l'effaroucher non plus. Elle soutenait son regard. Une esquisse de sourire tendit la bouche, petite, rouge, presque féminine. Il ouvrit la porte et fit un pas en avant.

« Ferme la porte, dit-elle. J'ai froid. »

Il demeura interdit, ne sachant comment interpréter l'ordre. Il se retourna pour tirer la porte autant que possible et porta la main à son érection, désormais patente, dans ce geste que Soussou avait tant de fois surpris à la dérobée chez les Égyptiens. Puis il fit un autre pas dans la direction de Soussou. Regard en feu, angoisse et désir fou.

« Tu veux ?... » chuchota-t-il.

Elle ne répondit pas, dominant sa frayeur. S'il était puceau, elle était, elle, vierge. Il avança encore et elle perçut son haleine et le parfum du thé noir qu'il venait sans doute de boire. Il tendit la main vers un sein et murmura : « Mon Dieu... » *Ya Rab*. La main saisit le sein tout entier, avec force, mais sans violence. Elle trouva le garçon pathétique. Soudain, il la serra contre lui. Elle sentit cette chose dure contre son ventre.

« Qu'est-ce que tu comptes faire, tout habillé ? » lui demanda-t-elle de son accent le plus populaire.

Il se débarrassa en un tournemain de sa *galabieh* et de ses caleçons. Elle indiqua le gilet de corps ; il s'en défit également, mais comme à regret. Elle considéra le corps maigre et lisse. Il lui saisit le bas du ventre, ce qui accentua son érection. Il haletait et, quand il tenta de la pénétrer, adossée au mur, il étouffa un cri.

« Mais tu es vierge ! » souffla-t-il, ce qui dut lui paraître un honneur extraordinaire, celui dont rêvait tout Égyptien. Elle le fixait du regard. Elle aussi étouffa un cri. La blessure lui parut insupportable et elle se mordit les lèvres. Il était désormais en elle, la soutenant par les fesses contre les carreaux froids du mur et, dans l'effroi et le vertige, elle lui trouva un regard d'enfant affolé. Elle lui saisit les épaules. Un cri, non, un feulement, il avait déjà joui, mais il ne se retirait pas. Tout à la fureur du sexe, planté sur ses jambes dont l'effort dessinait chaque muscle, il avait à peine ralenti le mouvement de ses reins, il tentait de retrouver la jouissance inouïe qu'il avait ressentie. Le premier orgasme de sa vie secoua alors Soussou comme une maladie explosive. Elle serra contre elle le corps lisse et moite. Il gémissait, elle éprouva presque le désir de le consoler. Oui, c'était évident, il était vierge lui aussi, secoué par l'orage de la sexualité accomplie. Quelques minutes plus tard, il éjacula une autre fois, râlant, secouant ce corps de femme dans une convulsion de fierté et de panique. Il l'étreignit comme s'il voulait l'ouvrir avec son sexe. Elle le repoussa doucement. Il s'adossa au mur, les yeux noyés, tenant son sexe sanglant, aspirant avidement l'air, un électrocuté qui aurait survécu à la chaise électrique. Puis il s'agenouilla pour se laver le sexe et se releva.

« Comment t'appelles-tu ?

— Soad. Et toi ? »

Il ne répondit pas.

« Tu étais vierge », dit-il, levant vers elle un regard éperdu, extatique, énamouré.

Et soudain il la prit dans ses bras et l'embrassa avec passion et maladresse, et ce fut le premier homme que Soussou embrassa aussi dans sa vie.

« Je veux te revoir ! dit-il.

— Plus tard, répondit-elle. Maintenant, va-t'en et laisse-moi me laver.

— Où habites-tu ?

— Le Dr Mahgoub en décidera tout à l'heure. »

Il hocha la tête.

« Je m'appelle Labib. Je travaille aussi pour lui. » Il se rhabilla. « Je n'imaginais pas... il s'exprimait avec exaltation. Je n'imaginais pas que c'était aussi fort ! »

Elle le poussa vers la porte, puis, s'étant assurée

qu'il était redescendu, elle acheva de se rincer, se rhabilla et dévala l'escalier de service, le sac noir toujours
au poing. Elle se retrouva rue Fouad. Quelques taxis
avaient recommencé à circuler ; elle en héla un et lui
donna l'adresse de ce qui avait jadis été sa maison familiale à Héliopolis.

Un enfant ! Un enfant ! se dit-elle passionnément en
se rencognant dans le taxi qui filait dans les rues bordées de ruines, un tacot plein d'espoir traversant un paysage de mort. Renaître ! se dit-elle tandis que les
moignons noircis de ce qui avait jadis été sa ville défilaient derrière les vitres.

2

Conversation déplaisante dans un palais

Soussou avait, dès l'enfance, associé les fumées de l'encens aux cérémonies religieuses. Mais elle n'en concevait aucune nostalgie : les rites coptes lui avaient toujours paru interminables et sinistres. Baptêmes, enterrements ou mariages, ces vapeurs empestaient de manière indélébile des repas et des péroraisons assommantes sur les épreuves qui attendaient l'âme du nouveau-né dans cette vallée de larmes et les félicités promises à celle du défunt dans l'au-delà, ou bien sur la sainteté christique des liens du mariage, sujets dont elle était peu convaincue et encore moins friande. Depuis ses premières lectures, elle s'était convaincue qu'elle était sur la terre pour en jouir autant que faire se pût. Quant à la sainteté des liens du mariage, le spectacle du couple pathétique qu'avaient formé ses parents et sa propre et brève expérience matrimoniale l'avaient persuadée que c'était sans doute l'un des mensonges les plus fétides des religions, pourtant fertiles en fabrications. Elle préférait évoquer les rêveries libidineuses que lui inspiraient jadis les servants de messe, gauches et duveteux, alors qu'ils balançaient leurs encensoirs dans un bruit de ferraille, comme pour désinfecter la populace.

Or, là, elle était contrainte de supporter ces mêmes fumées dans un décor différent, bien qu'aussi lourd, celui du palais ancestral des princes de Calancore. Deux cassolettes de part et d'autre de la grande porte-fenêtre qui ouvrait sur les jardins dégageaient les mêmes volutes âcres et bleuâtres que celles des encensoirs de jadis. Sans servants de messe coptes à observer. Mais aussi, elle avait d'emblée trouvé le palais funèbre, avec ses boiseries d'acajou sépulcrales et ses cataractes de tentures de soie à franges, glands et passementeries.

Elles étaient trois femmes dans la pièce, buvant du thé dans la chaleur humide de l'après-midi de Calancore, la maharani mère, Soussou et l'infortunée secrétaire qui l'avait suivie dans la fuite du Shepheard's, un peu plus de trois mois plus tôt.

« Quand j'y repense, c'est terrible ! gémit la maharani mère d'une voix caverneuse, avec son visage de rogomme penché sur la tasse.

— Il n'y a pas d'autre mot, renchérit Soussou.

— Et je ne peux m'empêcher d'y penser !

— Moi aussi, dit la secrétaire en reniflant.

— Et l'on n'a rien, rien retrouvé ! se lamenta la maharani mère.

— L'ambassadeur de l'Inde m'a assuré qu'on avait fait tout ce qui était possible, dit Soussou pour la quatrième ou cinquième fois depuis un mois qu'elle était revenue à Calancore.

— Nous pourrions faire un bûcher symbolique », suggéra la maharani.

Un bûcher symbolique ! songea Soussou. Comme s'il n'y avait pas eu assez de cendres ! Le catafalque vide dressé dans le hall d'entrée du palais ne suffisait-il pas ?

« Sri Vanesram Singh ne semblait pas considérer que c'était essentiel à la mémoire du défunt », dit-elle.

La maharani mère médita sur ce point avec un mécontentement visible. Sri Vanesram Singh, vieillard porté sur la philosophie, passait pour le réservoir des coutumes de Calancore ; il faisait autorité. Mais à l'évidence, la maharani souhaitait commémorer de façon

éclatante la mort de son fils et Soussou en savait la raison. La fin de la lignée de Vindra ferait de son neveu
l'héritier de la fortune familiale, et ce neveu, un insupportable bavard fat et gominé, était le favori de la maharani mère. Laquelle se resservit de thé d'un air
sourcilleux, la bouche pincée par des projets de mani-
gances, et posa dans l'assiette devant elle un biscuit au
gingembre.

« Et les bijoux ? s'écria-t-elle, comme si elle avait
oublié qu'elle avait déjà posé la question plusieurs fois
déjà.

— Ils sont, je vous l'ai dit, dans un coffre de la
National Bank au Caire, répondit Soussou.

— Je ne comprends toujours pas pourquoi vous ne
les avez pas rapportés ici.

— Je ne vois pas de raison de les faire voyager sans
cesse, redit Soussou. De plus ils me reviennent », ajouta-
t-elle cette fois.

La maharani mère posa sa tasse sur la soucoupe
avec une telle brusquerie qu'on eût pu craindre qu'elle
cassât l'une ou l'autre.

« Ils ne vous reviendraient que si vous aviez donné
un héritier à Vindra ! Ce qui n'est pas le cas ! clama-
t-elle, dépouillant d'un coup ses mines éplorées.

— Ce qui est le cas », rétorqua Soussou avec détachement.

L'autre en demeura muette de surprise, puis d'indignation.

« Qu'est-ce que vous dites ? demanda-t-elle d'une
voix rauque.

— Je dis, chère belle-mère, que je suis enceinte des
œuvres de Vindra.

— Mais ce n'est pas possible ! »

Soussou éclata de rire et se resservit de thé à son
tour.

« Je pense que je suis plus à même que vous d'en
juger », dit-elle.

La maharani mère tendit son cou vers Soussou, le
masque crispé, une de ces chimères monstrueuses

qu'on voyait dans les temples, et ordonna à la secrétaire de les laisser.

« Mais mon fils était impuissant et vous le savez ! cria-t-elle. Vos prétentions de grossesse ne sont qu'un stratagème pour capter la fortune de Vindra !

— Je pourrais vous répondre que votre obstination à prétendre que Vindra était impuissant était elle-même un stratagème pour capter cette fortune, répliqua Soussou.

— Un scandale ! cria la maharani mère. Vous m'insultez ! »

Soussou la considéra froidement et, même, insolemment.

« Vous avez prétendu, princesse, dès avant le mariage, que Vindra était impuissant, afin de décourager toute intimité sexuelle entre lui et moi. Vous l'aviez même persuadé, ce qui est extraordinaire, que le diabète l'avait rendu impuissant. Mais le diabète ne rend pas obligatoirement impuissant. La preuve. Un peu de féminité et de confiance a fait de lui un père. »

Comme son teint basané lui interdisait d'être livide, la maharani mère devint terreuse.

« Comment avez-vous fait ? siffla-t-elle. Vous avez pris un amant ? C'est ça, vous vous êtes fait engrosser par un amant ! Mais quand l'enfant naîtra, je ferai faire une recherche de groupe sanguin ! Le groupe sanguin, ah ! Ça, vous n'y aviez pas pensé ! Je démontrerai publiquement votre infidélité, votre duplicité, votre... En attendant, j'exige que vous rapportiez les bijoux à Calancore !

— Vous n'avez rien à exiger, répondit Soussou sans se départir de son calme. Vous pourrez faire toutes les recherches de paternité que vous voudrez. Et les bijoux sont ma propriété selon la loi. Ne tentez aucune manœuvre imprudente, sans quoi je prendrai pour me défendre toutes les mesures juridiques qui me sont consenties par la loi. Mais en attendant, belle-mère, préparez-vous à l'amère vérité. À la naissance de mon enfant, la moitié des bijoux qui restent seront ma propriété. Bien d'autres en plus de ceux qui sont en sécurité à la National Bank. »

La maharani mère poussa un rugissement de dragon.

« Le culot ! hurla-t-elle. Encore faudrait-il que votre enfant soit un garçon ! »

Soussou la regarda d'un air morne et désolé.

« Votre compagnie me déplaît, belle-mère », dit-elle en se levant.

Elle laissa la porte ouverte derrière elle et monta dans sa chambre. La secrétaire attendait, apeurée, dans l'antichambre ; sans doute avait-elle tout entendu.

« Venez », lui dit Soussou en se dirigeant vers sa chambre.

Le lendemain, elle quittait Calancore pour la Nouvelle-Delhi. Et deux jours plus tard, la Nouvelle-Delhi pour Le Caire. De là, elle prit l'*Atlantic* pour la France. Descendue à Cannes, elle gagna aussitôt Monte-Carlo et s'installa à l'Hôtel de Paris.

« Je n'ai pas de chance avec les parents », songea-t-elle, le premier soir sur la terrasse, en compagnie de sa secrétaire, contemplant, derrière les baies du bar, la Méditerranée qui noircissait sous les lumières. On l'avait toujours traitée comme une possession, l'esclave à laquelle on dicterait les volontés du clan.

Elle secoua la tête.

« Pas à moi ! Non, plus à moi. »

Elle ne quitta Monte-Carlo que pour une semaine, quand un télégramme de Nadia l'informa que leur mère avait rendu l'âme. Depuis plusieurs mois, l'infortunée Grace ne parlait plus guère et passait ses journées assise dans un fauteuil, près de la fenêtre ; elle avait perdu une de ces batailles que livrent les parents possessifs et auprès desquelles les combats de Don Quichotte contre des moulins à vent sont des aventures bien plus épiques. La famille, cette fois-là, se contenta de quelques coups de téléphone en guise de condoléances. Soussou loua pour sa sœur un petit appartement rue Kasr el Nil, mit la Villa Arsinoë en vente et fit organiser par un avocat le versement du produit de la vente au compte bancaire de Nadia.

Elle invita un soir Nadia et Loutfi el Istambouli à dîner ; il la laissa perplexe ; quel homme était-ce là qui se contentait d'un petit poste de fonctionnaire et ne semblait guère désirer davantage ? Et quel avenir réserverait-il à Nadia ?

3

16 octobre 1953 : la protection d'Isis

« *You will please get out of this house at once. Pack up your belongings if you have any and leave !* »

L'ordre avait été donné sur un ton froid et méprisant. *Veuillez quitter tout de suite cette maison. Prenez vos effets si vous en avez et allez-vous-en.* Siegfried, encore en robe de chambre, car l'heure était matinale, dévisagea la femme qui venait de parler. La cinquantaine, une blondeur acide et une élégance compassée – ce vaste béret bleu pâle posé sur l'oreille, dans une parodie des couvre-chefs fameux de la reine mère ! –, elle visait visiblement à se donner les airs d'une justicière boutant l'étranger hors des foyers chrétiens. Elle avait dû être informée de l'existence de Siegfried, un petit Oriental, un de ces êtres pervers qui étreignaient des proies sans défense dans les tentacules de la sexualité, un aventurier, un voleur sans doute...

Siegfried vit sa poitrine se soulever d'indignation contenue. Un homme se tenait près d'elle, flegmatique et glacial, la main sur le manche de son parapluie comme un chevalier serrant le pommeau de son épée. Sans doute Bushgrass, le mari d'Elizabeth, sœur de Margaret

Hartnell. Siegfried n'éprouvait aucun désir de discuter quoi que ce fût avec eux ; Margaret en avait tracé des portraits suffisamment repoussants. Et ce n'était pas à une virago de cette farine ni à son empaillé de mari qu'il allait déclarer qu'il n'avait nulle part où aller et qu'il était virtuellement seul au monde.

Car Margaret était morte quelque deux heures auparavant. Siegfried avait entendu un grand bruit à la salle de bains et, étant allé s'enquérir de sa cause, avait trouvé l'actrice étalée par terre, sans connaissance, devant la cuvette des WC. C'était la fin de treize mois d'existence commune dans la maison de Margaret Hartnell, à Egerton Gardens.

« Margaret ? Margaret ? » Il avait tenté de la relever, mais une fois inerte, le corps de l'actrice était trop lourd pour lui. Il avait appelé à l'aide Barbara, la cuisinière et gouvernante écossaise, et à eux deux, ils l'avaient portée sur son lit. Puis Barbara avait appelé le médecin, et celui-ci ayant constaté que Margaret Hartnell était morte d'un arrêt du cœur, il avait bien fallu appeler Elizabeth Bushgrass.

Dans l'intervalle, Siegfried était resté debout devant le lit de Margaret, prenant à la fois sa première leçon de ténèbres et sa première leçon sur l'indéchiffrable complexité des êtres humains. Cette dernière pesait d'un poids plus lourd. Margaret. Une vaste tendresse déçue dissimulée sous un fatras de vanités exaspérantes. Une mère manquée et une maîtresse soumise sous les apparences d'une folle poseuse.

Et ce regard ému, enchanté, quand, échappé d'Égypte, il lui avait téléphoné et qu'elle l'avait sur-le-champ prié d'accourir.

« Je suis au pub du coin de la rue.

— Sieg ! Mais qu'est-ce que tu fais ici ?

— Je me suis enfui d'Égypte. Je ne sais pas si tu es au courant...

— Au courant ! Mais j'ai tout lu avec horreur ! Ces sauvages ! Mais réponds-moi, qu'est-ce que tu fais au pub ?

« — Je ne voulais pas te déranger. J'ai préféré télé-phoner d'abord...

— Mais viens tout de suite ! Tout de suite ! »

L'enfant prodigue avait traîné ses deux lourdes valises jusqu'au 10, Egerton Gardens. Elle tua pour lui le veau gras. Elle croyait retrouver sa proie ; ce fut lui qui retrouva la sienne. La générosité est contagieuse : lui qui avait jusqu'alors été avare de son corps, il fut donné. Qu'était-ce qu'un corps, et surtout le sien, maigre comme une rame à pois, en échange d'un foyer ? Pendant treize mois, il se donna donc, avec abandon, et ils partagèrent des rires, pimentés de quelques querelles. Ils furent et se sentirent légers. Il fut heureux de lui avoir donné cela, tout ce qu'il possédait. Il ne lui avait pas donné assez. Il l'aima dans la mort plus que dans la vie.

Et maintenant, il fallait traiter avec l'affreuse Elizabeth Bushgrass.

À peine arrivée, elle avait demandé à se recueillir devant le corps de sa sœur, celle dont elle avait jadis clamé qu'elle était une histrionne dotée d'une moralité d'hyène. Dix minutes plus tard, elle était ressortie de la chambre pour expulser le métèque qui avait servi de concubin à sa sœur.

Siegfried se leva et quitta le salon où, la veille encore, lui et Margaret avaient reçu des amis pour fêter le nouveau rôle qu'elle tiendrait à la scène le mois suivant. Il prit une douche rapide, se coiffa, s'habilla et commença par ranger ses affaires de toilette dans une mallette. Puis, tandis qu'il tirait ses maigres effets de la penderie de sa chambre, car Margaret lui avait concédé d'avoir sa chambre, on frappa à la porte ; c'était Barbara, le visage tuméfié par l'émotion et les larmes de la matinée. Seize années au service de Margaret Hartnell l'avaient élevée au rang de membre de la famille.

« Ils m'ont envoyée vous surveiller, expliqua-t-elle, pour que vous ne preniez pas des choses qui ne vous appartiennent pas... Ils n'ont aucune décence, ces gens-là. Mme Hartnell les détestait. Ils vendront la maison et me licencieront, ils me jetteront comme une chienne à la rue... Mais je sais que vous avez été bon avec Mme Hartnell... Comme elle tenait à vous... Elle disait que vous étiez comme un cygne, un ange sur lequel la pluie sale passe sans laisser de traces... Moi, je vous dis : prenez tout ce que vous pouvez mettre dans la valise ! »

Il fut saisi par l'autorité avec laquelle elle avait dit ces mots, et il l'embrassa. Elle pleura. Mais que pouvait-il prendre ? Il n'y avait à l'étage ni tableaux, ni objets de prix, et il n'allait quand même pas décrocher des tableaux ou emporter des chandeliers au nez et à la barbe d'Elizabeth Bushgrass. Il n'y avait là qu'une statuette prétendument d'argent que Margaret avait achetée en Égypte et qu'elle l'avait autorisé à garder dans sa chambre, en souvenir de leur rencontre. Une statuette d'Isis, grande comme la main, qu'elle avait achetée au Khan Khalil, chez l'antiquaire Charles Eid, pour un prix absurde.

« Prenez-la ! » dit-elle en suivant son regard. Elle empoigna la statuette et la fourra dans la valise.

La statuette ne valait sans doute que quelques centaines de livres, mais le geste émut Siegfried.

« Je voudrais une photo de Margaret », dit-il.

Elle alla chercher dans la chambre de la défunte une photo dans un cadre d'argent et la mit également dans la valise. Il la rangea entre deux chemises.

« Il y a les bijoux, murmura-t-elle.

— Ils sont dans le coffre, Barbara. Vous ne voudriez pas avoir des histoires avec la police ! Et de toute façon, vous n'avez pas le chiffre du coffre. »

Elle le considéra d'un œil malin.

« Ils ne sont pas tous dans le coffre », répondit-elle.

Et elle sortit de la poche de son tablier la grande émeraude que Margaret Hartnell portait certains soirs, les soirs de lune bleue, disait-elle. Il en savait le prix, car Margaret le lui avait dit : huit mille livres.

« Où l'avez-vous trouvée ?

— Elle la mettait dans son nécessaire de toilette. Je l'ai prise. »

Il la considéra un moment, stupéfait que l'affection la plus pure ressemblât si souvent au vol. Elle lui tendit le bijou.

« Non, Barbara, dit-il au bout d'un moment, prenez-la vous. Achetez-vous une maison avec.

— Une maison ? répéta-t-elle, effarée.

— Elle vaut huit mille livres. Prenez-la et ne la vendez pas pour moins.

— Huit mille livres ! »

Elle fondit en larmes.

« J'ai bientôt fini, annonça-t-il.

— Je descends le leur dire. Dieu vous bénisse ! »

Ils s'embrassèrent de nouveau.

« Mais vous devez prendre ceci. Je l'exige. »

Elle lui mit de force dans la main une poignée de billets.

« C'est l'argent du ménage pour le mois, Sieg. Personne n'en aura plus besoin. Je sais que vous n'avez rien. »

Il le prit et elle claqua la porte. Il la rouvrit pour descendre, l'imperméable sur le bras, une mallette dans une main, la valise dans l'autre. Il trouva Elizabeth Bushgrass et son mari à l'étage. Elle le toisa.

« Où ma sœur conservait-elle ses bijoux ? demanda-t-elle à la cantonade, d'un ton impérieux.

— Dans le coffre de sa chambre, répondit Barbara.

— Et vous n'avez pas la combinaison, je suppose ?

— Non, madame.

— Et vous non plus, monsieur… ? s'enquit Elizabeth Bushgrass en s'adressant à Siegfried.

— Je n'avais aucune raison de connaître la combinaison du coffre de votre sœur », rétorqua-t-il sèchement. Et il descendit les premières marches de l'escalier.

« Où vous trouverais-je si besoin en était ? lança-t-elle du haut de l'escalier. Je ne connais même pas votre nom !

— Vous n'en aurez aucun besoin, madame Bushgrass ! répliqua Siegfried avec le maximum d'insolence dont il fût capable. Heureusement pour moi, nous ne sommes pas du même monde. Je ne fraie pas avec les croque-morts ! »

Et il claqua la porte sur les exclamations scandalisées des époux Bushgrass.

Il marcha jusqu'au pub d'où il avait téléphoné à Margaret le premier jour, non loin du Victoria and Albert Museum. Il s'assit, commanda des œufs aux saucisses et un pot de café noir, et réfléchit à sa situation. Il était au bout du rouleau. Deux conversations téléphoniques avec sa mère apeurée, au Caire, l'avaient dissuadé de jamais rentrer en Égypte. Chester Lamotte était à Karachi. Il ne connaissait quasiment personne à Londres, personne de fiable en tout cas, car une fois Margaret morte, il était ravalé au rang de comparse insignifiant d'une actrice morte et ses ambitions de décorateur devenaient risibles. Il était étranger dans la froide Angleterre. Seul au monde. Il eut envie de pleurer, et plus encore quand il pensa à Margaret et qu'il l'imagina funèbrement fardée et apprêtée pour le cercueil, mais les œufs arrivèrent et il avait indécemment faim.

Au moment de régler son addition, il compta l'argent que Barbara lui avait donné : cent quatre-vingt-trois livres. Plus les trente-quatre livres qu'il avait sur lui quand Margaret était morte, cela faisait deux cent dix-sept livres : de quoi survivre une quinzaine de jours en s'installant dans un petit hôtel. Il eût peut-être dû, se dit-il, accepter l'émeraude qu'avait également voulu lui donner Barbara. Mais quoi, il fallait faire la part du sable, se dit-il, répétant une formule qu'il avait entendu prononcer par Louis Hanafi, autre version de la part du feu. Son petit déjeuner achevé, il sortit. Un taxi repéra ses valises. Siegfried lui donna l'adresse d'un hôtel bon marché de l'East End dont il avait entendu parler. Sa chambre fleurait le moisi et il se dit que sa jeunesse était finie. Il passa l'après-midi à consulter les petites annonces. Il ne trouva que des offres dans la restauration qui pussent à la rigueur l'intéresser, car sans permis de travail, il ne pouvait aspirer qu'à des emplois au noir, mais la perspective de rester des journées entières dans des arrière-salles de troquets douteux, les mains dans l'eau de vaisselle, acheva de le déprimer. Il ne parvenait même plus à rêver au luxe passé de l'Égypte.

En arrivant à la réception, une rose solitaire dans un vase à trois sous lui sourit. Ses pétales jaune pâle, grands ouverts, se veinaient de rose au bord. C'était une vraie rose, une rose de jardin, pas ces têtes rigides et serrées qui se fanaient et brunissaient avant de se déployer et que Margaret gardait un jour avant de les faire jeter par Barbara. Celle-ci lui envoya une bouffée de parfum.

« Une vraie rose », observa-t-il à l'intention de la réceptionniste.

Le visage de celle-ci s'éclaira.

« Elle vient de mon jardin. Je n'en ai coupé qu'une pour me tenir compagnie, parce que cela me fend le cœur de les emporter à Londres. »

Je n'en ai coupé qu'une pour me tenir compagnie. Siegfried se retint de sourire. Cette femme parlait de ses fleurs comme d'animaux de compagnie. Mais, tout à coup, le parfum des roses que sa grand-mère Catherine distillait par pleins paniers lui revint comme un tourbillon. Il revit l'immense cuisine inondée de soleil, l'esclave Amina qui avait rencontré le Diable, le grand-oncle qu'il avait surpris dans une échoppe du Khan Khalil avec sa pierre philosophale. Pêle-mêle, il revit les flamboyants du Guézireh Sporting Club et il entendit l'appel du muezzin à la prière. Il revit le portail d'entrée du 25, rue Soliman Pacha. Et les larmes lui jaillirent des yeux. Il s'appuya au comptoir et se laissa aller aux sanglots devant la réceptionniste stupéfaite.

« Allons, allons, lui dit-elle. Des souvenirs, n'est-ce pas ?

— Excusez-moi », bredouilla-t-il en se séchant les yeux.

Elle se leva et alla verser du thé dans une tasse qu'elle lui apporta. Elle le regardait, soucieuse.

Je vis de la sympathie des étrangers, songea-t-il en trempant ses lèvres dans le Darjeeling brûlant. J'ai porté en terre celui que j'étais. Voilà l'exil. C'est la mort et la pire de toutes, la mort quand on est encore en vie. Je n'ai plus que des souvenirs d'un Siegfried qui n'est plus.

Une dame âgée descendit pesamment l'escalier. Il eût souhaité qu'elle lui parlât, car il ne pouvait rien dire, rien expliquer, c'était trop compliqué.

« Allez faire une promenade », dit la caissière.

Il la remercia, but son thé, évitant de regarder la rose, et sortit dans une pluie bleutée.

Trois jours durant, quand il avait fini de lire dans les journaux du matin les articles consacrés à Margaret Hartnell, il erra dans Londres, ville pour les riches comme toutes les villes. Son ciel d'argent irisé est le plus plaisant quand il est admiré à travers les baies d'un appartement luxueux et chaud, mais les premières froidures de l'automne rappellent amèrement aux pauvres qu'un pardessus chaud et un poêle sont leurs plus fiables amis. Le hasard de ses déambulations le mena un matin New Bond Street, devant une façade vert sombre que dominait étrangement un buste de lionne presque humaine : la déesse égyptienne de la vengeance, Sekhmet. Le hasard le fit sourire et il conjura mentalement l'augure. Mais la vengeance est un couteau à deux lames et peut-être était-ce à lui que Sekhmet promettait réparation.

L'enseigne l'informa qu'il se trouvait devant la maison de vente aux enchères Sotheby's. Une idée lui vint. Il courut par le *tube* chercher la statuette d'argent dans l'espoir de la vendre. Quelques centaines de livres en plus, dans le meilleur des cas, lui permettraient de voir venir un peu plus longtemps. Voir venir quoi, il l'ignorait.

En début d'après-midi, la statuette dans la poche de son imperméable, il osa franchir le seuil illustre et, la gorge sèche, s'enquit de la procédure à suivre pour vendre un objet. Une jeune femme à l'accent pointu l'adressa à un certain Alfred Lamb, au premier étage.

Il trouva là un oiseau incomplètement transformé en humain : un nez en bec de corneille chaussé de besicles surmontait un sourire mince. La tête, petite et chauve, était vissée au sommet d'un cou d'échassier. M. Lamb lui tendit une main osseuse et sèche et le pria de s'asseoir, puis s'empara de l'objet que Siegfried tira de son imperméable. Il le caressa d'abord de ses doigts osseux, le renversa et, tirant un canif de son gousset, en piqua de la pointe l'intérieur de la statuette. Puis il posa l'objet sur son bureau et son regard sur Siegfried.

« C'est à vous ? »

Siegfried hocha la tête.

« Remarquable objet. Dix-septième dynastie. État de conservation parfait. Il y a longtemps que vous le possédez ?

— Depuis l'Égypte. »

L'autre leva ses sourcils rares.

« Vous êtes égyptien, monsieur ?...

— Alp. Siegfried Alp. » Il tendit une carte de visite avec son adresse cairoise.

M. Lamb considéra la carte et la posa aussi sur son bureau.

« Comme il est de règle, je suis contraint de vous demander si vous êtes propriétaire de cet objet.

— Je le suis », répondit Siegfried d'une voix mal assurée.

L'autre fit pivoter son fauteuil et tira d'un cartonnier une chemise de photos qu'il ouvrit et posa sur son bureau. Il joua des photos comme de tarots et en tira une sur laquelle il se pencha. Siegfried avait eu le temps d'en saisir le sujet ; c'était sa propre statuette.

« Cet objet est assez exceptionnel, reprit M. Lamb, pour nous avoir été signalé il y a quelques années. En 1949, il était la propriété de l'antiquaire Charles Eid, comme vous le savez sans doute. Cette année-là, Eid l'a vendu à un client anglais dont il ne nous a malheureusement pas révélé le nom, proféra M. Lamb d'un ton légèrement acide. Je suis donc de nouveau contraint de vous demander si cet objet est entré en votre possession avant ou après que vous êtes arrivé en Angleterre. Vous comprenez bien, j'agis dans votre intérêt, afin de vous éviter des surprises désagréables lors du règlement éventuel de la vente. Cette conversation est placée, bien entendu, sous le sceau du secret le plus absolu. Rien de ce que vous déclarerez ne transpirera hors de ces murs. »

Siegfried eut conscience d'avoir changé de couleur. Une imprudence et on l'accuserait de vol. Il frémit à l'idée de se retrouver dans une prison londonienne, puis expulsé et rapatrié aux frais du consulat égyptien et voué à la honte éternelle. Il ravala sa salive.

« Quelle différence cela fait-il ? s'enquit-il.

— Si vous avez acquis cet objet après que son acquéreur britannique l'a introduit dans le Royaume, vous n'avez enfreint aucun règlement douanier. En revanche, si c'est vous qui l'y avez introduit, vous devrez le déclarer aux Douanes et acquitter les droits qu'ils vous réclameront. »

Siegfried soupira et considéra avec désespoir le sourire minuscule de la déesse dans la lumière de la lampe ; un sourire qui lui paraissait ironique. Puis la porte s'ouvrit et Sybilla Hammerley apparut.

« Excusez-moi », dit-elle en s'adressant à M. Lamb et son regard tomba sur Siegfried. Les exclamations joyeuses fusèrent dans le bureau.

« Sybilla !

— Siegfried ! »

Ils s'embrassèrent. Elle paraissait heureuse de le revoir.

« Oh Siegfried, je suis navrée pour vous…, dit-elle au bout d'un moment. J'ai appris l'affreuse nouvelle… Vous devez être affreusement peiné…

— Je suis au moins content qu'elle n'ait pas souffert. C'est arrivé d'un coup. »

Charles Lamb suivait la scène d'un regard acéré. Quand Sybilla et Siegfried eurent échangé leurs adresses et qu'elle fut ressortie, Siegfried constata que le regard de Lamb se teintait désormais de malice.

« Vous connaissez bien Lady Hammerley, je vois.

— Nous appartenions au même club.

— Pardonnez mon indiscrétion, monsieur Alp, elle n'est destinée qu'à vous être utile. Cet objet vous aurait-il été donné par une personne décédée ? Il suffirait que vous le déclariez. Cela vaudrait mieux que de tenter de le vendre à la sauvette, dans des conditions qui seraient certainement moins avantageuses pour vous et, je dirais, pour nous aussi. »

Siegfried soupira, de soulagement cette fois. Ses émotions l'avaient porté au bord des larmes. Il hocha la tête.

« Il est donc votre propriété sans autres détails, conclut fermement Charles Lamb.

— Combien peut-il valoir ?

— Mon estimation est de quinze mille livres. »

Siegfried ouvrit la bouche, ne put émettre un son, et la referma.

« Quinze mille livres ! » murmura-t-il à la fin, tandis que Lamb dégustait l'effet de surprise.

Cela ferait de lui un homme riche, en tout cas par rapport à son actuel dénuement.

« Ce n'est qu'une estimation, précisa Lamb. Ce n'est pas un engagement. Puis il faudra déduire les frais. Mais enfin, le prix ne saurait être très éloigné de ce que je vous ai indiqué. Je peux déjà nommer trois amateurs qui seraient très heureux de l'acquérir.

— Quand le mettrez-vous en vente ?

— La prochaine vente d'objets de fouilles est prévue... laissez-moi voir... Dans trente-deux jours, dit M. Lamb après avoir consulté une liste sur son bureau.

— Trente-deux jours ! » ne put s'empêcher de répéter Siegfried avec désespoir.

Charles Lamb parut ne pas l'avoir entendu ; il le regarda d'un air méditatif, tel un cormoran perché sur un ponton. Puis il décrocha son téléphone, composa deux chiffres et dit :

« Peter, pardon de vous déranger. Pourriez-vous prendre quelques minutes de votre temps pour venir dans mon bureau ? »

Un moment plus tard, un personnage de haute taille et passablement dégingandé ouvrit la porte du bureau. Les lèvres minces, le cheveu rare, il jeta un bref coup d'œil sur Siegfried et celui-ci comprit sur-le-champ que le nouveau venu était sensible au charme des jeunes hommes. Charles Lamb lui exposa la situation. L'autre écouta, réfléchit un instant et dit :

« Que pensez-vous, Charles, nous pouvons peut-être avancer cinq cents livres à M. Alp, n'est-ce pas ? »

Puis il s'en fut après avoir serré la main de Siegfried, qui venait de faire connaissance de Peter Wilson, le génie de Sotheby's.

L'heure suivante se passa à aller de bureau en bureau, escorté par Charles Lamb, pour signer des papiers. Enfin muni de son avance et le pas plus assuré, Siegfried s'apprêtait à sortir quand une voix qu'il connaissait déjà le héla du haut de l'escalier.

« Monsieur Alp ! »

Il se retourna. C'était Peter Wilson. Siegfried remonta l'escalier.

« Monsieur Alp, peut-être seriez-vous libre à dîner ce soir. Je reçois quelques amis qui ont séjourné récemment en Égypte. Ils seraient sans doute heureux d'échanger des impressions avec vous sur ce pays. »

Siegfried accepta avec le sourire. Il eut l'impression de retrouver le monde d'antan. Il prit le temps d'aller choisir une cravate neuve à Burlington Arcades.

Il s'était attendu à trouver Sybilla Hammerley au dîner ; il fut déçu. La compagnie était constituée de deux femmes et trois hommes, dont Siegfried crut comprendre qu'ils servaient de limiers pour la détection d'objets d'art qui sommeillaient dans des résidences provinciales et étrangères, et dont les propriétaires ignoraient la valeur. Wilson le prit à part après le dîner et Siegfried s'attendit à une proposition galante plus ou moins bien troussée. Aussi fut-il surpris quand le maître de maison lui demanda à brûle-pourpoint :

« Que comptez-vous faire de tout cet argent ? »

Siegfried n'y avait même pas pensé.

« Vous avez un passeport étranger et je suppose que votre autorisation de séjour est temporaire. Voulez-vous vous installer en Angleterre ? »

Siegfried fut surpris quand Wilson ajouta : « Lady Hammerley s'inquiète de votre avenir. »

Il fut ému qu'on s'intéressât à son sort, lui, animula vagula, blandula, errant aux bord du Styx, jeté là par des vents titanesques qui soufflaient de l'Afrique vers l'Île impériale, *this scept'red island*. Il éprouva un élan de gratitude envers Sybilla.

« Mais que puis-je faire, selon vous ? demanda-t-il enfin.

— Écoutez-moi bien. Quinze mille livres, peut-être plus, cela paraît à première vue beaucoup d'argent, mais s'il est stagnant, c'est une flaque d'eau sur une terre aride ; elle est vide bue. Il vous faut gagner votre vie. Vous n'aurez pas de sitôt un autre objet pareil à vendre. Un de mes amis, un marchand de tableaux compétent, Alex Burgh, doit ouvrir cet automne une galerie de peinture. Je suis certain de son succès. Il cherche encore des capitaux. Je peux le persuader de vous prendre parmi ses partenaires. La moitié de la somme que vous retirerez de la vente de l'Isis suffira. Vous placerez l'autre moitié à la banque. Mais de plus, je peux persuader Alex Burgh de vous employer avec salaire. Vous aurez de la sorte de quoi vivre, un permis de travail et une justification officielle permanente de votre présence à Londres. Dans quelques années, vous pourrez demander la nationalité anglaise. Un passeport britannique est un atout dans le monde actuel. Me comprenez-vous ? »

Siegfried hocha la tête et respira profondément. Pour la première fois depuis de nombreux mois, il reprenait espoir. La graine exotique avait enfin trouvé un terrain où germer. Le sentiment d'un mystère qu'il cernait mal le rendit rêveur. Tout cela, il le devait à cette Isis d'argent. Il revit son sourire serein.

« Merci, murmura-t-il. Merci vraiment. »

Peter Wilson le considérait d'un œil pensif.

« Vous avez deux grandes chances, sans parler de l'amitié de Lady Hammerley : parler anglais et posséder cette statuette. Je vous en souhaite d'autres. Venez me voir à mon bureau demain. Nous mettrons tout cela au point. »

Et il regarnit le verre de cognac de son invité.

4

Inventaire avant liquidation

En uniforme d'été, mais les manches retroussées, car il n'était pas en service, Ismaïl regarda le yacht royal blanc, le *Mahroussa*, dont la cheminée laissait échapper une légère fumée grise dans le ciel limpide de ce 26 juillet 1952, à six heures du soir. La garde d'honneur en uniformes blancs. Une foule de spectateurs, sans doute des serviteurs et leurs familles, sur les toits du palais de Ras el Tine. Puis un gros homme en uniforme blanc d'amiral, qui s'avançait sur la passerelle d'un pas qu'il voulait énergique. Puis la femme qui le suivait, un enfantelet dans les bras. La sonnerie des clairons déchira le calme marin. Une émotion indéfinissable emplit Ismaïl. Non pas de la compassion pour le roi qui abdiquait. Mais un sentiment plus fort, suscité par cette scène symbolique. Une époque de l'Égypte s'achevait. Commencée à Kavala, dans la province ottomane qu'était l'Albanie, avec le fondateur de la dynastie, Mohamed Ali, elle avait duré jusqu'au moment où l'Orient, comme jadis, était devenu la proie des grandes puissances occidentales.

Avec le départ de Farouk naissait une Égypte libre.

Ismaïl avait mesuré le respect dont elle s'auréolait soudain aux visites empressées des hommes politiques de tout le monde arabe. Syrie, Liban, Irak, Arabie Saoudite, Yémen... Il ne dissimulait pas sa propre fierté d'avoir participé à cette renaissance à l'ombre des héros. Même sa sœur Timmy appréciait le changement survenu chez son frère :

« Tu es un autre homme, il me semble. Tu marches différemment. »

Quant à son père, il ne se sentait plus d'orgueil. Jusqu'à son entrée dans l'armée, Ismaïl n'avait été que le fils de son père et maintenant, c'était Tewfick Abou Soun qui se présentait comme le père d'Ismaïl.

Il ajusta ses jumelles pour observer la scène. Il reconnut sur une voiture noire, une Cadillac pareille à celle de son père, le fanion des États-Unis, dont l'ambassadeur était venu assister au départ du monarque, car il s'était porté garant de sa sécurité personnelle. La naïveté ! Les Américains espéraient qu'ils prendraient la place encore chaude des Anglais !

« Non, murmura Ismaïl, cette place-là, personne ne la reprendra plus jamais ! »

Près de lui, un journaliste grec, visiblement ému, leva les bras au ciel et lui avoua qu'il était presque au bord des larmes. Il lui récita, mais en français, les vers d'un poète grec qui avait vécu à Alexandrie, trois décennies auparavant :

> *Lorsque soudain, à l'heure de minuit,*
> *tu entendras passer un cortège invisible,*
> *avec d'exquises musiques, avec des clameurs,*
> *alors sur ton destin qui t'abandonne, sur tes œuvres*
> *qui ont échoué, sur les projets de ta vie*
> *qui ont tous avorté, ne te lamente pas en vain.*
> *En homme prêt depuis longtemps, en homme courageux,*
> *fais tes adieux à Alexandrie qui s'éloigne.*

Ismaïl sourit, mais il fut ému que cet homme le fût.

« Vous connaissez ce poème par cœur ! dit-il. Et en français !

— Je l'ai traduit pour vous. Vous êtes beau comme dut l'être Antoine », répondit l'autre avec une spontanéité effusive.

Surpris par le compliment, Ismaïl dévisagea plus attentivement son interlocuteur.

« Ce que vous appelez ma beauté, dit-il doucement, m'a valu autant de chagrin que de plaisir. Mais pour en revenir à Farouk, ce n'était pas votre roi, observa-t-il avec douceur. Alors, pourquoi le regrettez-vous ? »

L'autre hocha la tête.

« Non, c'est vrai, il n'était pas mon roi, mais avec lui, je perds un peu de mon Égypte.

— Vous ne l'auriez pas perdue s'il n'avait pas laissé brûler Le Caire ! C'était un joueur, il a parié, il a perdu et maintenant il ira jouer sur d'autres tapis verts ! »

Mais il comprenait trop bien la tristesse du Grec. Elle était la même que celle de tous ces gens d'ascendance européenne qui, venus faire fortune dans la terre des pharaons, avaient vécu et prospéré à l'ombre du pouvoir britannique, avec leurs propres juridictions, les fameux Tribunaux mixtes. C'en était fini de leur immunité. L'Égypte, désormais indépendante, ne souffrirait plus ces colons qui ne parlaient même pas la langue du pays. Son regard se reporta vers le navire et les parages du port privé. Il le savait, on attendait le *léwa*, le général Naguib, chef des militaires qui avaient forcé Farouk à abdiquer. Viendrait-il ? Ne viendrait-il pas ?

Une détonation déchira l'air. Le journaliste grec sursauta. Mais ce n'était que le premier des vingt et un coups de canon qu'un croiseur égyptien tirait dans le port. Le yacht commença de déhaler.

« Et le général Naguib ? Il ne viendra donc pas ? » s'inquiéta le journaliste.

Un mouvement se fit sur le quai. Une Jeep venait d'arriver. Ismaïl rajusta ses jumelles.

« Le voilà », dit-il.

Et il tendit ses jumelles au Grec. Un mouvement de foule s'esquissait autour de Naguib.

« Qui sont les hommes qui l'accompagnent ? » demanda le Grec.

Ismaïl reprit ses jumelles.

« Ahmed Chawki, Hussein el Chaféï et Gamal Salem, répondit-il.

— Vous les connaissez bien.

— Ce sont mes amis. »

Le Grec se tamponna les yeux.

« Permettez-moi de vous donner ma carte, dit-il à Ismaïl. Je m'en vais. C'est trop pénible.

— Je suis le colonel des blindés Ismaïl Abou Soun. »

L'autre lui serra la main et s'en fut. Ismaïl retourna vers la voiture militaire qui l'attendait. Il devait rentrer se préparer au banquet qui se tiendrait une ou deux heures plus tard et auquel il participerait en tant que conseiller politique. Car les officiers de la junte qui désormais gouvernerait le pays, depuis le général Naguib et le colonel Gamal Abd el Nasser jusqu'au flegmatique Gamal Salem, à l'énigmatique et séduisant Zakaria Mohieddine, à son cousin Khaled, au frémissant Abd el Hakim Amer et au débonnaire et rusé Anouar Sadâte, tous appréciaient la modestie et la discrétion d'Ismaïl Abou Soun. Celui-là ne recherchait pas les honneurs ; il préférait mystérieusement la pénombre. Et il leur avait toujours donné des conseils avisés. Il était désormais leur conseiller. Des amis l'avaient informé des jalousies que lui valait la protection inconditionnelle des héros de la Révolution et des surveillances que les redoutables *moukhabarât* avaient exercées sur lui. Mais comme le lui avait un jour révélé en riant Zakaria Mohieddine, le nouveau chef des *moukhabarât*, personne n'avait rien relevé à son encontre.

Quelques jours auparavant, Gamal Abd el Nasser l'avait pris à part et lui avait demandé d'un ton amical, presque paternel :

« Quelle est au fond ton ambition ?

— Elle est satisfaite, Gamal. C'est de travailler avec vous », avait répondu Ismaïl.

Et l'autre chef de la junte lui avait donné une accolade affectueuse.

« Je sais ton histoire, Ismaïl. Et je suis content que tu sois avec nous. »

De la voiture, Ismaïl regarda le *Mahroussa* s'éloigner, un fantôme dans le crépuscule. C'était aussi une partie de son monde qui s'éloignait avant de sombrer dans le passé. Il ne chasserait plus de jeunes Anglaises sur les pelouses du Guézireh Sporting Club, il ne danserait plus, grisé par le champagne, dans des bals princiers.

5

« *Avoue que tu es une pute !* »

Le soir tombait, mais cette fois-là avec l'abandon pesant du prolétaire, de l'homme oublié de Dieu, comme disait l'écrivain Albert Cossery, du travailleur épuisé par sa journée et qui se laisse choir sur sa couche.

Également épuisé par les travaux de force de la journée, l'équarrissage de pierres, Loutfi el Istambouli leva les yeux vers cette masse de ciel indigo au-dessus de la cour du bagne de Tourah, encore brûlant des chaleurs de la journée. Comment les humains avaient-ils jamais imaginé que des esprits habitaient ce vide ? Des dieux ? Mais qu'étaient-ce donc que des dieux ? À coup sûr, des entités odieuses. On lui avait laissé sa montre, mais il n'avait pas besoin de la regarder. Que servait de savoir combien de minutes s'étaient écoulées depuis la dernière fois qu'on avait consulté la position des aiguilles sur le cadran ? Il savait à la couleur du ciel que c'était l'heure de la douche. Pendant près de trois quarts d'heure, les quelque deux mille bagnards de Tourah se presseraient nus, en files, dans les cabines de douches. Un jet glacé les débarrasserait des poussières de la journée, tellement encroûtées par la sueur et recuites par le soleil qu'elles affolaient les mouches, puis en savates et revêtus des tenues moins souillées qu'ils réservaient pour le soir, ils se dirigeraient vers les réfectoires.

Il se trouva entouré d'un groupe de bagnards également hagards, muets, et l'odeur le saisit de nouveau à la gorge. L'odeur du bagne. Sueur, urine, merde, surtout la sueur, avec ses colorations différentes selon les parties du corps, rance sur le crâne, aigre aux aisselles, douceâtre sur le torse, grasse et musquée au pubis, fétide aux pieds. L'exhalaison de la bête humaine, deux mille bêtes humaines après une journée de labeur harassant dans une chaleur sans merci et vivant dans des conditions voisines de la sauvagerie. Elle collait aux vêtements, au drap infect de la paillasse, à l'esprit, surtout à l'esprit. Nuls parfums d'Arabie n'eussent pu la dissiper : elle suintait des profondeurs de l'animal jeté dans l'abjection. Toute l'âme de Loutfi aspira à la douche.

Guénon avait eu cruellement raison : la révolution est bien un métier d'esclaves.

Outre un sens particulier du temps, le manque de liberté développe une lucidité réservée d'habitude aux ermites : débarrassé des nécessités ordinaires de l'action, prévision des événements et organisation des gestes, bref, arpentage et cadastrage de l'espace matériel et temporel, l'esprit procède à l'inventaire de sa vie. Qu'a-t-il vécu ? Que vit-il ? Et comment cela affectera-t-il ce qui lui reste à vivre ?

Son arrestation à l'aube du 14 avril 1957 – par bonheur, ce jour-là, Nadia souffrante, s'était recluse chez elle – avait révélé à Loutfi qu'il n'avait vécu que pour des idées. D'autres avaient recherché la fortune ou bien les petits et les grands plaisirs supposés du monde, mais lui, n'avait cherché qu'à approfondir des idées, presque exclusivement politiques. Naïve arrogance ! se dirait-il plus tard. Le goût des idées procède de la volonté de puissance. La représentation abstraite du monde n'est qu'un outil pour la conquête de la tribu. Si Jésus n'avait pas eu d'idées, il fût mort ignoré. Car les idées conçues par un individu contrarient inévitablement d'autres individus. Penser est une entreprise totalitaire et qui suscite donc des antagonismes. Penser différemment du pouvoir, en tout cas, mène aisément en prison.

La seule pensée dont il pouvait être désormais sûr qu'elle ne contrarierait personne était celle de Nadia. Il pensait à elle chaque soir en s'endormant, comme les païens pensaient sans doute à Aphrodite. Peut-être ne la reverrait-il jamais plus. Peut-être n'aurait-il eu dans sa vie qu'un seul bonheur, celui de l'avoir rencontrée. Les prisonniers n'ayant le droit de recevoir qu'une seule lettre par mois et aucune visite, il avait reçu d'elle trois lettres. Il les connaissait par cœur.

C'était justement parce qu'il l'accusait d'être secrètement au service d'une puissance totalitaire, le communisme, que le régime militaire avait fait arrêter Loutfi, ainsi que maints autres intellectuels égyptiens, dont plusieurs journalistes, et les avait fait emprisonner dans l'attente de leur procès. Fait extraordinaire, personne n'avait, cinq ans plus tard, établi les véritables responsabilités dans l'incendie du Caire. Les instigateurs supposés changeaient au gré des variations politiques du régime. Au moment de la rafle où figurait Loutfi, les accusations portaient sur cette entité vague appelée « les communistes », ainsi que sur les Frères Musulmans.

Si, cette fois-là, son protecteur officieux, le cafetier Mahmoud el Ma'amour, n'avait pu le prévenir et même, s'il avait été fortement surpris de voir quatre militaires débouler à l'aurore devant sa maison, faisant résonner le trottoir de leurs chaussures ferrées, c'était parce que ses informateurs ordinaires, les Frères, avaient eux-mêmes été arrêtés. El Ma'amour vit donc, les yeux écarquillés, les militaires pousser Loutfi menotté dans une voiture blindée. Quant à Loutfi lui-même, il avait été promptement informé : en montant dans ce fourgon, sans savoir pour quelle destination, il avait entendu le bref échange entre les militaires et les habitants de la petite rue de Sakakini :

« Qu'a-t-il donc fait ?

— C'est un communiste ! »

Les militaires se débarrassaient d'un coup de tous leurs gêneurs, les Frères qui s'agitaient décidément trop bruyamment et les intellectuels de gauche, sans doute parce qu'ils déplaisaient aux nouveaux protecteurs du régime, les Américains. Pour faire bonne mesure, Loutfi l'apprit par la suite, les uns et les autres avaient été accusés de faire le jeu d'une puissance encore plus maléfique que l'URSS, le sionisme.

Les Frères, *al Ikhwân*, Loutfi en voyait sans cesse arriver à Tourah. Ils s'étaient enorgueillis de leur barbe, emblème de leur fidélité virile au Coran ; elle ne durait guère plus de quelques heures : dès leur arrivée, et sur ordre du gouverneur militaire du bagne, le barbier la rasait prestement, puis leur tondait le crâne. C'était d'ailleurs à cela qu'on les reconnaissait : les communistes avaient le droit de garder leurs cheveux, mais les Frères étaient tondus.

Contrairement aux appréhensions de Loutfi, le procès n'avait pas tardé : deux semaines plus tard, il s'était retrouvé avec une dizaine d'autres prévenus, communistes et Frères mélangés, dans la cage où les inculpés comparaissaient, sur le côté gauche du tribunal. Quel tribunal ? Il l'ignorait. Il supposa qu'il était à Abbassieh, mais ce n'était qu'une hypothèse, bâtie sur ce qu'il avait vu défiler du Caire à travers les lucarnes du fourgon. Et d'ailleurs, quelle importance ! Une grande salle blanche récemment aménagée, à en juger par les bancs neufs et le crépi immaculé des murs. C'était le théâtre de son destin.

Tandis que, derrière les barreaux, Loutfi scrutait la salle, cherchant Nadia du regard, l'avocat avait, comme ses collègues, prononcé une plaidoirie morne et de pure convenance. Loutfi avait reconnu le visage aimé, sans doute défiguré par les larmes, et il n'avait osé lever le bras, de peur qu'elle ne répondît en levant aussi le sien, ce qui l'eût fait expulser de la salle.

« Loutfi el Istambouli, né le 12 mars 1930 à Manchiet el Bakri, employé au ministère de l'Instruction publique, se disant journaliste, coupable d'activités, écrits publics et discours publics ou privés séditieux et hostiles au régime égyptien, d'inspiration ouvertement communiste. Cinq ans de bagne. »

Il avait à peine eu le temps de saisir l'image de Nadia, effarée, livide, que des soldats l'emmenaient. Durant l'interminable trajet en car militaire de la prison au bagne, un mascaret de sentiments et d'images déferla dans sa tête. Le plus lancinant était le souhait ardent que Nadia ne fût pas persécutée. Elle ne le supporterait pas ; elle se suiciderait. Venait ensuite un soulagement : Louis était hors de portée des *moukhabarât*, il était parti. Le mois précédent, lui et Fatma el Entezami avaient installé une amie dans leur appartement de Guézireh et loué la villa de Tara à un riche Saoudien, puis ils avaient feint d'aller passer des vacances au Liban. Les Égyptiens, en effet, n'étaient autorisés à quitter le pays que pour se rendre dans des pays arabes. De là, ils le lui avaient confié sous le sceau du secret, ils gagneraient Paris. Avec quels passeports, ils ne le lui avaient pas dit.

« C'est l'exil ? avait questionné Loutfi.

— Nous prenons un peu de champ », avait répondu évasivement Louis.

Loutfi n'avait jugé opportun de demander de quoi ils vivraient à l'étranger. Ils avaient sans doute trouvé moyen de faire fuir des capitaux. Car le projet de réforme agraire agitait les esprits depuis quelque temps ; Fatma et Louis avaient compris qu'elle était imminente et qu'elle équivaudrait à une confiscation pure et simple de la plus grande partie de leur fortune ; ils deviendraient alors des prisonniers virtuels du nouveau régime ; ils avaient donc réalisé ce qu'ils pouvaient de leurs avoirs et avaient pris les devants.

Des sentiments accessoires brochaient sur l'ensemble : résignation et dérision, comme ces tranches d'oignon qui parfument une salade.

La résignation parce que la politique était un monstre et qu'on ne pouvait échapper à ses griffes que par la ruse ou la fuite. Et parce que l'histoire, qui n'est que l'inventaire à long terme des faits et méfaits de la politique, avait démontré que toute nation est en fin de compte une machine à broyer l'individu. Il évoqua les *Souvenirs de la Maison des Morts*, mais sans y trouver de réconfort. Il n'était même pas Dostoïevski. Et la banalité de l'enfer n'ôtait rien à la douleur.

La dérision, parce que légataire, ô combien illusoire, de la fortune de Louis et de Fatma, il se retrouvait au bagne.

« Ulysse rusait avec les dieux », avait coutume de répéter Louis. La citation d'Homère revint à l'esprit de Loutfi tandis qu'il accrochait ses vêtements dans l'une des cabines de douches, à peine libérée par son prédécesseur, un Frère originaire de Minieh, dans le Saïd, qui avait eu le tort de rendre visite à son cousin dans la capitale juste au moment de la rafle. Il ramassa sur le sol de ciment le pain commun de savon Naboulsi et commença par se laver les mains, avec un peu de sable pour les décaper, puis il se savonna le torse, le sexe et les fesses. Il se penchait pour se frotter les jambes et les pieds quand un crâne tondu entra dans la cabine. Un colosse. Il referma la porte et, après l'avoir toisé, saisit Loutfi à bras-le-corps. Puis il entreprit incontinent de le sodomiser. Le tout avait à peine duré deux ou trois secondes et la surprise de Loutfi fut dévastatrice. Il se débattit d'abord avec vigueur, mais s'avisa vite qu'il n'était pas de taille à résister à son agresseur.

« Un mot et je te casse la gueule », grommela l'autre.

L'enfer recelait donc un étage inférieur jusqu'alors inconnu. Haletant, happant l'air, Loutfi subit le viol avec cette résignation à l'inéluctable qu'on éprouve, par exemple, dans les mains du chirurgien qui redresse une fracture. Fouettées par la panique, des bribes d'idées défilèrent furieusement dans sa tête, hachées, échevelées, incohérentes. Mieux valait être violé que de se faire briser un membre. Ainsi son corps même ne lui appartenait plus ! C'était, comme le savon, une commodité publique ! Et il pouvait servir à cela ! Pis : il ne pouvait même pas voir le visage de l'autre, ce qui exacerbait le sentiment de la fatalité ; ce n'était même pas un viol personnel ! Non, c'était l'accomplissement de l'humiliation ultime : le viol anonyme ! Il aurait dû le prévoir, ces choses-là étaient communes dans les prisons, il l'avait entendu maintes fois... L'horreur se renouvela quand il s'avisa que le viol même l'excitait. Un pas de plus vers l'anéantissement... Son agresseur poussa une sorte de rugissement, noyé par le bruit de la douche, et Loutfi comprit qu'il avait joui. L'étreinte s'était relâchée. Loutfi se retourna brusquement. Il fit face au monstre. À peine une quarantaine d'années. Il s'apprêtait à l'invectiver quand il fut surpris par son expression : ni faraude ni menaçante, mais presque penaude. Il le connaissait, il l'avait déjà repéré dans la masse des prisonniers à cause de sa carrure athlétique et de son expression stoïque. Il s'appelait Rafik. L'homme soupira.

« Tu as un si joli dos, un si joli cul, si blanc... », murmura-t-il.

Le compliment était tellement naïf que Loutfi se retint de rire. Puis il reconnut d'emblée dans l'accident un autre visage de la fatalité. Rafik avait également cédé à ces forces indéchiffrables qui commandent le comportement. Il se lava le membre d'un air pensif et dit à Loutfi, de plus en plus stupéfait :

« Maintenant que tu es là, lave-moi le dos, s'il te plaît. Et je te laverai le tien. »

Un instant s'écoula, lourd comme le plomb. Puis Loutfi, privé de jugement après qu'on lui eut dérobé son propre corps, s'empara du savon et s'exécuta. Tout en passant le pain de savon sur le dos musculeux de Rafik, qui eût pu servir de modèle pour une statue d'Hercule, il s'interrogea confusément sur un aspect de la sexualité qu'il n'avait jusqu'alors considéré qu'avec indifférence ou mépris. Mais pourquoi le mépris ? se demanda-t-il confusément. Parce que l'acte était improductif ? La sexualité ne devait-elle donc être envisagée que sous l'angle de la productivité ? Et la masturbation alors ? Ne s'était-il pas masturbé en pensant à Nadia ? Troublé par ces interrogations autant que par cette intimité inconnue avec un homme, il laissa le géant le retourner et lui frotter le dos. Toujours silencieux, l'homme se rinça et sortit sans un mot. Loutfi se rinça alors lui-même et se rhabilla, bouleversé.

Le repas, si tel était le nom qu'on pouvait donner au rituel d'alimentation qui en tenait lieu, fut aussi bruyant que d'habitude. Les gardes ignoraient évidemment les consignes de silence au réfectoire appliquées dans les grandes centrales étrangères ; ils voyaient bien que les nouveaux venus, surtout les Frères, commis à leur surveillance étaient des gens avec lesquels ils eussent la veille fraternisé, avec lesquels ils eussent fait le pèlerinage à La Mecque et auxquels ils eussent même donné leurs filles et leurs sœurs à marier ; c'étaient des musulmans comme eux, trop zélés sans doute, mais quoi, ils avaient, comme les militaires au pouvoir, été hostiles à l'ancien régime ; ils seraient peut-être libérés demain, dans un mois ou plus tard, de toute façon, on ne pouvait pas garder indéfiniment des musulmans au bagne parce qu'ils avaient voulu trop scrupuleusement appliquer la parole du Coran. Certains d'entre eux jugeaient même indigne de les avoir expédiés là, dans la compagnie de criminels de droit commun, pour la plupart des assassins. Mieux valait donc ne pas s'attirer leur vindicte ; voire, il était prudent de s'assurer l'amitié des plus influents. Dès les premiers jours, donc, des accords tacites se tissèrent entre les tondus et les gardes, qui permettaient de faire passer de l'extérieur du savon, des cigarettes, des médicaments, des insecticides, voire des suppléments alimentaires, des pots de *tehina*, de l'oignon frais, des pastèques et des melons, voire des journaux, mais cette dernière faveur était exceptionnelle. Quant aux communistes, appellation bien peu contrôlée, ils bénéficiaient dans une moindre mesure de l'indulgence accordée aux Frères ; on les tenait pour des crétins, *abâta* ou *moughaffaline*. Ils n'avaient pas compris que le communisme athée et matérialiste n'avait aucune chance de s'imposer dans un pays islamique. Une sanction supplémentaire s'ajoutait à celle de la justice : un dédain teinté de mépris.

Seuls les condamnés de droits commun, en grande partie des *fellahin* qu'une conception primitive de l'honneur ou les vapeurs d'un alcool frelaté avaient poussés au crime, échappaient à ce régime de faveur. Aussi les Frères et les communistes, appliquant cette hiérarchie qu'on trouve dans tous les établissements pénitentiaires, les tenaient-ils à l'écart. Et depuis l'arrivée de ces derniers, les droits-communs en menaient même moins large qu'auparavant : ils n'avaient plus le droit de jouer aux cartes.

Le soir même de son arrivée, Loutfi en avait repéré trois ou quatre groupes qui jouaient au poker dans un coin de la cour, près des bâtiments principaux ; il n'y avait pas prêté plus d'attention. Soudain, trois Frères s'étaient dirigés vers un groupe de joueurs, leur avaient arraché les cartes des mains, puis les avaient déchirées. Les droits-communs s'étaient levés, indignés, menaçants, et l'un d'eux avait saisi son agresseur au collet. Aussitôt, une vingtaine de Frères étaient accourus pour le maîtriser, à coups de claques sur la nuque, les *affahs*, repartie propre à l'Égypte. Puis ils s'étaient tournés vers les autres groupes et les avaient sommés de renoncer sur-le-champ à leurs jeux. De loin, Loutfi avait entendu un grand tondu les haranguer :

« Les jeux de hasard sont interdits par le Prophète ! Le premier mécréant que nous reprendrons à sortir un jeu de cartes recevra une correction dont il se souviendra ! »

Mais les Frères exerçaient également leur police sur les leurs, réduisant au calme tout condamné qui se fût laissé aller à des éclats indignes, et leur rigueur ne laissait aucun doute. Deux semaines après l'arrivée de Loutfi, une violente querelle avait brusquement éclaté au dortoir entre deux Frères, l'un accusant l'autre de trahison. Avant que les autres Frères eussent pu intervenir, des couteaux avaient surgi, on ne savait d'où, puisqu'ils étaient en principe interdits. Les querelleurs en avaient soudain joué et l'un des adversaires avait été blessé au ventre. Il se trouva que c'était celui qui avait été accusé de trahison. On le fit transporter à l'infirmerie et, dans

la nuit même, un tribunal s'organisa ; après un quart
d'heure de délibérations, il condamna l'agresseur à recevoir quinze coups de fouet publiquement le lendemain,
pour avoir nui à l'image des Frères. La sentence fut appliquée avec férocité. Les gardes feignirent de ne rien voir,
alors que la flagellation eut lieu dans la grande cour,
devant tous les prisonniers. Si l'on rendait la justice à
leur place, on leur facilitait la tâche.

Mais le reste du temps, et notamment au réfectoire,
la bonhomie râpeuse qui allait de pair avec cette organisation féodale faisait oublier l'ordinaire : généralement
une platée de fèves, *foul medammès*, au beurre cru de
lait de gamousse, la *samna*, ou une soupe de fèves
fraîches, *nabet*, suivie d'un ragoût nauséabond à base
d'okras ou de pommes de terre.

Mais le crétinisme supposé des supposés communistes n'éliminait certes pas toutes les tensions entre
eux et leurs ennemis d'hier. Et tandis que le fait d'être
Frère Musulman semblait aller de soi, celui d'être apparenté au marxisme paraissait au contraire appeler d'interminables justifications et explications. Dès le
troisième jour de son arrivée, Loutfi avait ainsi dû tenir
une sorte de conférence devant les deux cents ou trois
cents Frères que le sujet intéressait. Non, il n'était pas
communiste, n'avait jamais adhéré à aucun parti
communiste, il était d'inspiration trotskiste – mot
presque impossible à transcrire en arabe –, il défendait
un système de répartition plus équitable des richesses
nationales et c'était tout. Un Frère l'interpella :

« Si je te comprends bien, tu appliques les préceptes
du Coran, mais sans en référer à Mohamed ni à Allâh.
Tu aurais mieux fait de te joindre à nous, nous sommes
plus nombreux. »

Un brouhaha s'ensuivit où tout le monde parlait en
même temps et où les invectives jaillissaient. Loutfi parvint difficilement à reprendre la parole :

« Si vous trouvez que mes idées sont si proches des
vôtres, pourquoi avez-vous été tellement hostiles aux
gens de la gauche ? »

Peine perdue, un homme qui imaginait un système social sans référence à Allâh ne pouvait être qu'un débile ou pis, un dévoyé.

Loutfi découvrit ce dernier corollaire quand, après l'épisode des douches, son voisin de table, un tondu qui l'avait traité jusqu'alors avec ironie froide, lui lança à haute voix :

« Et par-dessus le marché tu es une pute ! »

Tout le monde avait entendu l'insulte. Des rires gras jaillirent çà et là. Loutfi interdit se tourna vers l'insulteur, un nommé Osman.

« Qu'est-ce que tu dis ?

— Je dis que tu es une pute. Avoue que tu es une pute. »

Loutfi recula, prêt à lancer son plat à la figure de l'autre. Vingt regards goguenards pesaient sur lui. Et parmi eux, à la table voisine, celui de Rafik, attentif et sourcilleux.

« Je veux savoir la raison de cette insulte ou je te casse la gueule, dit Loutfi d'un ton menaçant.

— La raison ? Tu ne la connais pas ? Je vais alors te la dire, mais devant tout le monde. Qu'est-ce que tu faisais avec Rafik dans la douche ? »

Des lazzis fusèrent. Mais Rafik avait entendu la réponse. Il se leva, vint à grands pas vers Osman et lui saisit l'épaule avec force.

« Quand tu prononces mon nom, espèce de mauviette, fais attention à ce que tu dis. »

Osman ne se laissa pas intimider.

« Qu'est-ce que vous faisiez... »

Il n'acheva pas sa phrase. Rafik le secoua avec violence et sa vaste pogne le saisit par le cou et força ainsi l'insolent à se lever. Les rires s'interrompirent.

« Demande pardon, imbécile ! lui ordonna-t-il.

— Pardon, parvint à articuler Osman.

— Encore ! exigea Rafik en secouant l'autre comme une volaille qu'on tient par le cou.

— Pardon.

— Encore !

— Pardon... »

Rafik relâcha alors sa prise et rejeta son captif avec une telle brutalité que l'autre tomba par terre.

« Quand tu auras besoin que je te frotte le dos, Osman, tu n'as qu'à faire appel à moi, lança-t-il avant de regagner sa place. Tu verras si je vais te le frotter ! »

Là, de nouveaux rires éclatèrent, mais cette fois, ils accablaient l'humilié. Le lendemain, Osman était assis à une autre place. Et Loutfi avait aux yeux de tous un protecteur, situation qui lui parut piquante. Il était loin de Tara !

Des scènes pareilles, il y en avait dix par jour, mais celle-ci l'avait évidemment marqué le plus, parce qu'il en était l'objet, sinon le sujet. Il ne parvenait pas à effacer l'injure de sa mémoire. *Avoue que tu es une pute. 'Oul ba'a ennak charmouta.* Mais tout vaincu est une pute ! songea-t-il. Et il eut envie de crier : Vous êtes tous des putes, vous aussi ! Vous vous êtes fait baiser par les militaires ! Mais pour lui tout particulièrement, le dernier bastion de son identité, sa masculinité, sa virginité de mâle, avait été jeté à bas. Il mordait le sol de l'enfer. Il ne pouvait descendre plus bas. Oui, oui, je suis une pute ! J'ai un joli cul blanc ! Qui veut le voir ? Le bagne venait de le marquer d'un sceau invisible, mais non moins infamant pour cela.

Il n'était pas au bout de ses surprises. Un matin arriva dans la cour, au moment de l'entraînement – une course en rond au pas gymnastique –, un homme qui regardait autour de lui avec égarement, visiblement mal à l'aise dans sa vareuse et son pantalon de bagnard, et dont la silhouette renflée et la chevelure déjà rare et pourtant hirsute n'étaient que trop familières à Loutfi. Souki ! Souki Marrani ! Loutfi le regarda de loin, médusé. Pourquoi l'avaient-ils donc arrêté ? Il courait lourdement dans la file comme dans un cauchemar et Loutfi se retenait de rire. Puis on l'emmena casser des pierres et, toujours de loin, Loutfi l'observait avec ironie, commisération et stupéfaction mélangées. Il ne l'appro-

cha qu'au moment de la douche, dans le corridor éternellement obscur où une lumière jaunâtre suintait d'une
ampoule pathétique. Et là sur le visage de Souki, creusé
par les épreuves et la fatigue, se peignirent des sentiments différents : désarroi, humiliation, désespoir.

« Qu'est-ce que tu fais ici ? » demanda Loutfi,
conscient de l'ironie de sa question.

Souki lui adressa un regard égaré.

« Quelle question !

— Je répète : qu'est-ce que tu fais ici ? Quels sont
les motifs de ta condamnation ?

— Communisme, sédition sioniste, activités hostiles au régime.

— Communisme ? Toi ? »

Loutfi haussa les épaules et se défit de ses vêtements.

« Qu'est-ce que ça veut dire ? J'ai travaillé avec toi
et Louis !

— Ce n'est pas le lieu pour en parler ni pour parler
français, coupa Loutfi.

— Comment on fait, ici ? questionna Souki.

— Tu te déshabilles, tu entres, tu te laves, tu te
douches et tu ressors.

— Et avec quoi se sèche-t-on ? »

Loutfi se retint de rire.

« Il y a quelque chose comme une serviette... Si tu
tiens à attraper des maladies.

— Et alors ?

— Tu te sèches à la main. »

Même à mi-voix, la conversation en français attirait
l'attention.

« On se retrouvera au réfectoire. Attends-moi ici, je
viendrai te chercher. »

Il sortait de la douche et Souki venait à peine d'y
entrer que Rafik et d'autres chefs parmi les Frères vinrent lui demander des informations sur le nouveau venu
et les raisons pour lesquelles il avait été condamné.

« Les raisons officielles, répondit Loutfi, sont le sionisme, parce qu'il est juif, mais je sais qu'il n'a jamais été

sioniste, et le communisme, parce qu'il dit n'importe quoi, mais je sais qu'il n'a jamais été communiste et qu'il est totalement ignorant dans ce domaine, enfin des activités hostiles au régime, parce que je le voyais de temps en temps.

— Mais c'est le portrait d'un imbécile que tu viens de tracer ! s'écria Rafik.

— Va le dire aux juges ! » rétorqua Loutfi, hilare.

Au réfectoire, Souki fut conscient que tout le monde le regardait et comme il voyait que Loutfi était en bonne intelligence avec de nombreux autres convicts, il lui demanda en français :

« Pourquoi ils me regardent tous comme ça ?

— Parle arabe, ils te regarderont moins. Ils pensent que tu n'es pas à ta place ici.

— Pourquoi ? interrogea Souki en arabe.

— Si tu ne l'as pas déjà saisi, ce n'est pas la peine de te l'expliquer.

— Mais encore ?

— Souki, tu n'es ni sioniste, ni communiste, ni même séditieux. Tu es ici parce que tu es juif.

— Écoute...

— Souki, si tu me dis que tu es communiste ou trotskiste, je te fiche une paire de gifles. »

Souki baissa le nez et repoussa son assiette.

« Avec toi, ici, c'est deux fois le bagne. »

Loutfi hocha la tête.

« C'est l'épreuve du feu, Souki. Tu n'es même pas digne d'être bagnard. Tu étais un sous-produit de cette société contre laquelle je me battais et tu as été condamné pour y avoir simplement appartenu et que tu es juif par-dessus le marché. Tu es arrivé en enfer, mais ce n'est pas le même que le mien et certainement pas au même titre que moi. Tout ce que je te demande, c'est de ne pas jouer les martyrs idéologiques. »

Souki lui lança un regard morne.

« L'histoire n'est pas finie », murmura-t-il d'un ton menaçant.

6

« *Tu méritais mieux...* »

Nadia rentra du tribunal comme d'un avortement. Elle se jeta sur son lit et demeura prostrée un temps indéfini. Court-circuitée. Privée même d'émotion. Au bout d'un moment, elle craignit même d'en être devenue muette. Aucun son ne sortait plus de sa bouche. Vers onze heures du soir, l'instinct de conservation la poussa à se lever pour boire, puis se faire cuire deux œufs sur le plat. Elle jeta un coup d'œil par la fenêtre, observant le trafic automobile de la rue Kasr el Nil comme un phénomène mystérieux, une procession de coléoptères disciplinés. En bas, les premiers dîneurs quittaient *L'Ermitage*. Elle décida de prendre une douche, enfila une robe de chambre et alluma une cigarette.

L'absurde est pareil à une drogue. Il altère la perception, paralyse les sentiments et annule le sens des objets. Nadia considéra le décor du petit appartement qu'elle avait loué après la mort de sa mère et la vente de la Villa Arsinoë, et qu'elle avait amoureusement arrangé dans l'attente du mariage. C'était il y a cinq ans. Car elle et Loutfi se marieraient, il l'avait dit, elle le croyait, mais seulement quand la situation en Égypte se serait suffisamment apaisée pour que sa situation fût stabilisée et que le mariage d'un musulman avec une chrétienne suscitât le moins de remous possible. Or, cet appartement perdait son sens. La couleur des murs, les meubles, les rares objets ramenés de la Villa Arsinoë, tout cela appartenait désormais à un autre monde. Comble de l'absurde, elle était exilée dans sa propre ville. Elle erra dans son espace familier comme un spectre qui ne se résout pas à quitter le décor où il a été heureux.

On lui avait volé son amour. On lui avait volé sa vie.

Or, elle n'avait personne pour la consoler et l'aider à retrouver son équilibre. Soussou était en Europe, perpétuellement entre Monte-Carlo, Paris et Londres. Ses amies d'enfance s'étaient détachées d'elle depuis qu'elles avaient appris sa liaison avec Loutfi. Les Hanafi étaient partis et, d'ailleurs, elle n'aurait guère été encline à se confier à Fatma el Entezami, depuis les intrigues qui avaient poussé Aldo Colestazzi à l'abandonner, quelques années auparavant. « Fatma est une intrigante, artificieuse et pétrie de duplicité vaniteuse », se disait-elle, faisant écho à l'antipathie que Loutfi vouait à l'épouse de Louis.

Elle songea à téléphoner à sa sœur, mais les communications internationales ne pouvaient être obtenues qu'à partir de la Poste centrale et l'heure était trop tardive, et elle était trop lasse pour s'y rendre.

Trois jours lui furent nécessaires pour se ressaisir et tenter d'appréhender la situation. Elle se rendit au poste de police de l'Abbassieh pour s'informer des possibilités de visite à Loutfi. Là, on lui répondit que les femmes n'étaient pas autorisées à se rendre à Tourah, sauf dérogation spéciale, et que, n'étant ni la sœur ni la fille ni l'épouse du condamné, elle n'y eût eu aucun droit. Elle n'avait le droit que de lui écrire une lettre par mois, assortie d'un colis qui serait soumis à l'inspection pénitentiaire.

Cinq ans dans cette situation et je serai bonne pour l'asile ! se dit-elle.

Elle parvint à rassembler assez de résolution pour se rendre à la Poste et obtint au bout d'une demi-heure la communication avec Monte-Carlo. Rien qu'aux premiers sons de sa voix, Soussou comprit le désarroi de sa sœur. Elle fut prompte :

« Écoute, je ne vois pour toi qu'une seule chose à faire. Va voir Timmy Abou Soun, qui est maintenant présidente du Cairo Women's Club. Dis-lui que tu es ma sœur et demande-lui de plaider auprès de son frère. Pour ma part, je vais voir ce que je peux faire d'ici. »

Les femmes partagent mieux la compassion que le respect des passions politiques. Timmy promit de demander une entrevue à son frère. Six jours plus tard, Nadia se rendait à la villa Abou Soun, à Guézireh. Elle fut saisie par la prestance, la beauté et l'aménité du lieutenant-colonel Ismaïl Abou Soun. Un être pareil semblait fabriquer sa propre lumière. Elle se rappela l'histoire avec l'Anglaise que sa sœur lui avait racontée et le scandale du bal de la princesse Zuleïka. Oui, sans doute, elle eût elle-même pu concevoir une passion pour le bel Ismaïl.

Il fut bref et s'exprima en anglais :

« Timmy m'a instruit de l'affaire qui vous amène à moi. J'y ai réfléchi. Ma réponse vous désolera et vous ravira à la fois. Elle vous désolera parce qu'il est hors de question de libérer immédiatement Loutfi el Istambouli. Cela serait considéré comme une dérogation incompréhensible à la politique du gouvernement. Cela ferait du scandale et il serait nuisible au condamné. Ma réponse vous ravira aussi parce que je pense que, dans six mois, une requête de clémence sera plus aisément recevable. Elle le sera encore plus si l'ambassade d'un pays ami l'appuyait. »

Nadia tremblait d'émotion. Six mois d'attente pour elle. Six mois de bagne pour lui. Elle se domina.

« Quel pays ami ? demanda-t-elle enfin.

— L'Inde, par exemple. » Il fixa Nadia du regard :

« Dites-vous bien, toutefois, que cette libération entraî-
nera des conséquences très importantes pour Loutfi el
Istambouli. »

Elle attendit la suite.

« Dans l'intérêt général et surtout le sien, il sera sou-
haitable qu'il quitte immédiatement le pays.

— Pour toujours ?

— Pour de longues, très longues années. Le gouvernement ne peut pas prendre le risque que Loutfi el
Istambouli reprenne d'une manière ou de l'autre ses discours marxistes.

— Et s'il ne les reprenait pas ? »

Ismaïl esquissa un demi-sourire.

« Vous le connaissez mieux que moi, mademoiselle.
J'ai consulté sa fiche. Le marxisme semble être sa raison
de vivre. Croyez-vous qu'il soit raisonnable d'espérer
qu'il y renonce ? »

Il n'y avait donc pas d'amour libre. C'était la première fois que Nadia en prenait si cruellement
conscience. Le pouvoir s'en mêlait toujours, n'importe
quel pouvoir, celui des familles, des religions, des idées.
Elle soupira.

« Nous lui donnerons un passeport le jour de sa libération. Il faudra qu'il ait quitté le territoire égyptien dans
les vingt-quatre heures suivantes. »

Elle hocha la tête. Elle acceptait tout, pourvu qu'il
sortît du bagne. Qu'elle le revît. Ils recommenceraient
leur vie ailleurs.

« Je vous remercie de ces informations, dit-elle.

— Ce sont plus que des informations », conclut-il en
souriant.

Elle informa Soussou par écrit.

Quatre mois plus tard, elle reçut un coup de téléphone d'Ismaïl.

« J'ai des informations. Voulez-vous dîner avec
moi ? »

Elle accepta et ils convinrent de se retrouver à *L'Er-*

mitage. Elle se demanda le restant de sa vie, si le choix de ce restaurant avait été réellement fortuit.

Il vint habillé en civil. Elle frémissait d'impatience. L'ambassade de l'Inde, lui apprit-il, avait bien voulu intercéder en faveur de Loutfi el Istambouli et demander une mesure de clémence à son égard. La demande avait été favorablement accueillie.

« Loutfi el Istambouli a beaucoup de chance, lui dit-il en préambule. Outre une jolie femme qui se soucie de son sort, il compte beaucoup d'amis efficaces. »

Nadia s'interrogea sur ces propos ; Ismaïl Abou Soun faisait-il allusion aux démarches de Soussou en faveur de Loutfi ? L'autre secoua la tête :

« Non, l'ambassade de France s'est déclarée prête à lui faire donner un visa. Un philosophe français, Raymond Doucet, vous le connaissez ? » – elle secoua la tête – « a beaucoup plaidé en sa faveur. Vous connaissez la France ?

— Non, répliqua-t-elle. Je n'ai été qu'au Liban. »

Il sourit encore, penchant la tête vers elle, et elle fut de nouveau saisie par sa beauté. Aldo Colestazzi n'avait été en comparaison qu'une copie réussie ; elle avait en face d'elle un original. Elle caressa du regard cette coloration blonde et cuivrée, pareille à celle d'une statue chryséléphantine. Elle admira le naturel rayonnant du geste et la douceur des yeux. Le corail des lèvres. Et jusqu'à cette façon de parler l'anglais, raffinée, mais imperceptiblement exotique. Elle n'osa lui demander où il l'avait appris. Elle comprit Sybilla Hammerley.

« Vous vous proposez de l'accompagner en exil ? » demanda-t-il. Et comme elle répondit par l'affirmative, il poursuivit : « Mais comment ferez-vous, puisque vous n'êtes pas mariés ? La France ne vous accordera pas de visa et le gouvernement, comme vous le savez, ne permet pas aux Égyptiens de se rendre dans d'autres pays que les pays arabes, sauf dispense spéciale. »

Elle fut saisie de panique.

« Mais alors... comment vais-je faire ? »

Il la considéra de ses yeux de miel vert et elle fut troublée.

« Il faudra également étudier ce problème-là », dit-il.

Elle comprit qu'elle dépendait une fois de plus du bon vouloir d'Ismaïl Abou Soun. Une obscure appréhension s'empara d'elle, car elle était de surcroît attirée par ce personnage séduisant autant qu'influent.

« Mais il ne faut pas vous inquiéter ainsi, reprit-il. Je devine votre inquiétude. Il existe des solutions à bien des problèmes, comme vous l'avez vu. Mais qui donc s'occupe de vous ? »

Elle secoua la tête. Personne. Elle ne pouvait l'avouer : il était la seule bouée sur l'océan noir où elle dérivait. Tout au long du dîner, il se voulut rassurant ; il le fut. Il l'interrogea sur sa vie. Elle en confia ce que la décence lui consentait. À la fin du dîner, il était devenu un confident. Il l'accompagna à sa porte ; c'était juste de l'autre côté de la rue. S'ils avaient dîné ailleurs, elle fût montée dans le premier taxi. Pourquoi donc avait-elle suggéré *L'Ermitage* ? Elle fut contrainte de lui demander, par courtoisie, par intérêt, par un élan mystérieux :

« Voulez-vous monter prendre un café ou un dernier verre ? »

Il accepta.

Elle avait à peine refermé la porte palière derrière elle, le ressort avait à peine repoussé le pêne dans la clenche qu'Ismaïl lui saisit la main et l'attira vers lui. Elle fut pétrifiée par le conflit de sentiments contradictoires, attirance, fidélité, peur, nécessité de s'attacher cet homme-clef. Le visage blond cuivré se rapprocha d'elle. Elle ne perçut que le regard de miel vert avant de sentir sa bouche contre la sienne. À bout de nerfs, elle céda, elle entrouvrit ses lèvres, ils s'embrassèrent pendant un temps si long qu'il parut à Nadia qu'elle dût mourir ainsi. Le contact des mains chaudes contre ses bras, elle que personne n'avait touchée depuis des mois, l'électrisa. Elle ne fut plus qu'un faisceau de vibrations presque insupportables quand une main quitta son bras pour se poser sur ses seins et les caresser. Elle faillit crier.

Nadia savait si peu de la sexualité qu'elle fut dévastée par Ismaïl. Ce n'étaient pas les fièvres si souvent maladroites du sentiment qui l'animaient, mais la passion de la sexualité elle-même. Il la déployait comme un dompteur qui fait bondir des panthères à travers des cerceaux de feu. Il ne cherchait pas l'orgasme, mais le plaisir des corps et Nadia eut l'impression de servir de repas à un cannibale raffiné. De la sorte, il la vida des poisons accumulés de l'angoisse et de la frustration ; elle qui s'était voulue amante et sentimentale, elle se découvrit chair animale. Elle aima Ismaïl, non de l'amour qu'elle avait attendu jusqu'à Loutfi et trouvé avec lui, mais de passion physique sans remords.

« Tu es une femme superbe, lui dit-il à l'aube, en se rhabillant. Tu méritais mieux qu'un communiste. »

Elle l'ignorait, mais elle découvrait parallèlement à Loutfi les tourments de l'enfer ; pas celui du bagne, mais du doute et de la culpabilité. Et ils devinrent si brûlants, les jours suivants, que pour les apaiser, il lui fallut revoir Ismaïl.

Elle le revit, d'ailleurs, jusqu'au soir où il lui annonça froidement : « Il sort après-demain matin. J'ai ton visa. »

Il avait appris à quitter les femmes avant qu'il les suppliât de rester. Quant à elle, elle se découvrait tardivement, comme sa sœur, une rébellion sauvage. On lui avait déjà volé sa vie. On l'arrachait à son pays. Elle ne voulait pas qu'on lui volât son corps.

7

« *Rien que le pouvoir !* »

À cette vacation de Sotheby's, bien des années auparavant et déjà estompée dans la mémoire, la statuette d'Isis en argent avait été adjugée vingt et une mille livres à un musée américain. Siegfried, présent dans la salle, en avait eu le vertige, comme s'il avait été saoul. Il eut chaud et sortit respirer dans New Bond Street.

Un mois plus tard, il était salarié dans la galerie Alex Burgh et spécialement chargé des rapports avec quatre jeunes peintres et un sculpteur, tous cinq sous contrat. Son travail était essentiellement bureaucratique. Un matin, un visiteur en chemise à carreaux, au menton fuyant et à l'air passablement campagnard et ahuri était entré dans la galerie en l'absence d'Alex Burgh et avait demandé à Siegfried quels étaient selon lui les peintres qu'il faudrait acheter et qui seraient promis à un bel avenir. La conversation avait duré près d'une heure, avec analyse et discussion de chacun des peintres que Siegfried avait recommandés et elle s'était soldée par une vente de six tableaux et d'une sculpture pour trois quarts de million de dollars. Siegfried, effrayé par l'importance du chèque qu'il avait en main, avait téléphoné à Burgh et lui avait demandé de venir d'urgence à la galerie. Mais le chèque était bien réel, le campagnard gauche se révéla être le roi américain de l'électronique militaire et, le soir même, Burgh téléphonait à Wilson : « Peter, le jeune Osiris que tu m'as envoyé a profité de mon absence pour réaliser la meilleure affaire de l'année ! »

Le soir même, les deux hommes, quelques amis et Siegfried célébraient le marché par un dîner tonitruant.

Le lendemain, sur l'intervention de Wilson auprès de Burgh, Siegfried se voyait allouer une commission de quinze pour cent sur la vente et était nommé *minor partner* de Burgh, avec, à l'avenir, une commission sur les bénéfices de vingt-cinq pour cent.

Enrichi de cinquante-cinq mille livres, Siegfried avait loué une maison de ville dans Kensington Mews, du type qu'on appelle *semi-detached*.

Trois ans plus tard, la galerie Burgh comptait parmi les premières galeries internationales d'art contemporain et avait sous contrat six des peintres et deux des sculpteurs les plus cotés du marché. Elle changea de nom et s'appela, naturellement, Burgh & Alp. Alex Burgh et Siegfried furent désignés par le *Financial Times* comme les marchands d'art de la nouvelle génération que les amateurs seraient avisés de suivre.

Siegfried fit parvenir à sa mère un billet d'avion pour la prier de liquider leur appartement et de le rejoindre à Londres, *via* Beyrouth. Elle y arriva juste au moment où la France de Guy Mollet et l'Angleterre de Sir Anthony Eden montaient une expédition navale contre l'Égypte, coupable d'avoir nationalisé le canal de Suez, et où, sur les ordres du président Eisenhower, l'escadre américaine faisait avorter le blocus d'Alexandrie. C'était en 1956.

Pour Cécile et Siegfried Alp, l'Égypte appartenait au passé.

« C'est presque une redondance, commenta Siegfried à l'intention d'Alex Burgh. Le pays était illustre pour son passé, et nous y vivions en 1950 comme en 1910. Maintenant, pour nous, c'est devenu le passé composé. »

Mais point pour sa mère ; elle parlait à peine l'anglais et Londres lui sembla affreusement froid.

« Que faisons-nous ici ? Pourquoi m'as-tu fait venir dans ce pays ? Ces gens sont sinistres, leur nourriture est immangeable. Il n'y a pas un seul café et presque pas d'arbres. Notre pays, c'est l'Allemagne. »

Elle appartenait à la plus revêche variété d'exilés, ceux qui ne s'y résignent pas. Elle partit pour l'Allemagne, à la rencontre de cousins demeurés à Berlin. Ils l'accueillirent sans enthousiasme excessif. Ils avaient, eux, subi les privations et les bombardements pendant qu'elle se prélassait au soleil. Elle ne reconnut pas la ville, aperçue pour la dernière fois en 1938, et s'en étonna. « Mais où est donc passée Potsdamerplatz ? » Or, Potsdamerplatz avait été tout simplement effacée de la carte, de même qu'Alexanderplatz, ce qui la confondait. *Kaput, gnädige Frau. Bomben, kennen sie ?* Elle erra trois jours, morfondue, sur Kurfürstendamm, essayant de comprendre que Berlin, comme Le Caire d'autrefois, avait disparu. Elle partit se réfugier quelques jours dans un hôtel luxueux de Garmisch-Partenkirchen, puis lasse d'entendre « ces Bavarois » yodler la nuit dans les rues, elle regagna Londres, désemparée. Siegfried éprouva les plus grandes peines du monde à la faire inscrire à un club de bridge.

Deux ans plus tard, Siegfried postula à la nationalité britannique. Il l'obtint l'année suivante. Un matin, il reçut la visite d'une femme en sari, descendue de Rolls-Royce devant la galerie et suivie d'une secrétaire. Il ne la reconnut d'abord pas, bien qu'elle fixât sur lui un regard souriant autant que charbonneux.

« Siegfried, dit-elle en français, j'ai donc tellement vieilli que vous ne me reconnaissiez pas ?

— Soussou ! » s'écria-t-il.

Ils s'étreignirent.

« Nous sommes loin du Guézireh Sporting Club, dit-elle en se reculant pour mieux le regarder.

— C'était dans une autre vie.

— Vous êtes beaucoup plus beau dans cette réincarnation.

— Et vous avez trouvé votre véritable incarnation », dit-il.

Ils rirent et s'étreignirent de nouveau.

« Je ne comprends rien à l'art moderne, dit-elle, et si vous le permettez, je n'ai aucune envie d'y rien comprendre. Je suis venue pour le plaisir de vous voir. »

À la fin, les mensonges étaient la seule façon de supporter l'existence. Elle l'invita à dîner à trois jours de là dans la maison qu'elle louait à Mayfair. Il s'y rendit et trouva l'ordinaire salade russe, dite également macédoine mayonnaise, des gens riches, de ceux qui voudraient l'être et de ceux qui veulent montrer qu'ils le sont, qui composaient l'essentiel de sa clientèle. Et, parmi eux, un industriel américain qui passait pour l'un des cinq plus grands collectionneurs du monde et auquel il avait déjà vendu, par le truchement d'un intermédiaire fangeux, trois tableaux de la classe dite cinq étoiles. Soussou devina son intérêt pour l'Américain et vint savamment soutenir son personnage, organisant un dîner exprès pour que le marchand et le client fissent plus amplement connaissance. Il comprit qu'elle espérait se rendre indispensable.

Elle lui témoigna même une attention tellement soutenue que plusieurs invités, et il en était conscient, conclurent qu'il était sinon son amant, du moins son chevalier servant. Il quitta la soirée non sans perplexité et se rendit dans un des clubs de Londres où il avait ses habitudes, lesquelles se résumaient à partir avec le garçon le moins laid de l'assistance.

Un matin de mai 1960, en villégiature à Juan-les-Pins, il lut dans le *Times* l'entrefilet suivant : « Le marchand de tableaux Alex Burgh, l'un des deux partenaires de la galerie d'art moderne de Londres Burgh & Alp, a trouvé la mort dans un accident d'automobile près de Gênes, dans la nuit du 12 au 13 mai. Alex Burgh était âgé de quarante-quatre ans. »

Il reçut dans l'heure un coup de téléphone de Soussou. Elle avait également lu le *Times* et l'assurait qu'elle partageait son chagrin. La formule incita Siegfried à se demander s'il éprouvait vraiment du chagrin. Mais il ne trouva qu'une frustration égoïste, comparable à celle d'un collectionneur auquel un voleur a dérobé l'une de ses plus belles pièces. Burgh avait fait partie de son monde, il avait été son initiateur, puis son soutien. Peut-être même Burgh avait-il été secrètement épris de lui sans jamais oser l'avouer, et Siegfried en avait-il discrètement joué. Toujours était-il que Siegfried ressentait de l'amertume à l'égard du destin qui l'en privait.

« D'où m'appelez-vous ? demanda-t-il à Soussou.

— De Monte-Carlo. »

Ils décidèrent de se retrouver à *La Réserve* de Beaulieu pour dîner ensemble. Quand elle fut entrée dans le restaurant, elle se défit d'un châle de voile qui flottait autour de son cou et révéla aux regards des convives stupéfaits une rivière de rubis sang-de-pigeon ceints de diamants, digne d'une reine. Un silence régna tandis que les regards la suivaient vers la table où Siegfried l'attendait debout. Il se dit alors qu'elle avait réalisé ce dont elle avait si longtemps rêvé et il craignit que le reste du repas ne fût une répétition des gestes et manières qu'elle avait si longtemps cultivés. Il n'en fut pourtant rien ; Soussou lui témoigna une fois de plus l'attention chaleureuse prodiguée lors de la soirée londonienne.

« Que faites-vous de votre vie ? questionna-t-elle en tartinant son caviar.

— Que fait-on d'une vie, Soussou ? C'est plutôt elle qui vous fait.

— Vous devez être pourtant heureux de vivre dans l'art, vous qui y aspiriez tant... »

Le lieu commun prévisible.

« J'aime la beauté, répondit-il, mais il n'est pas certain que j'aime l'art.

— C'est vous qui dites cela ? Quelle différence faites-vous ?

— L'art consiste en l'impression de fantasmes sur la toile ou le papier, de même que la circulation fiduciaire consiste en l'impression de symboles joliment gravés. Je trouve que *La Joconde* est le tableau le plus ennuyeux du monde. J'ai l'impression de voir la reine mère déguisée en Iranienne. Les danseuses de Degas me paraissent refléter les illusions d'un vieillard libidineux et malveillant dans les coulisses. Picasso me semble bon pour l'asile et le foin qu'on fait autour de cet Américain, Jackson Pollock, me déconcerte entièrement. Je ne me l'explique que parce qu'il fait ce que tant de gens ont envie de faire eux-mêmes quand ils entrent dans une galerie, du moins quand ils sont sincères envers eux-mêmes : jeter un pot de peinture sur les murs. »

Elle éclata de rire.

« Vous ne tenez pas ces propos à ces clients, je pense ! Sans quoi vous n'auriez pas acquis la célébrité qui est désormais la vôtre.

— Non, je suis l'homme le plus malhonnête de ma profession et, comme chacun sait, le marchand le plus honnête. Je sais vendre. Et encore mieux, acheter.

— Vous n'avez pas changé, Siegfried ! Vous teniez déjà des discours séditieux au Guézireh Sporting Club. »

Au bout d'un moment, elle lui demanda :

« Vous n'aimez pas l'art. N'avez-vous pas alors d'amour qui vous tienne chaud ? »

Il secoua la tête. Les jeunes hommes allaient et venaient dans sa vie et, s'ils lui arrachaient parfois quelque sympathie, c'était bien le plus qu'on pût en dire.

« Je vous ai pourtant rencontré avec... des jeunes hommes... charmants... », dit-elle, comme appréhendant les mots qui lui sortaient des lèvres.

Il haussa les épaules.

« Jadis, j'ai espéré... enfin ce que nous appelions l'amour. Quand nous étions en Éden. Un mauvais lieu. Je m'imaginais que dans un monde parallèle, où il n'existait pas d'engagement social, pas de risque de grossesse et d'enfants qui crient la nuit parce qu'ils font leurs dents, je pouvais le trouver. J'ai dû en rabattre. Un jeune homme d'aujourd'hui, c'est à peu près une jeune fille d'hier : ils cherchent tous un parti, quel qu'en soit le sexe. Je n'entends pas plus me marier avec un jeune homme qu'épouser une femme. »

Tout en parlant, il commençait à s'interroger sur les intentions de Soussou.

« Et vous ? » lui demanda-t-il.

Elle entreprit le récit d'une liaison de trois années avec un homme prénommé Chester, récemment mort de cancer. Elle s'était attachée à lui, et elle avait découvert après sa mort qu'il entretenait une liaison avec une autre femme, dont il avait eu une petite fille.

« Et depuis Chester ?... »

Un rire sec lui répondit.

« Des hommes, les uns jeunes, les autres moins, tous semblables.

— Tous semblables ?

— Quand ils se lèvent le matin du lit d'une femme riche, ils s'attendent à recevoir un cachet. »

Ils sirotèrent pensivement le Haut-Brion.

« Je connais, murmura-t-il. Il faut se résigner à acheter les autres. À tout acheter.

— Croyez-vous qu'il y ait un amour heureux ? »

À cette question, il sembla à Siegfried qu'il était replongé dans un de ces romans dont on était si friand dans sa jeunesse, comme *Poussière* de Rosamond Lehmann, *La Citadelle* de Cronin ou *La Mousson*, de Louis Bromfield. C'était le genre de question qu'y posaient les héroïnes. Et l'idée fugace et banale l'effleura qu'en dépit de cette fortune et de ce rang social qu'elle avait si âprement désirés et arrachés de si haute lutte elle n'était rien d'autre en fin de compte, dans le décor somptueux de *La Réserve* et devant son caviar que la petite Soussou Abd el Messih de la Villa Arsinoë, rue Scott Moncrieff, à Héliopolis. Il en fut ému, parce que, en dépit des trames différentes, leurs vies avaient suivi des chemins parallèles. Une géométrie singulière voulait que ces parallèles se rejoignissent soudain.

« Il faudrait d'abord savoir ce qu'est l'amour, répondit-il.

— Vous ne le savez donc pas non plus ? »

Il secoua la tête.

« Je pense que vous aimez votre fils, finit-il par dire. C'est le seul amour dont je sois raisonnablement certain.

— Vous songez sans doute à l'amour que vous porte votre mère ?

— Je souhaite que le vôtre soit moins possessif. »

Elle parut surprise.

« Que voulez-vous dire ? murmura-t-elle.

— Un enfant n'est pas un esclave domestique », dit-il.

Elle demeura silencieuse, songeant à la tyrannie de son père. Puis elle hocha la tête et soupira.

« Je serais heureuse, lui dit-elle d'une voix singulièrement timide, de vous avoir pour compagnon. »

Siegfried goûta le contraste saisissant entre cette requête et l'éclat des bijoux royaux de celle qui la formulait. Un silence passa. Était-ce la fin de la toute jeune amitié avec Soussou ? Il avait professionnellement besoin d'elle et de son répertoire considérable de gens riches et puissants, mais elle ne suscitait en lui aucun émoi sexuel.

« Je ne serai pas votre amant, Soussou. Vous en savez la cause.

— Je ne vous demande pas d'être mon amant, dit-elle, mais mon compagnon. On vit très bien sans sexe. Ce n'est qu'une habitude.

— Et comment vous accommoderiez-vous de ce que vous appelez mes habitudes ? »

Elle éclata de rire.

« Ne les emmenez dîner que s'ils sont présentables ! »

Il hocha la tête.

« Et mes fréquents voyages ? s'enquit-il.

— Si je ne peux vous y accompagner, je vous attendrai. Je ne vous demande pas que nous habitions ensemble. Nous garderions nos maisons. Je crois à la nécessité d'un espace vital. »

Il hocha de nouveau la tête et sourit.

« Vous êtes jeune, Soussou. Croyez-vous que vous vous accommoderez d'une liaison sèche ? N'êtes-vous devenue maharani de Calancore que pour un arrangement aussi modeste ?

— Une liaison sèche ! répéta-t-elle en riant, mais d'un rire teinté d'amertume. Les fleurs artificielles tiennent bien plus longtemps que les autres », dit-elle pensivement. Au bout d'un moment elle ajouta : « Connaissez-vous ces fleurs tropicales qui ne fleurissent qu'un jour ? Je crois que les femmes d'Égypte leur sont comparables. »

Ils convinrent de dîner ensemble le lendemain, avant que Siegfried repartît pour Londres.

Le soutien de Soussou se révéla rapidement précieux : l'existence de la galerie Burgh & Alp se trouvait menacée, la sœur et unique héritière de Burgh se proposant de vendre les parts qui lui revenaient, à moins que, selon les termes du contrat d'association, Siegfried ne les rachetât. Cela représentait deux millions de livres, somme pour Siegfried énorme. Soussou lui obtint en peu de jours le prêt bancaire nécessaire.

Ce fut de la sorte que la galerie Burgh & Alp devint *Alp Gallery*. Siegfried était désormais le seul maître de l'une des galeries les plus puissantes du monde de l'art. Moins d'un an plus tard, il ouvrait une succursale à New York.

Siegfried avait alors quarante-sept ans. Un matin au réveil, il se dit : « Rien que le pouvoir ! Quelle solitude ! »

Le Guézireh Sporting Club avait été une bien mauvaise école. Il avait cru que c'était du passé, mais le trait le plus marquant du passé est qu'il forge l'avenir. Il avait espéré une destinée ; le destin ne lui avait concédé qu'une comédie aigre-douce.

En enfilant sa robe de chambre, il se rappela alors qu'il était invité avec Soussou à la garden-party royale annuelle dans les jardins de Buckingham. Il n'avait jamais vu la reine en personne et la perspective de lui être présenté le rasséréna un peu.

« Je suis finalement incorrigible ! » murmura-t-il en passant à la salle de bains.

8

Un mauvais dîner rue de Lisbonne

« Il fallait prendre la direction Mairie de Clichy », dit Nadia, quand elle et Loutfi s'avisèrent que les stations qui défilaient ne correspondaient pas à l'itinéraire prévu, mémorisé à Montparnasse-Bienvenue. Les noms qu'ils déchiffraient aux arrêts leur paraissaient aussi étranges et menaçants que si ç'avait été Nijni-Novgorod ou Alma-Ata : Pasteur, Sèvres-Lecourbe, Cambronne... Cambronne, vraiment ! Et pourquoi pas Merde ! Mais que faisaient-ils donc dans cette ville où les gens mangeaient du cheval ?

« Bon, qu'est-ce qu'on fait ? demanda Loutfi avec impatience tandis que Nadia plissait les yeux sur le petit plan du métro qu'elle avait tiré de son imperméable.

— On change à Trocadéro direction Mairie de Montreuil, répondit Nadia, puis on descend à Saint-Augustin. En fait, ça nous rapproche de leur maison, puisqu'ils habitent tout près de Saint-Augustin, ils l'ont dit.

— On sera en retard », maugréa Loutfi, serrant entre ses jambes un parapluie noir, engin peu familier, mais nécessaire pour parer à la malveillance éternelle du temps parisien.

Car il pleuvait sans désemparer en cet octobre 1962. Ni Loutfi ni Nadia ne connaissaient cette pluie-là. Ce n'était pas l'eau du ciel qui vient rafraîchir la terre et sa végétation au terme d'une vague de chaleur, mais une des formes innombrables de l'adversité. Elle ne rafraîchissait rien, elle glaçait tout, des semelles et de l'asphalte jusqu'à l'âme.

Une fois de plus, depuis la banquette d'un compartiment de seconde classe du métro parisien, ils prirent la mesure de cet Occident dont ils avaient jadis rêvé. Des passagers renfrognés sous une lumière de caveau funèbre, dans un remugle de vêtements humides, d'odeurs de cheveux, d'aisselles mal lavées et d'haleines avinées. Où étaient donc les tramways du Caire, qui grinçaient avec entrain en traversant le trafic devant eux ? Là, il fallait avancer sous terre, comme des termites, se vêtir du fatalisme morose des gens alentour encoconnés dans leur méfiance. Et quand, enfin, on débouchait à l'air libre, on retrouvait des avenues sans fin bordées de maisons noirâtres, aux fenêtres sans regard. Jamais personne aux balcons, pas de linge à sécher et, dans le meilleur des cas, des bacs de géraniums en guise de décoration. Le géranium était-il la fleur nationale française ?

Loutfi et Nadia n'étaient à Paris que depuis un mois. Pour une raison apparemment mystérieuse, et peut-être pas si mystérieuse quand on y réfléchissait, les services consulaires français avaient sursis au visa dont Ismaïl Abou Soun avait déclaré, un peu hâtivement, qu'il serait accordé à Loutfi sur l'intervention du philosophe Raymond Doucet. Contraints de quitter l'Égypte dans les vingt-quatre heures qui suivaient la libération de Loutfi, ils avaient dû se replier précipitamment sur Beyrouth en attendant de gagner Paris. En effet, Loutfi pouvait indéniablement exciper du statut de réfugié politique auprès des autorités françaises, mais par ailleurs, théoricien du nationalisme arabe, il demeurait suspect, surtout après le fiasco de Suez. À Beyrouth, au moins, Nadia pouvait faire virer de l'argent sur son compte sans trop d'encombre et ni lui ni elle n'étaient menacés de misère. De plus, Loutfi avait rapidement trouvé un poste à la fois en tant que journaliste dans un journal libanais de langue française et au bureau de la Ligue arabe. Ils y avaient vécu dans une aisance relative. Loutfi était d'ailleurs rentré en grâce auprès de certains représentants égyptiens ; ils lui firent même miroiter la possibilité de retourner dans son pays.

Mais Loutfi et Nadia avaient barré l'Égypte de leur géographie intérieure.

Pour Loutfi, vivre dans la constante angoisse d'être entendu par les services secrets, les *moukhabarât*, de retrouver, fût-ce au passage, dans la rue, par hasard, les odeurs du bagne et pour Nadia, la crainte indicible de retrouver Ismaïl Abou Soun étaient déjà des raisons suffisantes pour l'exil.

Pour tous deux, de surcroît, le retour eût été fictif : leur Égypte était disparue.

« Finalement, avait murmuré Loutfi un jour, avec une ironie amère, nous étions des sujets du royaume et non de la république. » En réalité, exilés de la langue arabe, ils étaient exilés de l'Islam et donc de l'Orient. Il fallait aussi partir.

Dans sa dernière conférence à Beyrouth, Loutfi osa le déclarer : « Force est d'affronter le fait qu'on ne peut pas être lecteur de Bakounine et de Baudelaire et rester en harmonie avec l'Islam. »

Une partie de l'auditoire en fut consternée, l'autre protesta. Mais les valises étaient déjà faites.

Pareils aux phalènes, les exilés volent irrésistiblement vers les lumières. Comme eux, ils n'ont pas de patrie et courent vers les foyers des grandes capitales. Pour Loutfi, la langue européenne qu'il parlait le mieux étant le français, le choix de Paris s'imposait et d'autant plus que, grâce à la tenace sympathie de Raymond Doucet, il était assuré d'un poste dans un périodique français consacré au monde arabe. Ils apprirent par une lettre de Doucet que Louis Hanafi avait été nommé directeur de collection dans une célèbre maison d'édition. Finalement, l'écriture avait été leur bouée de sauvetage.

Un jeune homme blond assis devant eux dévisageait Nadia avec insistance ; elle détourna les yeux. Ce simple trajet en métro tournait à l'épreuve. Elle se retint d'observer que Loutfi eût dû se rendre seul à l'invitation à dîner de Louis Hanafi et de Fatma el Entezami, parce qu'elle se rappela les objections qu'il eût faites. Fatma raconterait que leur couple battait de l'aile. Et Loutfi eût redit qu'il avait besoin de la présence de Nadia pour le soutenir contre l'animosité doucereuse de Fatma el Entezami.

« C'est là », dit-elle en se levant quand le métro s'arrêta à Trocadéro.

Le jeune homme blond la suivit du regard quand le train démarra. Ils arrivèrent rue de Lisbonne avec un quart d'heure de retard. C'étaient les premières retrouvailles avec Louis et Fatma depuis cinq ans. Les exclamations joyeuses et les accolades faiblirent soudain quand Loutfi et Nadia aperçurent debout, dans l'entrebâillement de la porte du salon, Souki Marrani.

« C'est un dîner d'anciens bagnards ? demanda, goguenard, Loutfi à Louis.

— Nous avons trouvé des écuelles authentiques, dit Louis.

— Ne commencez pas, Loutfi. C'est un dîner d'anciens amis », répliqua Fatma el Entezami.

En effet, Raymond Doucet était également présent. Loutfi lui présenta Nadia, que le philosophe n'avait jamais encore vue.

« C'est donc vous, l'ange gardien ! s'écria Nadia.

— Simplement un petit elfe, répondit Doucet. Je dois à Loutfi l'un des portraits les plus saisissants de l'Égypte de l'ancien régime et je voulais simplement lui témoigner ma reconnaissance. »

La porte sonna et un petit homme au visage soucieux, l'œil aux aguets sous des sourcils broussailleux, fut introduit. Louis Hanafi s'empressa auprès de lui. Il s'appelait Émile Cioran. Tout le monde alors s'empressa.

« J'arrive en retard, expliqua-t-il de son accent légèrement roulant, parce que je ne sais pas pourquoi j'ai transformé dans mon esprit la rue de Lisbonne en rue de Moscou. Quand je suis arrivé rue de Moscou, je me suis rendu compte de mon erreur. Alors il a fallu trouver un autre taxi. Et me voici.

— Les effets de l'exil, déclara Louis Hanafi. Lisbonne ou Moscou... Nous sommes tous ici des exilés, à l'exception de Raymond Doucet. »

Cioran jeta un regard circulaire.

« Nous sommes tous pareils à des convicts, dit-il, nous aurions dû aller en Australie. »

Loutfi éclata de rire. Louis expliqua pourquoi.

« C'est vrai, reprit Cioran, être exilé, c'est comme... » Il chercha ses mots. « ... avoir eu une peine de mort commuée en prison à vie. On n'est plus chez soi, on n'est plus soi. Imaginez Nietzsche banni d'Allemagne et installé à New York, par exemple. Ce n'est plus Nietzsche. Il devient quelque chose d'effroyable ! Un optimiste ! »

Louis gloussait.

« Mais vous, Cioran, vous avez ressuscité en France. Alors, peut-être l'exil est-il pour vous une seconde vie, non ? »

Cioran médita l'observation.

« Oui, admit-il avec un quart de sourire, c'est un joli bagne. Et j'ai eu l'occasion d'apprendre le français. Mais j'ai dû changer de langue. Peut-être aurais-je dû changer aussi d'identité. Mais ce n'est pas autorisé par les services de police. »

Vint l'heure du dîner.

« Cioran, je vous ai fait préparer votre menu », annonça Fatma el Entezami.

Il se révéla que c'était du riz blanc au yaourt nature, relevé d'un peu de vermicelle, parce que le philosophe était dyspeptique. À table, l'aménité annoncée par Fatma el Entezami fut promptement démentie par les reparties entre Loutfi et Souki, qui était accompagné d'une jeune

femme au visage éternellement souriant et à la peau lui-
sante, surnommée Lilou Papangelos.

« Quand il m'a vu arriver au bagne, rapporta Souki
d'un ton qui se voulait ironique, il m'a demandé ce que
je faisais là. Et quand je lui ai précisé que j'avais été
condamné pour communisme, il m'a répondu que je
n'étais pas communiste.

— Parce que vous étiez devenu communiste ? s'enquit Louis, l'air faussement étonné.

— Est-ce que je n'ai pas travaillé avec vous à *Rabi'
el Umma* ? s'écria Souki, offensé.

— Tu as traduit un extrait de Trotski d'une demi-
colonne, rétorqua Loutfi, et tu nous as de temps en
temps aidés à réviser les épreuves. Si tu crois que ça
fait de toi un communiste ! D'ailleurs, ni Louis ni moi ne
sommes et n'avons jamais été communistes. Nous étions
de gauche, tendance trotskiste.

— C'est quand même curieux, remarqua Cioran,
être communiste semble devenu à Paris un brevet d'élégance intellectuelle.

— En tout cas, c'est l'accusation qui a été portée
contre moi par le tribunal, insista Souki.

— Si tu crois que l'accusation d'un tribunal égyptien vaut un brevet de communisme, dit Loutfi, tu es mal
parti !

— Vous n'allez pas vous disputer à Paris pour des
histoires de bagne qui remontent à dix ans ! s'écria Lilou
Papangelos.

— Non, je ne veux pas qu'on se dispute chez moi !
clama Fatma el Entezami.

— Au moins vous avez eu de la chance, observa
Cioran, c'est de ne pas avoir été condamnés au bagne
par des communistes. Parce que là, vous n'en seriez pas
sortis. »

Le dîner s'annonça exécrable : aux tomates farcies
aux crevettes, imprégnées de la fadeur subtile et dou-
teuse des plats de traiteur, avait succédé l'immanquable
poulet rôti des émigrés désargentés, et celui-ci ressemblait à du bois de sureau cuit à la graisse ; les pommes

de terre qui l'accompagnaient étaient farineuses. Le vin, des côtes de bourg, était médiocre, pour la bonne raison que Fatma el Entezami le buvait avec des glaçons et ne voyait pas de raison de payer cher des bordeaux de haut lignage pour les dénaturer avec de la glace. La conversation, enfin, avait été décidément aigre. Louis Hanafi et Raymond Doucet en avaient écouté les échanges d'un air pensif. Pour apaiser les esprits, Doucet mit sur le tapis les accords d'Évian, qui venaient d'être signés.

« C'est fou l'importance des stations thermales dans l'histoire de France, dit Louis, Vichy, Évian... Je me demande ce qui se passera à Vittel. »

Raymond Doucet sourit.

« Ces accords me paraissent constituer un signe dont l'importance ne me semble pas avoir été perçue par tout le monde, dit-il. Pour la seconde fois dans l'histoire, l'Orient se sépare de l'Occident. Le première fois, c'était à la chute du royaume franc de Jérusalem. Mais, cette fois-ci, c'est bien plus important, en raison des masses de populations en jeu. L'Islam et l'Occident présumé chrétien vont dériver de plus en plus loin de l'autre et se comprendre de moins en moins. Pendant des siècles, nous avons eu des Arabes qui parlaient grec et latin et qui transcrivaient les manuscrits de Platon, d'Aristote et d'Euclide, et je compte autour de cette table plus d'un convive qui parle et écrit à la fois l'arabe, le français et même l'anglais et qui est de surcroît familier de chacune des trois cultures de ces langues. Maintenant, les Arabes ne parleront plus que l'arabe.

— Qu'en déduisez-vous ? demanda Loutfi.

— Maintes choses, répondit Doucet en soupirant. La première, c'est que vous êtes les précieux représentants d'un monde en train de disparaître, comme le furent sans doute les Alexandrins à l'arrivée des zélotes chrétiens au IIIe siècle. Une autre est que les masses islamiques se laisseront progressivement fanatiser en raison de leur infériorité technologique croissante à l'égard de l'Occident. Une autre encore est que les apparences de démocratie qui existaient dans les pays arabes seront balayées dans de brefs délais, comme elles commencent à l'être en Égypte.

— Donc, observa Nadia, nous avons bien fait de partir.

— Sans doute, répliqua Doucet.

— Vous avez omis Israël dans votre analyse », déclara Loutfi.

Doucet hocha la tête.

« Je serais bien prétentieux de résumer en quelques mots ce qu'il faudrait penser d'Israël selon moi. L'État d'Israël vous ressemble beaucoup à vous tous ici. Je me contenterai de dire ceci : il est né comme vous à l'ombre du protectorat anglais.

— Donc il faut qu'il s'en aille, dit Loutfi.

— Le sujet est trop grave pour que j'approuve ou désapprouve votre conclusion. Tout ce que je peux dire est que, selon moi, l'existence de cette enclave sera perçue par les pays arabes comme une provocation et qu'elle attisera l'hostilité à l'Occident et notamment aux États-Unis, qui en sont les plus fidèles défenseurs. »

Un bref silence régna tandis que les convives se servaient de fromage.

« Tout ça, c'est du passé comme vient de le dire Raymond Doucet, déclara Fatma el Entezami d'un ton péremptoire.

— Je crains qu'il n'y ait jamais de passé, releva Cioran. La notion du passé est fausse. C'est du présent défraîchi dont personne ne peut se débarrasser. Le plus grand bienfaiteur de l'humanité serait celui qui inventerait un vaccin antimémoire.

— Non, c'est vrai, il n'y a pas de passé, répéta Loutfi. Et il y a les Palestiniens.

— Les Palestiniens ! s'écria Fatma el Entezami levant les bras au ciel. Ils n'ont qu'à aller ailleurs !

— C'est sans doute ce que vous auriez dit des juifs sous le IIIe Reich, lui lança Loutfi d'un ton agressif.

— Vous êtes sans doute payé par eux ! Ça ne m'étonne pas, ils sont riches aux as.

— Tu es devenu antisémite ? Souki demanda à Loutfi d'un ton mielleux.

— Puis-je ajouter à tes connaissances qu'antisémite et antisioniste désignent des idées bien différentes ? répliqua Loutfi avec mépris.

— L'antisionisme n'est qu'un prétexte à l'antisémitisme », dit Souki.

Loutfi haussa les épaules.

« Je connais bien des juifs qui sont antisionistes, observa Raymond Doucet. Il me paraît dangereux d'assimiler une religion à un nationalisme.

— D'ailleurs, vous avez toujours été antisémite ! » s'écria Fatma el Entezami à l'adresse de Loutfi.

Ce fut alors que Nadia exaspérée lâcha à l'intention de Fatma el Entezami et de Souki :

« Je ne l'ai jamais entendu tenir de propos antisémites, mais je sais que ce n'est pas lui qui a persuadé Aldo Colestazzi de s'écarter de moi ! »

Un silence pesant tomba tout à coup sur la table. Louis coula un regard vers son épouse.

« Vous n'auriez pas voulu que la maharani de Calancore ait un beau-frère juif », dit Fatma el Entezami. Puis elle baissa les yeux, s'avisant qu'elle s'était trahie de la sorte. « Tout ça, c'est un malentendu », murmura-t-elle.

Peu après que le café eut été servi et bu, Loutfi et Nadia prirent congé, arguant du risque de manquer le dernier métro. Cioran épouvanté et Doucet les suivirent et, quand ils furent dans la rue, ce dernier dit à Loutfi :

« Je ne sais quelle est la cause qui a causé du fracas à la fin du repas. Je voudrais simplement vous redire l'estime que je porte à la cohérence de vos itinéraires, à vous et Louis Hanafi, en dépit des ruptures apparentes de trajectoire. Mais je ne saurais en dire autant des autres, ajouta-t-il avec un sourire.

— À travers la courtoisie de vos termes, je comprends que vous voulez parlez de Fatma, dit Loutfi. À elle seule, elle suffit pour condamner l'ancien régime. Elle en porte tous les stigmates : vanité, cupidité, goût

effréné du pouvoir et de l'intrigue, et surtout inconsé-
quence. Car ces gens-là étaient par-dessus tout inconsé-
quents.

— Souki ne m'a pas fait non plus la meilleure
impression, observa Doucet.

— C'est un rat, s'écria Loutfi. Il croit que je suis
antisémite parce que je le méprise. »

La conversation s'acheva devant la bouche de
métro.

C'était donc cela, Paris, l'exil et le grand large, se dit
Nadia, quand ils arrivèrent à destination, place d'Italie.
« J'ai tellement entendu parler du prolétariat, maintenant
j'en fais l'expérience. »

Sous la lampe de palier, dont suintait une lumière
jaunâtre, le visage de Loutfi parut creusé et lugubre. Il
n'était jusqu'au cliquètement de la clef dans la serrure
qu'elle ne trouvât sinistre.

Le mariage était-il donc le tombeau des sentiments ?
Ou bien était-ce un bocal de formol dans lequel on dépo-
sait ses rêves ?

9

« J'ai pris la beauté,
et je l'ai assise sur mes genoux... »

    Alp Gallery Opens Fall Season with a Shocker, annon-
çait le *New York Times* en première page, au-dessus
d'une reproduction d'un des tableaux de l'exposition
inaugurale d'automne : une peinture dont la facture classique et les craquelures eussent laissé croire que c'était
une œuvre de la Renaissance ou bien une copie magis-
trale. Une Vierge à n'en pas douter, au-dessus de
laquelle, dans un ciel d'un bleu doré, des angelots vole-
taient, leurs bras potelés chargés des brassées de lys
symboliques. Le traitement du sujet s'écartait néanmoins de la tradition de façon pour le moins radicale :
les sourcils levés de surprise et l'œil écarquillé, la Vierge
tenait un thermomètre à hauteur de son visage. La
légende de l'illustration achevait de dissiper les doutes
résiduels : *« La Nouvelle Annonciation* qui constitue l'un
des clous de l'exposition de la Galerie Alp. »
    Tous les jours, et dès l'ouverture, une queue d'une
ou deux centaines de personnes se formait devant la
Galerie Alp, sur Lexington Avenue. De l'avis général,
c'était l'élément majeur de la rentrée culturelle. La *Nou-*

velle Annonciation avait été vendue un million et demi de dollars le soir même du vernissage. Siegfried avait été interviewé à la télévision. À l'évidence, la présentatrice, réputée pour ses questions acerbes, avait prémédité de mettre Siegfried sur la sellette avec des questions telles que : « Ne croyez-vous pas que cette peinture offense le sens religieux du public ? » et autres « Mr Alp, votre intention est-elle de tourner la peinture classique en dérision ? » Mais Siegfried avait paré les coups d'épée avec un mélange d'astuce et de candeur et des déclarations simples, bien que lardées de casuistique. « Je crois que l'art est l'illustration des grands symboles qui hantent l'humanité, et chaque époque a ses propres façons d'interpréter ces symboles. »

À la fin, l'intervieweuse s'était laissé gagner par l'humour froid de son hôte et d'un jour l'autre, Siegfried Alp était devenu l'une des vedettes de la scène new-yorkaise.

Il s'était toutefois gardé de révéler que la peinture avait été une commande à l'un de ses artistes mineurs, doté de plus de maîtrise technique et de culture que de tempérament. Bref, c'était un coup monté.

Soussou rayonnait de fierté. Elle avait reporté sur Siegfried sa volonté de revanche sur le destin difficile et terne qui, jadis, avait semblé être l'unique lot de petits Égyptiens sans fortune. Elle était, dit-elle, comblée.

Siegfried était le seul, avec Nadia auquel Soussou avait raconté les démêlés atroces qui avaient suivi la naissance de son fils, nommé Vindra comme son père ; l'accouchement quasi clandestin à l'Hôpital américain de Paris, dans la crainte que sa belle-mère ne s'emparât du nouveau-né pour le tuer ; les requêtes juridiques d'avocats indiens exigeant que le groupe sanguin de l'enfant fût conforme à ce qu'il aurait dû être si le maharaja calciné en avait été le père ; les querelles entre les avocats français et leurs collègues hindous sur le droit de la mère à élever son fils et sur la disposition des bijoux princiers. Là-bas, dans son palais de Calancore, la maharani mère et sa fille se rongeaient de dépit ; la misérable

petite Égyptienne qu'elles avaient choisie comme
épouse de convenance les avait roulées dans la farine.
Et dépouillées des fabuleux joyaux.

« Peux-tu croire, avait confié Soussou à Siegfried,
que Devi, la sœur de Vindra, est venue me voir en Suisse
pour me demander comment j'avais fait pour trouver un
amant du groupe sanguin zéro ?

— Et comment, en effet, as-tu fait ? » interrogea
Siegfried, souriant.

Cela, elle le lui avait révélé plus tard, sous le sceau
du secret. Peut-être savourait-elle secrètement le fait
que le futur maharaja de Calancore fût un petit Copte
fils d'un domestique égyptien.

Ils se découvrirent ainsi une solidarité qui ne devait
rien au sexe, à la fortune ni au rang social, mais tout
à leur caractère. Condamnés à un destin médiocre, ils
s'étaient forgé une destinée. Pour se le rappeler, ils
échangeaient parfois en aparté, et dans les circonstances les plus élégantes, quelques mots dans cet arabe
de la rue qu'ils savouraient tous deux ; ils éclataient
alors de rires qui paraissaient mystérieux pour les
témoins.

« Tu m'as un jour posé la question, je te la retourne
à mon tour : mais l'amour, Soussou ? avait-il un jour
demandé.

— Le sexe, veux-tu dire ? » Elle haussa les épaules.
« Tu devrais le savoir mieux que quiconque : ou bien on
l'achète ou bien on le vend. »

Il ne le savait que trop. Il n'avait pour cela qu'à
considérer sa mère, qui demeurait belle à soixante-huit
ans et qui avait pourtant rejeté des propositions de
mariage avec un sourire désabusé.

« Ce n'est pas moi qu'on veut épouser, avait-elle dit
à son fils qui s'étonnait : c'est la mère de Siegfried Alp. »

La poussière de plâtre parvint aux narines de Siegfried dès qu'il sortit de l'ascenseur, au dernier étage du
building de la 62ᵉ rue sur Madison Avenue, le lendemain
du vernissage. La porte palière de son appartement était

grande ouverte et, dès qu'il apparut, le décorateur s'empressa.

« Le polissage des murs sera prêt ce soir, au plus tard demain matin. Nous pourrons alors commencer à appliquer la laque. »

Siegfried hocha la tête. Le décorateur, un homme qui s'accrochait aux apparences de la quarantaine, bien qu'il fût plus proche de la décennie suivante – les cicatrices délicatement argentées sous les oreilles témoignaient des mérites de la chirurgie esthétique – le considéra d'un air plein de révérence.

« Ce sera le *penthouse* le plus célèbre de New York, dit-il, obséquieux.

— Peut-être. L'essentiel est qu'il me plaise. »

Il avait choisi l'un des décorateurs les plus cotés de New York pour, comble du paradoxe, lui imposer ses propres idées.

« Jay, lui avait-il déclaré, vos clients vous paient vos idées très cher. Moi, je vous paie le même prix pour appliquer les miennes. Elles sont simples, c'est-à-dire qu'elles sont difficiles à réaliser. Je veux un appartement où rien ne se voie que les meubles. Je veux qu'il soit moderne, mais qu'il ne se démode pas jusqu'à ma mort, sinon au-delà. Enfin, je veux qu'il paraisse, selon les occasions, immense ou intime. »

En foi de quoi, des parois coulissantes divisaient les pièces en deux ou trois ou bien les multipliaient d'autant, masquaient les télévisions, le bar...

« En tant que propriétaire d'une galerie d'art, monsieur Alp, je souhaiterais que vous me disiez quelle place vous voudriez accorder aux tableaux de votre propre collection... »

Siegfried avait souri.

« Il n'y aura pas de tableaux, Jay. L'art m'ennuie. Il n'y aura que des cadres. » Un silence. Le décorateur parut médusé. « Je souhaite que vous prévoyiez un système de projections sur les murs. De la sorte, il sera possible de changer de tableaux ou plus exactement d'images d'une minute à l'autre, selon mon caprice. Les diapositives seront projetées à l'intérieur des cadres. De la sorte, je n'aurai pas non plus à payer d'assurance. »

Le décorateur avait éclaté de rire. Un vrai drôle de bonhomme ce Siegfried Alp ! Il avait quand même lancé à Siegfried :

« En réalité, monsieur Alp, c'est un monastère laïc que vous installez. »

La saillie retint l'attention de Siegfried. Un monastère laïc, peut-être. Peut-être autre chose.

« En fait, observa Soussou pendant le dîner, tu ne veux plus habiter nulle part. Jay a raison. Ce nouvel appartement, c'est juste un lieu où dormir. Où se trouve donc la maison de ton âme ?

— Vingt-cinq, rue Soliman Pacha, répondit Siegfried en souriant.

— L'appartement de ta jeunesse. Je ne sais lequel de nous deux est le plus heureux, toi qui as gardé un souvenir heureux de ta jeunesse, ou moi, qui n'ai eu de cesse que je n'eusse quitté la Villa Arsinoë. Tu as eu une jeunesse et tu ne t'es jamais consolé de l'avoir perdue et moi, je n'en ai pas eu et je ne m'en console pas. »

Il esquissa un rire et n'émit qu'un grognement sec.

« Était-ce ma jeunesse ? Était-ce l'Égypte ? reprit-il. C'était le reposoir de mes premiers livres, c'était ma salle de concert privée, quand j'écoutais, le soir, l'Orchestre de Palestine et Gina Bachauer jouer les partitas de Bach. Là se trouvait mon premier lit de jeune homme, celui où j'ai enfoui mes premiers rêves amoureux et où j'ai versé mes premières larmes. L'été, je regardais le ciel virer à l'indigo pur, juste dix minutes avant la nuit, un indigo comme je n'en ai jamais revu, l'indigo d'Afrique. Le matin, je m'éveillais dans le parfum des fleurs de magnolia et j'allais pieds nus sur les carreaux observer mon visage dans la glace de la salle de bains pour voir si j'avais vieilli pendant la nuit. C'est là que j'attendais en tremblant les coups de téléphone de Guy. C'est là qu'un soir on est venu m'avertir qu'Orde Wingate, qui était mon grand héros, était au bar de l'Hôtel National, de l'autre côté de la rue. Je m'y suis précipité pour écouter Wingate me donner une leçon sur la manière de se trancher le cou. Finalement, c'est là que j'ai commencé à vivre. Vingt-cinq, rue Soliman Pacha. »

Il considéra son verre vide et le maître d'hôtel vint le resservir de bordeaux de Californie. Bordeaux de Californie !

« Nous autres, Égyptiens, dit Soussou, nous sommes deux fois exilés, une fois de notre jeunesse et une autre d'un pays qui n'existe plus. »

La pendaison de crémaillère devait avoir lieu le 12 octobre 1969. Siegfried était devenu l'un des rois du commerce de tableaux modernes des deux côtés de l'Atlantique. Il s'apprêtait à célébrer l'installation de son appartement new-yorkais avec un faste particulier, et Soussou y contribuait de son mieux.

Mais il était soucieux. L'un de ses concurrents avait été retrouvé à l'aube, un mois auparavant, en caleçons, mort, sur le trottoir d'un grand hôtel. Il était tombé du douzième étage de cet hôtel, dans une suite duquel il avait organisé, semblait-il, une partie fine avec deux autres garçons. L'autopsie avait révélé une dose d'héroïne extraordinairement élevée dans le sang. Le fait divers avait alarmé Siegfried. En effet, son rival, Benjamin Tirto – ils en avaient parlé une fois – exécrait les drogues injectables ; il se contentait d'un rail ou deux de cocaïne à l'occasion, mais n'en faisait guère une habitude. La police n'avait pas retrouvé les comparses des ébats du marchand de tableaux, les employés de la réception se déclarant incapables de fournir des détails utiles, sinon que la victime avait fait monter une bouteille de Dom Pérignon, ni de pousser leur descriptions au-delà du fait que c'étaient deux beaux garçons bien habillés et de grande taille, ce qui équivalait à ne presque rien dire.

À l'évidence, Tirto avait été drogué et jeté par la fenêtre. Mais l'évidence est souvent ce qu'il y a de plus difficile à établir.

La police était venue interroger Siegfried : avait-il

connaissance de gens, par exemple, des rivaux de la victime, qui eussent eu une raison de s'en débarrasser ?

« Vous dire que ce n'est pas moi l'instigateur du meurtre et que j'étais à Londres au moment du crime ne signifierait rien, car de tels assassinats peuvent être commandés à distance. Vous dire que j'ignore qui peut avoir intérêt à commettre un pareil meurtre serait un mensonge, car j'ai reçu, comme je vous en ai prévenus, des menaces m'invitant à fermer ma galerie à New York, sinon à la vendre, et à quitter la ville. Il s'agit à l'évidence d'un rival et mes soupçons valent les vôtres.

— Monsieur Alp, avait observé le policier venu l'interroger, nous avons quelque raison de penser que vous êtes le suivant sur la liste. Nous vous prions donc d'être particulièrement prudent avec vos rencontres de hasard. »

Rencontres de hasard ! Tout le monde savait donc ses habitudes. Et même ses ennemis, probablement. Eh bien tant pis ! Il n'en faisait d'ailleurs pas mystère. Siegfried Alp ne croyait pas plus aux jeunes hommes qu'aux tableaux. Il s'en servait pour son divertissement. Quelle que fût la préférence affichée des législateurs pour la monogamie hétérosexuelle, aucune loi ne lui interdisait la polygamie homosexuelle.

Cette indifférence se doublait néanmoins d'une rage froide dont il ne s'ouvrit même pas à Soussou. Ainsi, on voulait le supprimer ! Qui ? Il le devinait sans peine : ses derniers rivaux, une fois Tirto éliminé. Sakiris & Green. Un pot à tabac et un salami empoisonné. Il se rappela leurs sarcasmes, quelques années plus tôt, quand il avait ouvert sa galerie à New York ; ils lui avaient promis la faillite avant douze mois. Il se retint de grincer des dents.

Après un dîner enjoué ce soir-là à l'Oyster Bar de Grand Central Station, avec Soussou, un banquier et sa femme, Siegfried se rendit à son parc aux cerfs préféré, 53e rue entre la 2e et la 3e Avenue. Comme à l'accoutumée, il parcourut les deux salles d'un regard de diamantaire, puis demanda un scotch soda au bar. Assez vite, il s'avisa qu'un homme près du piano le fixait du regard. Il n'était pas élancé et brun, mais proche de la quarantaine, aux cheveux poivre et sel et, Siegfried en eut l'intuition immédiate, guère porté sur les hommes. Il alla vers lui et le salua. L'autre sourit.

« Je peux vous offrir un verre ? dit Siegfried. Ou bien vous ne buvez pas pendant les heures de service ? »

L'autre se mit à rire.

« Je suis si facilement repérable que cela ?

— Comme le nez au milieu du visage. On devrait vous apprendre à vous habiller pour ce genre de surveillance. Vos chaussures sont déplorables, il vous faudrait des mocassins ou des baskets. Votre chemise est atterrante. Car c'est bien d'une surveillance qu'il s'agit, je suppose ? »

L'autre sourit et hocha la tête.

« Oui, monsieur Alp.

— Vous me connaissez donc. Je serais encore plus en confiance si vous me montriez quelque preuve de vos fonctions », dit Siegfried.

L'autre hésita un moment, fixant son interlocuteur du regard. À la fin, il sortit son portefeuille de sa poche revolver et l'ouvrit discrètement, révélant une carte d'officier de police. Siegfried hocha la tête. Rien ne l'assurait qu'un officier de police n'avait pas trempé dans l'assassinat de Tirto, mais enfin, rien ne le prouvait non plus.

« Qu'est-ce qu'il vous faut ? demanda-t-il.

— Un flagrant délit », répondit le policier en regardant par-dessus son épaule, le regard soudain grave.

Siegfried s'écarta de lui, feignant de retourner au bar, mais chemin faisant, il se retourna pour repérer celui qui avait excité la vigilance du policier. Son cœur battit. Un grand jeune homme brun, vingt-cinq ou vingt-six ans. Vêtu d'un blouson de soie noire, d'une chemise et de jeans de velours noir, mais surtout d'une beauté assez éclatante pour que plus d'un client, gibier ou chasseur, l'épiât du regard : dans un visage hâlé à l'ovale allongé, le bleu lumineux des yeux contrastait avec une abondante chevelure de soie sombre qui retombait sur le front en lourdes mèches souples. Siegfried s'accouda au bar et l'autre alla s'adosser au mur d'en face, près de l'arcade par laquelle communiquaient les deux salles de l'établissement. Selon le jeu habituel, Siegfried feignit d'abord l'indifférence, puis son regard dériva vers le jeune homme ; celui-ci ne détachait pas son regard de lui. Siegfried sourit et le sourire lui fut promptement retourné. Là-bas, près du piano, le policier lui lança un regard aigu. Siegfried leva son verre et le jeune homme feignit l'étonnement, puis franchit les quelques pas qui le séparaient de Siegfried.

« Que buvez-vous ?

— Comme vous, un scotch soda. »

Il s'appelait ou dit s'appeler Silvio. Siegfried embrassa du regard le physique du garçon : à coup sûr assez bien bâti pour le traîner jusqu'à la fenêtre et le faire basculer par-dessus l'entablement. Rien pourtant ne révélait qu'il fût l'un des meurtriers de Tirto. Mais les soupçons de Siegfried s'épaissirent quand Silvio demanda :

« Tu ne veux pas de la compagnie ? »

Siegfried haussa les sourcils.

« Pourquoi, tu ne te considères pas comme de la compagnie ?

— À trois c'est plus amusant », expliqua le jeune homme en accompagnant ces mots d'un sourire qui se voulait suggestif.

Au regret évident de Silvio, Siegfried secoua la tête.

« La prochaine fois, peut-être. On verra. »

En quittant l'établissement, il adressa un clin d'œil au policier.

Le déroulement des événements fut banal jusqu'au retour à l'hôtel et aux premières caresses.

« J'ai soif, dit soudain Silvio. Pas toi ?

— Si, très soif », répondit Siegfried, les sens en alerte.

Il alla prendre deux mignonnettes de scotch et une canette de soda dans le minibar du salon de sa suite, les posa sur une table, servit les boissons, puis feignit de s'absorber dans la recherche de quelque chose dans une mallette sous la fenêtre. Ce faisant, il épia le jeune homme dans le reflet de la vitre. Il l'aperçut vidant le contenu d'une fiole dans l'un des verres. Puis il glissa dans sa poche une mini-bombe de Mace, le gaz lacrymogène favori des Américains, à peine plus grande qu'une saucisse de Francfort. Enfin, il retourna s'asseoir.

« À ta santé, dit Silvio en lui tendant un verre.

— À la tienne », répondit Siegfried en sirotant une mini-gorgée de son verre.

Ils échangèrent des sourires et Silvio se défit de son blouson, qu'il posa délicatement sur un fauteuil, puis de sa chemise, pour faire valoir son torse poli, soigneusement sculpté dans les salles de gymnastique.

« Belle bête », dit Siegfried, étendant la main vers l'épaule du jeune homme.

L'autre sourit avantageusement.

« Où est la salle de bains ? » demanda-t-il.

Siegfried lui indiqua une porte et, sitôt que le garçon y fut, courut vider la plus grande partie de son verre dans un vase. Quand le jeune homme sortit de la salle de bains, Siegfried, accroupi devant le mini-bar et déclara d'une voix qu'il s'efforça de rendre pâteuse qu'il avait encore soif.

« Grand buveur, hein ? » dit le jeune homme debout près de lui, et maintenant en caleçons, se caressant les génitoires d'un air avantageux.

Siegfried hocha la tête d'une manière dolente. Puis retourna s'asseoir, feignant une grande somnolence. Il posa sa tête sur le dossier, ferma les yeux et dit :

« J'ai un coup de barre, je crois. »

Silvio attendit quelques moments et Siegfried respira de plus en plus lourdement, la bouche ouverte. Il sentait que le jeune homme, debout près de lui, l'épiait. Mais il avait déjà calculé ses réactions, comme un joueur d'échecs. Il perçut que Silvio s'était éloigné de lui et, au froissement de la soie, comprit qu'il cherchait quelque chose dans le blouson si soigneusement déposé sur un fauteuil. Sans doute la seringue et l'ampoule d'héroïne.

Ces gens-là n'avaient vraiment pas plus d'imagination que les scénaristes des sitcoms. Silvio revint près de lui et retroussa délicatement la manche de sa chemise, puis noua autour du biceps un garrot de caoutchouc. Siegfried entendit le cassement délicat de l'ampoule d'héroïne. Un instant passa. Silvio remplissait la seringue. Siegfried perçut son souffle sur son bras. Au moment précis où l'autre allait enfoncer l'aiguille dans la veine, Siegfried ouvrit les yeux et vida dans le visage de Silvio le contenu de la bombe de Mace qu'il avait gardée dans l'autre main pendant toute cette comédie.

L'autre poussa un cri sourd, et tomba à la renverse, les mains tendues devant lui. À demi suffoquant, Siegfried releva par les cheveux le jeune homme aveuglé et lui assena un coup de la tranche de la main dans la carotide. Un coup qui, l'avait-on assuré, faisait perdre conscience pendant une vingtaine de secondes. Puis il arracha sa cravate, retourna prestement Silvio et lui noua les mains derrière le dos. Enfin, il courut à la porte et l'ouvrit, pour respirer.

Les yeux larmoyants, il trouva le policier du bar qui montait le guet dans le couloir.

Le policier entra, un mouchoir sur le nez. Siegfried s'empara du téléphone et composa le 911. Puis il ouvrit les fenêtres.

« Joli coup », dit le policier, contemplant, la seringue pleine, l'ampoule et le garçon demi-nu qui haletait sur le tapis. Il tira des menottes de sa poche et défit la cravate pour la remplacer par des liens plus réglementaires. « Comment avez-vous fait ? »

Clignant des yeux, Siegfried répondit en français : « J'ai pris la beauté, et je l'ai assise sur mes genoux et je l'ai trouvée amère.

— Quoi ? fit l'autre ébahi.

— C'est une citation d'un grand poète français. Arthur Rimbaud. »

Le policier secoua la tête.

Ses collègues ne furent pas longs à arriver. Ils saisirent aussi les verres et le vase dans lequel Siegfried avait versé son scotch. Il passa la nuit au poste et, pendant que le policier de service prenait sa déposition, Siegfried songeait tout le temps à Amina, l'esclave géante de sa grand-mère, qui avait vu le Diable dans le sous-sol. Il promit de s'acheter le plus tôt possible un flacon d'eau-de-rose.

Dommage pour Silvio, songea Siegfried. Il était vraiment beau. Le culte de la beauté était vraiment périlleux. Les virées cairoises étaient quand même moins dangereuses.

C'était le 6 octobre 1962. À six jours de la pendaison de crémaillère.

10

Le sourire dans l'hypogée

À peu près à la même heure de ce 6 octobre 1962 à laquelle Siegfried, à New York, sortait du poste de police du quartier de la 5ᵉ Avenue, Nadia faisait la vaisselle dans son appartement de la place d'Italie, levant les yeux de temps à autre vers le lopin de ciel au-dessus de la cour. Un désenchantement se peignit sur son expression ; un voile sur les yeux, un léger affaissement de la commissure des lèvres.

Elle avait jadis rêvé de croissants chauds au petit déjeuner et de soupers à la chandelle, de flâneries chez les bouquinistes le long de la Seine et de visites dans les galeries. Elle passait le plus clair de son temps à faire les courses, le lit, la vaisselle et le ménage, laver du linge, ravauder. En mangeant à midi une tranche de jambon ou une boîte de thon, elle se creusait la tête pour savoir ce qu'elle cuisinerait pour le dîner. Elle n'avait de sa vie vu de feuille d'impôts et maintenant elle s'avisait qu'elle et Loutfi donnaient trois mois de leurs revenus à cette entité mystérieuse qu'on appelait l'État français. Elle songea à Morcos, le cuisinier de la Villa Arsinoë. Elle tenta de retrouver dans sa mémoire l'air que, jeune fille, Soussou jouait au piano en chantant :

'Tis the last rose of summer.

Elle secoua la tête. Ces souvenirs n'apportaient que des larmes. Le passé, songea-t-elle, n'est qu'un rêve éveillé. Et elle avait été bien naïve de croire que la mort de ses parents et le départ de la Villa Arsinoë l'affranchiraient. Ni le pécule, désormais bien modeste en Occident, qu'elle avait retiré de son héritage et que Soussou garnissait de temps à autre de quelque appoint, ni son mariage avec Loutfi, ni son exil à Paris ne lui avaient apporté la liberté, l'accomplissement, l'ardeur jadis espérés. Une femme d'Orient n'était jamais affranchie. Elle n'était jamais qu'une femme. Les deux mots « femme » et « affranchie » ne s'accordaient que dans des cas déplorables. Une femme commençait par être un objet de plaisir, puis elle devenait l'instrument de perpétuation de la race et enfin la conservatrice des vertus familiales. Même en Occident, en France, quand elle n'était pas mère de famille et ménagère, une femme était une actrice ou une employée de bureau, une caissière, une veuve. Star ou dactylo.

Mais qu'avait-elle donc cru ?

Sa mémoire dériva coupablement vers le souvenir d'Ismaïl. Ces moments de plénitude physique qu'elle ne put s'empêcher de comparer aux sensations qu'elle éprouvait avec Loutfi. Avec Ismaïl, elle s'était abandonnée à l'impudeur, mystérieusement interdite avec Loutfi. Elle s'était autorisé des gestes auxquels, et c'était sans doute l'essentiel, elle n'eût pas songé avec Loutfi. Le sentiment est-il antagoniste du sexe ? se demanda-t-elle fugitivement, contrariée par l'idée. Et les images affluaient, irrésistiblement ! Les mains d'Ismaïl sur ses seins pendant qu'elle jouissait, et cette façon qu'il avait de la souder à elle quand c'était lui qui jouissait... Et le désir qui renaissait spontanément le lendemain, sauvage, aveuglant. Elle secoua la tête pour s'empêcher d'y penser. Mais qu'aurait-elle de plus si elle avait épousé Ismaïl ? Un peu plus d'argent, bien moins de présence. Car lorsqu'il était à la maison, Loutfi lui assurait une présence, de plus en plus fraternelle à vrai dire, mais néanmoins réelle. Ismaïl incarnait l'Égypte désormais interdite et Loutfi, l'exil frugal. Avec Ismaïl, elle eût été une Égyptienne, et cela, c'était désormais impossible.

Être égyptienne, française ou anglaise, se dit-elle, ce n'étaient pas seulement là des catégories consulaires, mais aussi une autre façon de vivre.

Son regard accrocha la photo d'un jeune garçon dans un cadre d'argent orné de cabochons, sur la minuscule cheminée Louis-Philippe : son neveu Vindra. Un visage mince, aigu, intelligent, orné de grands yeux de gazelle, ressemblant assurément plus à Soussou qu'à son poussah de père présumé.

Puis elle songea à Soussou. Aux confidences qu'elle lui avait faites, en lui montrant les photos de son fils, sur la façon dont elle s'y était prise pour concevoir.

« Je n'aurais jamais pu..., avait murmuré Nadia.

— C'était cela ou bien je perdais presque tout. »

Mais aussi, Soussou avait à la fin un caractère téméraire, presque masculin, que lui enviait souvent sa sœur. Nadia se rappela que dans son enfance, et à cause de ses façons volontaires, Morcos la surnommait « Hatchepsoût », du nom de la reine égyptienne qui s'était emparée du pouvoir durant le règne de son fils, Thouthmosis III.

« Mais comment était-il ?

— Un beau garçon. Jeune. Ardent. Assez ardent pour que je sois enceinte sur le coup. Les deux coups. »

Sur quoi Soussou avait éclaté d'un petit rire gêné. Nadia tenta de se représenter la scène d'amour, dans la buanderie sur le toit de la maison du Dr Mahgoub, rue Fouad, et s'en était trouvée décontenancée. Du sexe pur, sans aucune prétention au sentiment. Finalement, se dit Nadia, les mânes du vieux Mourad avaient été vengés : Soussou avait été engrossée par un Copte et pas un Hindou.

« Et après ?

— Je ne l'ai jamais revu, évidemment. Beaucoup plus tard, il y a eu Cester. Je t'en ai parlé. Mais il était bien loin de lui ressembler. On recouvre la sexualité de tellement de faux sentiments, en Occident, qu'elle finit par être ennuyeuse ! »

Et c'était la jeune fille romanesque avec laquelle elle avait partagé sa chambre pendant toute sa jeunesse !

« Et depuis, tu n'as plus eu de... d'amant ?

— L'argent est certainement un caractère sexuel secondaire, Nadia. Il attire beaucoup de soupirants. Mais il a le même effet sur la sexualité que le sentiment : il fausse tout. Il faudrait que j'engage des gigolos. Je l'ai fait. C'est dangereux. Ils feignent de s'attacher à vous, mais en réalité, c'est à l'argent qu'ils s'attachent. Ils font des scandales. Du chantage. Être maharani, c'est comme être religieuse. On voudrait parfois, la nuit, un corps. Mais on s'en passe. Pour ce qui est de la compagnie, celle de Siegfried me suffit. »

Une fois de plus, Nadia secoua la tête. Ce n'était vraiment pas une vie que cela. Des érudits sentencieux, dont un exilé égyptien, un de plus, discutaient à la radio de la manière de jouer les impromptus de Chopin. Elle s'envola un moment par la fenêtre sur une de ces esquisses faites de brume et de mélancolie, cherchant un lieu où elle pût se poser. Puis la sonnerie du téléphone la rappela dans l'appartement.

C'était Loutfi.

« Que se passe-t-il ? demanda-t-elle, inquiète.

— Louis est mort il y a deux heures. »

Elle resta un instant sans voix. Elle revit Louis Hanafi tel qu'elle l'avait rencontré la première fois, dans une autre vie, au cinéma Saint-James, rue Elfi Bey. Elle évoqua sa grâce mélancolique et son ironie désabusée. Peut-être avait-il, le premier, compris l'inévitable désenchantement qui attendait les cœurs tendres.

« De quoi est-il mort ? » se força-t-elle à demander.

Mais de quoi meurt-on jamais, si ce n'est de la mort ?

« Un infarctus.

— Comment l'as-tu appris ?

— Par Souki.

— Le porteur de mauvaises nouvelles, murmura-t-elle.

— Je pense que nous devrions aller chez Fatma tout de suite.

— Elle nous déteste.

— Par décence. » Et Loutfi ajouta un instant plus tard : « Après tout, je suis toujours l'héritier putatif. »

Sinistre farce, se dit-elle.

Ils se retrouvèrent une demi-heure plus tard au chevet du lit où gisait Louis Hanafi, le visage étrangement serein, comme s'il avait toute sa vie attendu cette mort. De quoi l'avait-elle donc délivré ? s'interrogea Nadia. De la souffrance de ne pouvoir dire l'indicible ? Elle évoqua la dernière conversation qu'elle avait eue avec lui, en Égypte, à propos de la religion. Ils s'étaient retrouvés en tête à tête à l'occasion de l'un de ces dîners que donnait régulièrement Fatma el Entezami pour perpétuer sa comédie aristocratique et occidentale.

« Vous ne croyez donc à rien ? avait-elle demandé, consciente de la naïveté de sa question.

— Pourquoi voulez-vous que je croie à des assassins ? avait-il répliqué avec une véhémence inusitée.

— Des assassins ?

— Les divinités. Elles tuent au nom de leur justice et nous devrions leur en être reconnaissants ! Vous voudriez que je croie à un dieu qui a massacré six millions de juifs ? »

Elle en était restée interdite. Il avait ajouté :

« Croire à un dieu, c'est renoncer à sa propre identité et devenir l'un des plus abjects exécutants de sa céleste crapulerie ! »

L'intensité du blasphème avait bouleversé Nadia. Et d'autant plus qu'elle contrastait scandaleusement avec la douceur et le détachement ordinaires de Louis Hanafi.

« Mais Jésus, avait-elle repris au bout d'un moment, quand elle s'était ressaisie, Jésus, lui, ce n'était pas un assassin... Au contraire, il était une victime...

— Ah, l'acrobate, avait répondu Louis d'un ton rêveur.

— L'acrobate ?

— L'acrobate sur la croix. Je crois que c'était un homme très bien. Je ne lui reproche qu'une chose, c'est d'avoir cru à Dieu. »

Et comme Nadia scandalisée une fois de plus en restait muette, Louis Hanafi avait ajouté :

« Ou bien d'avoir laissé croire qu'il y croyait. Voyez-vous, Nadia, je pense que les seuls dieux supportables sont ceux qui sont morts et pour moi, le dieu suprême est Osiris. Il est mort depuis le commencement et il n'enseigne rien. »

Et ils avaient fini la conversation sur un éclat de rire.

Elle regarda sa dépouille, allongée comme Osiris, en effet.

Peut-être Osiris avait-il dans le grand jadis revêtu ce sourire-là. Nadia n'aurait pas été surprise si elle avait trouvé au salon des embaumeurs s'apprêtant à éviscérer le cadavre du disparu, à placer ses entrailles dans des vases canopes, des artistes s'apprêtant à sculpter sa ressemblance sur un masque qui serait ensuite recouvert de feuilles d'or, les yeux grands ouverts sur le néant. Car Louis Hanafi était né pour sourire dans les hypogées, au-delà de la vie, à la lumière des lampes à huile. C'était ainsi, Nadia le saisit d'emblée, qu'elle se le rappellerait désormais, un sourire dans un hypogée. Et elle comprit que l'ironie et l'apparent détachement du poète n'avaient été que des stratagèmes pour tenir à distance le fatras des passions et des idées à demi comprises.

Mais il n'y avait pas d'embaumeurs au salon, rien qu'une douzaine de connaissances en vêtements prosaïques, aux propos maladroits ou faux, dont Souki et sa compagne, Lilou. Loutfi fondit en larmes. Elle ne l'avait jamais entendu pleurer de la sorte, comme un enfant. Elle lui entoura les épaules de ses bras.

Au salon, Fatma el Entezami, le masque creusé, racontait la mort de son époux d'une voix caverneuse. « Il venait de déjeuner. Il s'est levé pour aller au bureau.

Il a fait "ah !" et il est tombé. » Elle regardait devant elle, voûtée, sans paraître voir personne. L'avait-elle aimé ? Mais, une fois de plus, que signifiaient ces mots ? L'on choisit de vivre avec un homme ou une femme pour éviter le monologue de la folie, c'est-à-dire pour survivre, ou bien parce que, à un certain moment de l'existence, on prend conscience du ratage inéluctable qu'est toute vie et l'on éprouve un double désir de survie et d'enfants. Nul n'avait le droit de décider de la nature du sentiment qui les unissait. Fatma but un verre d'eau et jeta à la ronde un regard sépulcral.

« J'aurais préféré, dit-elle, que nous mourions ensemble dans un accident. »

Le monde n'en finit jamais de finir, songea Nadia. « À la fin, je voudrais un commencement. » Peut-être était-ce pour cela que les gens faisaient des enfants. Quelle que fût l'aversion qu'elle portait à Fatma el Entezami, elle se retint même de se la rappeler. Fût-ce provisoirement, la mort de Louis Hanafi avait jeté bas son édifice de vanité, de mensonge et d'intrigue ; elle la privait de son protecteur. Fatma el Entezami n'avait été en fin de compte que la bouffonne du philosophe, comme son grand-père avait été le mignon du sultan. Et maintenant, elle n'était plus, elle aussi, qu'une femme d'Orient défaite par le destin, une veuve. Une Isis contrefaite. Nadia se pencha pour l'embrasser.

« Louis vous aimait beaucoup, dit Fatma. Il disait que c'était vous, la vraie princesse. »

Toujours cette pointe de venin dans le compliment. Pourquoi ? Parce que Soussou ne l'avait jamais invitée à ses fêtes lointaines ? Nadia soupira et prit congé.

Une fois dans la rue, elle et Loutfi marchèrent un moment en silence, comme pour s'éloigner au plus vite de la rue de Lisbonne, puis ils s'arrêtèrent sur l'autre rive du fleuve d'asphalte qui les séparait de la masse bâtarde et comme bossue de l'église Saint-Augustin. Le crépuscule d'octobre dorait les façades du boulevard Malesherbes sous un ciel de plomb. Fugace transmutation : dans quelques instants, le paysage redeviendrait de plomb et de pierre.

« Le chagrin, le malentendu, la pitié, je n'en peux plus ! s'écria-t-elle.

— Pourquoi la pitié ? demanda Loutfi.

— La pitié pour cette comédienne... Mesurer si tard qu'il ne lui reste que des déguisements et des fards ! Et quand même cette pointe à l'égard de Soussou !

— N'aie crainte, elle se trouvera bientôt un autre rôle », murmura Loutfi.

Ni l'un ni l'autre n'évoquèrent le sujet de l'héritage.

11

Osiris à Londres

Siegfried débarqua à Heathrow, excédé, estimant qu'il voyageait trop souvent. Le faux luxe de la première classe n'excluait ni les attentes à l'enregistrement, aux bureaux d'immigration, à l'embarquement, au débarquement, aux tapis de livraison des bagages, aux douanes, ni les trajets de l'aéroport à la ville et l'inverse, ni enfin les effets du décalage horaire. Mais enfin, il lui fallait quasiment être à Londres et à New York en même temps.

Soussou avait consenti à rester à New York pour veiller, avec le directeur de la galerie, au choix des encadrements de la prochaine exposition. Mais elle ne reviendrait pas tout de suite à Londres, car elle devait aller passer deux ou trois semaines à Calancore, afin d'assister à des cérémonies d'intronisation de son fils, petit prince héritier de Calancore. Puis elle ramènerait celui-ci pour l'inscrire dans une école anglaise.

« Je me désole de ton absence. Je suis devenu fonctionnaire au service de M. Alp », lui dit-il au téléphone quand il fut rentré chez lui.

Elle feignit de rire, mais s'alarma. Depuis la tentative d'assassinat de New York, il était devenu irritable.

« Méfie-toi, lui avait-elle dit peu avant son départ, de la crise des cinquante ans. Tu commences à te lasser du pouvoir lui-même. Tu devrais prendre des vacances. »

L'avertissement résonnait encore dans sa tête, mais qu'y pouvait-il ? Le monde s'était chosifié. De la peinture, de l'argent, des jeunes hommes sans contenu et dotés, dans les meilleurs des cas, de l'affectivité d'un jeune chien. Comme seule fréquentation, des conseillers financiers et des spéculateurs dans la journée, des gens du monde dans la soirée, bref le Guézireh Sporting Club enflé à des dimensions cosmiques. Il représentait, comme on disait, cinquante millions de dollars et il affrontait la solitude des riches telle que la décrivaient les contes moralisateurs dont on lui avait imposé la lecture dans son enfance ! Des histoires de pauvres savetiers plus heureux que des banquiers ! Eût-il été Néron qu'il eût sans doute, de rage impuissante, mis le feu à Rome, à supposer que ce fût bien l'empereur qui avait déclenché l'incendie.

Oui, Soussou tenait en échec l'ennui et une forme de désespoir froid, mais seulement parce qu'elle évoquait un passé de naïvetés et de frémissements, parce que leurs parcours avaient été parallèles, de la quasi-pauvreté à la fortune, peut-être aussi parce qu'ils partageaient le même désenchantement. Mais quand il se retrouvait seul, personne n'accédait à son intimité.

Les valises à peine déposées chez lui, aux soins de son valet de chambre, il courut à la galerie. Les dernières toiles livrées par l'un de ses poulains, Claus, étaient décevantes. Une répétition sans âme de ses premiers succès.

« Alzheimérien à trente-huit ans ! s'écria-t-il. Mais ce sont presque des faux ! »

Dans la colère, il s'était défait de ce ton faussement hésitant et presque bégayant qu'il avait adopté depuis qu'il avait fait connaissance de Peter Wilson, et qui lui paraissait constituer l'un des atouts du style oxonien.

Consternée par cette explosion, la directrice, Lana Brock, tenta de le calmer.

« Monsieur Alp, on ne peut pas avoir du génie tous les jours.

— Mais moi, je dois avoir du génie tous les jours et persuader les acheteurs que ces détritus sont le produit du génie !

— Monsieur Alp, la situation serait moins difficile si Sakiris & Green ne lui proposaient pas cinquante pour cent de plus.

— Sakiris & Green ! grommela Siegfried. Ils ne sont pas encore en taule ? »

Lana Brock le regarda, stupéfaite.

« Mais comment savez-vous ? murmura-t-elle. On vient de nous l'annoncer tout à l'heure par fax... Spiro Sakiris vient d'être inculpé pour complicité dans deux tentatives d'homicide... »

Elle lui tendit le fax et il le déchiffra avec une moue pointue et moqueuse.

« Dont l'une sur ma personne, Lana, sur ma personne », insista-t-il. Puis il considéra les toiles contre le mur et s'en fut dans son bureau téléphoner au peintre.

« Claus, lui dit-il d'un ton prudent, je viens de voir tes dernières toiles. Je suis un peu étonné.

— Pourquoi ?

— J'ai le sentiment, euh, qu'elles ne sont pas, euh... aussi intenses que les précédentes. »

Un long silence suivit. Siegfried se représenta Claus dans son atelier. Un homme de trente-huit ans, maigre et passé juste à côté de la beauté. Il imagina le visage pâle du peintre, troué d'yeux si noirs qu'ils paraissaient artificiels. Lana Brock entra dans le bureau et Siegfried lui fit signe de prendre l'écouteur.

« Claus ? Tu es toujours là ? demanda Siegfried.

— Oui, je suis toujours là. J'allumais une cigarette.

— Je te disais que tes nouvelles toiles...

— Elles sont pour moi exactement aussi intenses que les précédentes... Pourquoi, tu as installé un intensomètre à la galerie ?

— Un quoi ?... Oh Claus !

— Mes toiles sont différentes parce que je suis diffé-rent d'une semaine à l'autre, déclara Claus d'un ton pointu. Je suis artiste parce que je suis riche d'émotions, de sensations, de rêves. Je ne suis pas une machine à reproduire les mêmes toiles mois après mois. »

Siegfried leva les yeux au ciel. La directrice parais-sait consternée.

« La peinture est le reflet de mes sentiments, Sieg-fried. Mes sentiments tournent autour de l'agression du monde sur ma personne. Je crois que mes peintures sont aussi significatives, tu comprends le mot, Siegfried ? Si-gni-fi-ca-ti-ves, je dis, que l'autoportrait de Van Gogh à l'oreille coupée. Tu comprends ? Van Gogh s'est coupé l'oreille parce que le monde perpétrait une agression contre lui aussi. C'est comme ça que tu dois les présen-ter, tu comprends ? »

À l'évidence, Claus croyait que les marchands de tableaux étaient des individus épaissement obtus et, s'il avait rencontré Sakiris & Green, on pouvait craindre qu'il eût, en effet, raison.

« Il faudra que je les examine une fois de plus, euh, sous cet angle-là, dit Siegfried. Peut-être, euh... Claus, tu m'as donné une idée... Tu ne voudrais pas... euh... faire une version personnelle de Van Gogh à l'oreille cou-pée... ? »

Nouveau silence.

« Claus ?

— Je suis là. Non. Mais toi aussi tu m'as donné une idée. »

Claus prenait vraiment son temps pour parler.

« Oui ?

— Siegfried, non, je vais faire un autoportrait de moi en Osiris. En pied.

— Osiris ? répéta Siegfried, décontenancé.

— Oui, tu sais, le dieu égyptien... Il s'était battu avec le Mal, un dieu appelé Seth. Et Seth l'a coupé en morceaux et Isis, la maîtresse d'Osiris, sa sœur incestueuse, a rassemblé les morceaux, mais elle n'a pas retrouvé le treizième. Tu sais ce qu'était le treizième ?

— Oui, répondit faiblement Siegfried, saisi par cette interprétation express de la mythologie égyptienne. La bitte.

— La bitte. Dis donc, tu as eu le temps de lire un peu dans ta vie, je vois. Mais c'est vrai que tu es né en Égypte. »

Là, ce fut Siegfried qui resta silencieux.

« Siegfried ?

— Oui, je suis là. Qu'est-ce que se passe ? Tu es devenu impuissant ? C'est ça, l'agression du monde dont tu parlais ?

— Non, je ne suis pas devenu impuissant. Baiser m'emmerde. Tu comprends ? »

Siegfried émit un petit rire. Lana Brock écarquilla les yeux.

« Tu comprends, Siegfried, ce mélange d'abattis, un salami dans du foie de veau, Siegfried, ça m'emmerde ! » hurla Claus.

Siegfried dut écarter l'écouteur de son oreille.

« Pendant que tu parlais, je réfléchissais à ton idée, reprit-il. ...Oui, ton autoportrait en Osiris, c'est une idée remarquable...

— C'est toi qui me l'as donnée, alors évidemment, tu la trouves remarquable.

— Non, Osiris, c'est toi qui l'as imaginé. Claus, je pense que ce serait le thème d'une exposition. Très, très bien !

— Bon, alors je le fais.

— Quelle dimensions ?

— Grandeur nature, répliqua Claus. En pied, je l'ai dit. La bitte aussi.

— La bitte ? Mais je croyais que... »

Lana Brock agita les bras, en proie à une hilarité incontrôlable.

« Non, je la peindrai à part et je la mettrai à côté. Ou peut-être que je la pendrai au tableau. Ouais, c'est ça, je pendrai la bitte au tableau. Qu'est-ce que tu penses d'un moulage ? »

Siegfried frôlait la crise de nerfs. Tout à coup, l'image de sa grand-mère Catherine aux prises avec l'esclave qui avait vu le Diable lui revint à l'esprit. Catherine se réincarnait en lui et Claus était l'esclave hallucinée. La même impossibilité de communiquer régnait entre eux qu'entre sa grand-mère et l'esclave. Siegfried s'efforça de rejeter la conclusion déprimante qu'en fin de compte, on ne pouvait jamais communiquer avec personne.

« Non, je préférerais que tu la peignes, dit-il.

— Siegfried ?

— Oui ? »

Un silence suivit.

« Siegfried, je crois que je vais devenir pédé. »

Lana Brock s'était assise et avait allumé une cigarette, tout en tenant l'écouteur contre son oreille.

« Qu'est-ce que tu en penses ?

— Ce n'est certainement pas à moi d'en penser quelque chose.

— Tu es un peu pédé je crois, non ? Tu devrais avoir une idée ?

— Claus, on parlait de peinture.

— Justement, si je deviens pédé, ma peinture changera certainement.

— Claus, euh... je préfère qu'on remette la suite de cette conversation à plus tard. Elle est... euh... un peu délicate et j'ai du monde qui m'attend.

— Comme tu veux. Tu m'envoies mon chèque ?

— Comme toujours.

— Viens déjeuner à l'atelier.

— Promis. La semaine prochaine. »

Quand il raccrocha, Siegfried émit un rugissement d'exaspération. Lana Brock en avait entendu d'autres.

« Il a fumé, dit-elle en éteignant son mégot. Mais l'idée de l'Osiris n'est pas mal.

— Je devrais être propriétaire de cirque, pas d'une galerie de peinture ! » s'écria-t-il.

Mais la réapparition d'Osiris, et cette fois dans sa vie professionnelle, le laissait songeur.

« Lana, murmura-t-il, soyez gentille, faites-moi un scotch. »

Avant de se coucher, il se dit qu'il devrait acheter une statue d'Osiris. L'idée le fit sourire : il avait commencé sa fortune en vendant une Isis et maintenant il voulait acheter un Osiris.

12

La potion d'Eleni

Aux quatre éléments répertoriés depuis la plus haute antiquité, il eût fallu ce jour-là, 1er octobre 1970, en ajouter un cinquième, les humains, et plus spécifiquement les Égyptiens. Les Égyptiens en deuil. Ils étaient partout depuis l'aube, depuis la veille, sur les toits, les balcons, accrochés aux réverbères, montés sur les toits des rares voitures que leurs propriétaires avaient imprudemment laissées sur le parcours. Ils pleuraient tous. Ils agitaient le poing vers le ciel.

Combien étaient-ils ? se demanda Ismaïl dans la voiture où, en compagnie de quatre autres gradés de l'armée, il suivait le convoi funèbre, craignant à chaque instant qu'elle fût renversée par la foule. Toute l'Égypte semblait s'être réunie autour du cercueil de l'homme qui l'avait enfin portée à la véritable indépendance. Il ne comprenait rien à ce qu'aboyaient les haut-parleurs. Depuis quarante-huit heures, les radios et les télévisions branchées sur leur volume maximal déversaient nuit et jour des orages d'homélies, des rediffusions des discours du Raïs, des prières, d'autres discours. Même à Guézireh, Ismaïl avait à peine fermé l'œil.

Gamal Abd el Nasser était mort. Le Tigre de Faloujah n'était plus qu'une dépouille qui avait cédé à la lassitude de vivre.

« On enterre quelqu'un d'autre aujourd'hui, eut-il envie de dire, et c'est le jeune Ismaïl Abou Soun. » De tels propos l'eussent fait traiter d'exalté ; il resta muet.

Mais il avait trop intimement vécu l'agonie de Nasser depuis l'évacuation du Sinaï. Il l'avait vu pleurer quand le QG du Caire l'avait informé que les généraux avaient ordonné cette évacuation. Nasser pleurer ! Cinq jours plus tard, il avait décidé de se démettre de ses fonctions et de se livrer en jugement au peuple. Personne, même pas son intime, le maréchal Abd el Hakim Amer, n'avait pu l'en dissuader.

« Ils me pendront, avait-il dit à Ismaïl, muet de consternation. Ils me pendront Midan el Tahrir ! »

C'est la défaite de l'Égypte qui l'a tué, songea Ismaïl pour la dixième fois depuis qu'il avait appris la mort de Nasser.

Un cortège de femmes en deuil passèrent devant la voiture en se frappant les joues d'affliction et en criant : « Le Tigre est mort ! » Le chauffeur, stoïque, alluma une cigarette.

Mais le Raïs s'était cru obligé de faire un discours ; oui, il lui fallait reconnaître publiquement sa responsabilité dans la défaite. Le vieux fauve avait mobilisé toute son énergie, ses dernières forces, pour un extraordinaire exercice de masochisme public. Oui, avait-il clamé, il avait été responsable de l'impéritie de l'armée ! Oui, il accepterait le châtiment qu'il méritait !

Guère accoutumés à pareilles autoflagellations publiques, et encore moins de la part de l'homme qui, pendant tant d'années, avait incarné la vertu virile de l'Islam, le Guerrier Suprême, le Champion du Coran, le Sabre de la Foi, l'Égypte, l'Orient, le monde en furent quasiment sonnés. Ils s'attendirent à sa démission. On évoqua même le rétablissement de la royauté. À sa stupeur, à la stupeur générale aussi, un surgissement populaire avait retourné la situation. « Gamal, ne t'en va pas ! »

Les Égyptiens étaient-ils des Russes ? se demanda Ismaïl.

Le choc de ce revirement avait sans doute été abrupt pour Nasser lui-même. Le peuple l'aimait, oui, pas les autres, ceux qui conservaient assez de lucidité pour voir qu'il n'avait pas su tirer l'armée de ce marasme dont il avait jadis prétendu que seule la corruption monarchique était responsable.

Il n'en dormait plus. Lui chez qui le sommeil était irrésistible, il était contraint de prendre des somnifères. Puis l'animal avait cédé, à cinquante-deux ans, huit mois et treize jours.

Et l'inévitable était advenu : il avait fallu sabrer dans les états-majors pour témoigner publiquement que les châtiments seraient infligés, et le premier qui fut limogé, en agneau expiatoire, fut son ami Abd el Hakim Amer. Suivirent des quarterons de généraux, d'officiers, de conseillers. Même s'ils furent épargnés, les membres de l'ancienne junte se trouvèrent désavoués et, parmi eux, Ismaïl. Il n'avait organisé aucune opération militaire, mais il tombait dans une sorte de demi-disgrâce pour avoir été trop lié aux anciennes équipes.

Il éprouva le changement dans le regard de son adjudant : il sembla qu'un voile fût tombé dessus, pareil à la membrane nictitante des rapaces nocturnes. Il exécutait désormais les ordres avec une imperceptible lenteur. La déférence militaire n'était plus qu'une pelure d'oignon.

Ismaïl songea à quitter l'armée. Ce fut dans les milieux politiques qu'on s'en alarma. On ne pouvait pas laisser partir un élément de valeur tel qu'Ismaïl Abou Soun.

« Veux-tu être attaché militaire dans une ambassade ? lui demanda un général, qui reportait sur lui l'affection jusqu'alors destinée à un fils aîné, mort à la guerre.

— Laquelle ?

— Ce n'est pas encore décidé, mais ton rang sera

certain. Cela te permettra de prendre un peu de recul.
Dans trois ou quatre ans, tu finiras ambassadeur et plus
tard, qui sait, ministre des Affaires étrangères. Mais à la
condition que tu te maries. »

Car il s'endurcissait dans le célibat.

Il s'était ainsi retrouvé à Athènes. Autant dire à peu
près dans l'ancienne Alexandrie. Le plus gros de son travail fut consacré à suivre la politique d'armement des
pays arabes, ce qui l'amena à la constatation suivante :
si l'Égypte ne voulait pas retomber sous la coupe des
Occidentaux, protecteurs d'Israël, elle serait contrainte
de se fournir chez les pays du bloc communiste. Athènes
constituait une bonne plate-forme d'observation politique et diplomatique. Mis en confiance par le fait qu'ils
se trouvaient à l'étranger et par le débraillé bon enfant
de la capitale, les diplomates étrangers, surtout les
Arabes, se laissaient aller à l'illusion qu'on ne s'intéressait pas à eux et ils commettaient donc imprudence sur
imprudence. Quelques agents grecs bien placés suffirent
à Ismaïl pour reconstituer l'essentiel des manœuvres de
ceux qu'on appelait « les pays frères ». Ses rapports
détaillés sur les achats d'armes des pays islamiques fini-
rent par attirer l'attention de l'état-major ; au grand
quartier général du Caire, on intervint auprès du ministère des Affaires étrangères pour qu'il fût promu dans la
carrière diplomatique.

Mais que lui importait désormais d'être à Belgrade
plutôt qu'à Istamboul ou Djakarta ? Il avait quitté
l'Égypte. « Ou plutôt, c'est l'Égypte qui m'a quitté »,
disait-il d'un ton désabusé. Comment échapper aux
faits ? L'aventure de la révolution était finie en même
temps que sa jeunesse. Et comme les autres, la révolution égyptienne avait engendré une bureaucratie. Il se
prit à songer à ces émigrés qui avaient vécu à l'ombre
du trône et en particulier à ce journaliste grec que le
départ de Farouk avait ému jusqu'aux larmes. En fin de
compte, ils étaient nés imprégnés de ce désenchantement auquel il parvenait aujourd'hui. L'on disait si aisé-

ment que l'Égypte était la terre de la sagesse, mais peut-
être était-elle celle du désenchantement.

À moins que la sagesse ne résidât dans le désenchantement.

Sa prestance et sa séduction, sans parler de sa
connaissance de l'anglais et du français, faisaient de lui
la coqueluche du monde diplomatique. Mais il préférait
passer ses soirées de liberté dans les cafés du Pirée,
sirotant des ouzos et mangeant de petits plats froids,
des imams bayaldehs, des courgettes farcies, de petites
fritures. Il rêvait tantôt à Sybilla et tantôt à Nadia. À de
petites aventures passagères.

Le héros ramassait de la petite monnaie.

Parfois, il rejoignait dans sa chambre de la banlieue
huppée de Triclico une gouvernante veuve prénommée
Eleni, qu'il avait connue comme préposée au vestiaire
dans une ambassade. Avec elle au moins, il ne risquait
pas d'incident diplomatique. Eleni ne se faisait guère d'illusions sur la nature humaine, même pas la sienne. Elle
lui préparait de petits dîners savoureux, des salades de
concombre au lait caillé, des fritures de poissons frais,
des moussakas froides, de la baklava et elle lui servait
son ouzo bien glacé. Puis ils faisaient l'amour.

« Ne me parle surtout pas de sentiment, l'avait-elle
prévenu dès le premier jour, parce que lorsque tu descends l'escalier, je sais que tu penses déjà à autre chose,
et moi aussi. L'amour, beau Turc » – c'était ainsi qu'elle
l'appelait – « c'est pour les jeunes et les naïfs. »

La potion était un peu amère pour Ismaïl, mais après
tout, quelle potion ne l'est ?

13

Les vide-pots

« Louis, dit Fatma el Entezami, les yeux baissés, la main osseuse et sombre jouant avec le couteau sur la nappe blanche, n'a jamais aimé, je veux dire vraiment aimé, aimé d'un amour fou qu'une personne, et c'était sa sœur. »

Amaigrie, le visage creusé, le torse raidi, elle tendit la main d'un geste gauche, comme hésitant. Depuis l'ablation d'un sein, l'année précédente, elle souffrait, en effet, de douleurs intermittentes qui parfois lui paralysaient le bras. Elle pêcha un glaçon dans le seau à glace et le laissa tomber dans son verre. Loutfi s'empressa d'y verser du vin. Lui et Nadia écoutaient, gênés, cette confidence inattendue. Les derniers dîneurs aux tables voisines s'alanguissaient devant les cafés et les liqueurs.

« Je voudrais un café, dit Fatma el Entezami. Un grand café noir. »

Loutfi s'abstint de demander s'il était sage de prendre du café si tard le soir et fit signe au serveur. Fatma lui avait déjà répondu, maintes fois auparavant, que le café la faisait dormir. Elle buvait alternativement une gorgée de café et une gorgée de vin coupé en fumant cigarette sur cigarette.

« Il n'a pas couché avec elle, reprit-elle, et je pense que ç'a été le grand chagrin de sa vie. »

Loutfi réprima un sursaut. Était-il possible que Louis eût désiré l'inceste ? Mais il se reprocha tout de suite le blâme tacite qu'il adressait au défunt. Qu'y avait-il de mal à désirer sa sœur, sinon les risques d'un mariage consanguin ? Nadia, elle, écoutait, muette, peut-être scandalisée, mais s'efforçant à l'impassibilité.

« Je me demande parfois s'il n'y a pas des schémas héréditaires », dit Loutfi pour alléger la tension qui pesait sur les trois convives. Depuis qu'elle était sortie de l'hôpital, lui et Nadia invitaient régulièrement Fatma el Entezami, par piété à l'égard de Louis, insistait Loutfi ; ils l'invitaient parfois chez eux, mais plus souvent au restaurant, parce que Nadia souffrait mal l'oppression que lui causaient les propos et le comportement de Fatma el Entezami. Cette fois-ci, toutefois, la tension lui devint presque insupportable.

« Je voudrais une Marie Brizard sur glace, dit-elle.

— Quels schémas ? demanda Fatma el Entezami à Loutfi.

— Isis et Osiris, répondit-il. Frère et sœur et amants. »

Fatma el Entezami leva vers lui un regard décidément vitreux. La sclérotique des yeux présentait la couleur du vieil ivoire et les prunelles ternies, désormais noyées, ressemblaient à celles des masques mortuaires égyptiens usés par le sable. Nadia se rappela l'éloge d'Osiris qu'avait jadis fait Louis Hanafi devant elle. « Le premier dieu martyr, avait-il dit, le prototype du Christ. » Se considérait-il comme Osiris ? Mais en quoi ? Semblable au dieu par l'inceste, ou bien par la souffrance ? Et, dans ce dernier cas, quelle était sa souffrance ? Une fois de plus, Nadia se demanda pourquoi il avait épousé Fatma el Entezami ; son tempérament philosophique et désabusé s'accordait mal à l'ambition et à la frivolité de Fatma. Mais comprenait-on jamais quelque chose à qui que ce fût ?

« On nous a inculqué l'idée que l'amour sert à faire

des enfants, dit celle-ci, mais ce sont des propos de chefs de tribu, de prêtres ! L'amour... »

Elle n'acheva pas sa phrase. Du moins pas tout de suite :

« Je ne sais pas ce que c'est que l'amour, conclut-elle d'une voix basse au bout d'un moment. De toute façon, tout ça, c'est inutile !

— Qu'est-ce qui est inutile ? demanda Nadia. Mais, simultanément, elle comprit que Louis Hanafi s'était marié par désespoir.

— Tout ça. Louis voulait un enfant et je n'ai pas pu le lui donner. Il attendait de prendre sa retraite pour que nous puissions jouir de notre fortune, mais nous avons dû nous exiler et la réforme agraire nous a ruinés. Et maintenant, le séquestre de nos biens a été levé, nos deux fortunes sont libres, mais Louis est mort et il n'en profitera pas. Et moi, j'ai le cancer. »

Un silence pesant suivit ces derniers mots.

« Nous ne sommes que des épaves », dit Fatma el Entezami en levant vers Loutfi et Nadia son regard char-bonneux et déjà d'outre-tombe. Les masses de bracelets qu'elle portait au bras tintèrent. « Vous êtes jeunes, vous ne savez pas ce que c'est que l'exil. C'est la perte de son identité.

— Nabokov et Cioran ne me semblent pas avoir perdu leurs identités, observa Loutfi d'un ton détaché.

— Nabokov ? répliqua Fatma, dédaigneuse, les sourcils relevés en accent circonflexe. S'il n'avait pas connu la célébrité grâce au scandale, il ne serait qu'un de ces innombrables écrivains dont les livres moisissent dans les caves des éditeurs. Il a eu de la chance. Un fantasme de pédophile l'a fait élire comme un écrivain original, une sorte d'Oscar Wilde à l'envers. Mais vraiment, est-ce que vous avez envie de relire *Lolita* ? »

Le rire de Loutfi masqua sa surprise. L'oracle litté-raire qui venait de lui être servi ne correspondait guère à l'image qu'il s'était faite jusque-là de Fatma el Entezami. L'avait-il méjugée ? Cette femme avait-elle donc plus de profondeur qu'il l'avait cru ?

« Et Cioran ? s'enquit Nadia.

— Cioran a pris la pose du Grand Éxilé. Mais je me demande comment les gens de gauche qui portent aujourd'hui au pinacle son *Précis de décomposition* s'accommoderaient du fait qu'il était, dans sa jeunesse, en Roumanie, un fasciste frénétique.

— Vous ne l'aimez donc plus ? questionna Loutfi, surpris.

— Comment ne l'aimerais-je plus ? C'est un frère. Il a transfiguré l'exil. Il en a tiré la liqueur du nihilisme. » Et elle cita le philosophe : *« L'humanité vit amoureusement dans les événements qui la nient. »*

Loutfi reconnut soudain le langage, le ton, la tournure d'esprit de Louis Hanafi. Le mimétisme de la veuve et plus encore l'acuité du propos le déconcertèrent. Il ressentit une souffrance, en songeant qu'avec Fatma disparaîtrait bientôt le dernier témoin de l'écrivain dont elle avait partagé la vie.

« Pour vous, l'exil mène au nihilisme ? demanda-t-il.

— Comment ne pas être nihiliste quand il a fallu renoncer à tout ? répondit Fatma el Entezami. Vous ne savez pas encore les souffrances de l'exil. Vous allez adopter le langage et les manières des gens de ce pays, vous allez devenir des ombres chinoises.

— Mais nous parlions déjà français, en Égypte, remarqua Nadia.

— Nous parlions français ou anglais ou les deux, faute de parler l'arabe, comme nous eussions dû le faire, surtout vous, Nadia, et votre sœur Soussou. Si nous avions parlé arabe, si nous nous étions comportés comme des Égyptiens, nous n'en serions pas là, nous serions pas ici comme des âmes en peine dans un restaurant parisien. Mais ce n'était pas parce que nous lisions *Madame Bovary* ou *Point Counterpoint* dans le texte que le français ou l'anglais étaient nos langues.

— Tout cela revient à dire que nous sommes des victimes du colonialisme culturel », observa Loutfi.

Fatma haussa les épaules. Sans doute la teinture politique du jugement de Loutfi l'agaçait-elle.

« Tout cela revient à dire que vous n'existerez ici que par l'argent », lâcha-t-elle.

L'argent. Nadia éprouva un malaise tellement intense qu'elle s'agita sur sa chaise. L'argent, elle n'y avait jamais vraiment pensé, même dans les jours difficiles qui avaient suivi la mort de son père, quand Soussou avait fait vendre aux enchères le contenu de la Villa Arsinoë. L'argent. Ce monstre merdeux qui vous soufflait sans cesse au visage son haleine empestée. La conscience de l'exil s'abattit soudain sur elle comme une grippe. Oui, elle n'était rien qu'une exilée.

« Vous aviez vraiment décidé de faire de moi votre légataire ? s'enhardit à demander Loutfi.

— C'était la volonté de Louis et elle sera respectée.

— Je croyais que vous aviez changé d'idée ?...

— Vous m'assommiez avec vos discours sur la révolution ! s'écria Fatma el Entezami en se resservant de vin. Vous avez vu où elle mène, la révolution ! Au bagne ! Et à mai 68, la chienlit, comme disait le général de Gaulle ! reprit-elle avec véhémence.

— Louis, pourtant, était révolutionnaire... »

Fatma el Entezami n'attendit pas la fin de l'objection.

« La révolution est le rot de ceux qui n'ont pas digéré leur haine. Louis avait digéré la sienne. Grâce à moi. Quand Nadia vous aura fait digérer la vôtre, vous n'y penserez plus.

— La haine de quoi ?

— La haine de la vie, qui nourrit les rêves de l'Âge d'Or. Hitler aussi était un révolutionnaire. »

Elle but une longue gorgée de vin et rajouta un glaçon. Loutfi demeura interdit. Étaient-ce là les idées de Fatma ou bien celles de Louis ? Il préféra changer de sujet.

« Mais comment pourrais-je hériter, si jamais les circonstances le voulaient ? Votre fortune est en Égypte, Nadia et moi vivons ici et je ne peux pas rentrer en Égypte...

— J'ai tout fait vendre. Les terres ont été converties

en liquidités. Tara a été vendue. Tout l'argent a été transféré en Suisse. » Elle fixa Loutfi d'un regard sombre. « Je vous donnerai une procuration pour le compte en Suisse... C'était la volonté de Louis... »

Nadia la considérait songeuse. Fallait-il qu'à la mort seulement elle eût jeté bas ses masques et fût redevenue humaine ?

« Je suis lasse, dit Fatma el Entezami. Ramenez-moi, je vous en prie. »

Il semblait que l'ombre de Louis eût rétabli la paix dans les cœurs.

Peu de mois plus tard, toutefois, l'état de Fatma el Entezami se détériora. Un soir de juin qu'ils vinrent rue de Lisbonne pour l'emmener dîner, ils la trouvèrent incohérente. Elle était élégamment vêtue, comme toujours, et s'apprêtait visiblement à sortir, mais elle n'articulait que des sons incohérents. Elle souriait, étonnée qu'on ne la comprît pas.

Nadia courut au téléphone appeler le médecin, qu'elle connaissait. Elle lui décrivit la situation à mi-voix, tandis qu'au salon Loutfi s'efforçait de préserver les apparences de la désinvolture, annonçant à Fatma el Entezami qu'il avait été chargé d'une mission de quelques semaines en Syrie.

« Le cancer a gagné le poumon et maintenant le cerveau, expliqua laconiquement le médecin. Vous trouverez dans la salle de bains une boîte bleue dans laquelle il y des pilules qui remédient provisoirement à son aphasie. Donnez-lui-en une et emmenez-la dîner. Qu'elle mange normalement. Dans une heure ou deux, elle retrouvera progressivement la parole. Gardez votre sang-froid.

— Mais quel est le pronostic ?... demanda Nadia.

— Celui que vous pouvez deviner. Les métastases sont trop nombreuses pour qu'on puisse intervenir. Rappelez-moi demain et, je le répète, conservez votre sang-froid. »

Le dîner fut donc une épreuve et, même lorsque

Fatma el Entezami retrouva quelque peu l'usage de la parole, pour réclamer du vin, Nadia et Loutfi se trouvèrent en peine de conserver une expression égale.

« Vous souffrez souvent de ces difficultés de langage que vous aviez tout à l'heure ? osa enfin demander Loutfi, sans savoir pourquoi Nadia lui donnait un coup du pied dans la jambe.

— Difficultés de langage ? Oui, tout à l'heure, j'avais de la peine à trouver mes mots, répondit Fatma el Entezami. Mais je prends une pilule et ça passe. »

Elle ne s'était même pas avisée que ses bégaiements étaient incohérents. Elle n'en était pas consciente. Elle paraissait même plus animée que d'ordinaire. Mais, à l'évidence, sa mémoire et sa raison étaient affectées.

Quelques semaines plus tard, il ne fut plus question pour elle de quitter l'appartement de la rue de Lisbonne ; elle délirait la plupart du temps et les fameuses pilules ne produisaient quasiment plus d'effet. Deux infirmières vinrent assurer sa garde. Nadia allait parfois lui rendre visite.

Un jour, elle croisa Souki Marrani et sa femme Lilou, également venus lui rendre visite, et elle s'avisa que le couple était familier avec l'infirmière. Elle comprit vite qu'ils venaient tous les jours, mais en début de matinée et fin de soirée, alors qu'elle venait en début d'après-midi. Elle en conçut un déplaisir inexplicable. Pourquoi le lui avaient-ils dissimulé ?

Loutfi partit donc en mission, financé par on ne savait quel fonds culturel interarabe, un de ces organismes dont l'objet semble être de produire des masses de mots, sans prise sur la vie. La fonction des hommes, se dit Nadia, est de fabriquer des mots et du sperme. Elle éprouva sa solitude parisienne avec plus de peine que jamais. Dormir seule dans le petit appartement de la place d'Italie lui paraissait aussi pénible qu'un séjour à la Petite Roquette. Elle appela Soussou, qui lui proposa de venir passer quelques jours à Monte-Carlo ; elle accepta avec élan.

Quand elle rentra à Paris, elle se rendit chez Fatma el Entezami. Ce fut Souki qui lui ouvrit la porte. Lilou se tenait derrière lui. Les fenêtres de l'appartement étaient grandes ouvertes, et dès l'entrée Nadia aperçut des valises qui encombraient le salon.

« Où te cachais-tu ? lui lança Souki.

— Me cacher ?

— Oui, intervint Lilou agressive. Tu te cachais pour ne pas assister à sa mort, n'est-ce pas ? »

Nadia demeura silencieuse un moment.

« Elle est donc morte, dit-elle tristement.

— Il y a trois jours.

— Je ne me cachais pas, rétorqua Nadia, se ressaisissant. J'étais chez Soussou, à Monte-Carlo.

— À Monte-Carlo ! Voyez-vous ça ! Pendant nous vidions les pots. »

L'indignation saisit Nadia.

« Qu'est-ce que c'est que ce discours ! Et d'abord, dit-elle en avançant vers la porte de la chambre à coucher de Fatma el Entezami, où sont les papiers destinés à Loutfi ?

— Quels papiers ?

— La procuration !

— Il n'y a pas d'héritage », dit froidement Souki.

Nadia resta interdite.

« Comment, il n'y a pas d'héritage ?

— C'est moi, l'héritier, dit-il. J'ai les papiers signés de la main de Fatma.

— Vous ? s'écria Nadia, contenant sa colère. Mais la volonté de Louis était que sa fortune aille à Loutfi !

— Fatma a changé d'avis. Je vous répète que je possède les documents signés. »

Nadia demeura immobile un moment.

« Vous avez abusé Fatma el Entezami, vous avez profité de ce qu'elle n'avait plus sa tête pour lui faire signer ces papiers !

— Nous, nous vidions les pots ! cria Lilou.

— Vous étiez nés pour cela, visiblement ! Vous avez une âme de vide-pots ! »

Et elle décocha à Souki Marrani une gifle. La bague laissa une éraflure sur la joue blême.

Lilou poussa des protestations glapissantes. Nadia ouvrit la porte de l'appartement et sortit.

« Vide-pots ! » répéta-t-elle à haute voix dans l'escalier.

Du haut du palier, Souki lança :

« Tu rappelleras à ton mari la manière dont il m'avait reçu au bagne ! »

Grotesque ! songea-t-elle dans la rue. Il s'est vengé parce que Loutfi lui a refusé la dignité d'être communiste !

Et elle éclata de rire.

14

L'apparition d'Horus

C'étaient deux Osiris au lieu d'un que Siegfried avait acquis, à la dispersion d'une grande collection d'antiquités égyptiennes. Tous deux hauts comme la main, l'un était en porcelaine bleue et l'autre en bronze, et tous deux drapés dans cet isolement souriant mais effrayant des morts. Le premier trônait dans son bureau de Curzon Street, sur un secrétaire russe de nacre et de malachite, et le second, dans sa chambre à coucher.

Il réfléchissait sans cesse à la légende de ce héros que la mythologie égyptienne avait si vite sacrifié. Siegfried avait lu maints livres sur cette mythologie, compulsé des dictionnaires des religions. Héros ? Osiris n'avait accompli aucun des exploits qu'on prête d'ordinaire à ces êtres plus grands que nature, ni la conquête des Enfers par le Mésopotamien Gilgamesh, ni les Douze travaux d'Hercule. Il ne se distinguait même pas par une vertu ni un rôle : il ne guérissait pas les ulcères, ne calmait pas les flots en colère, ne faisait pas germer le blé ; il ne faisait que régner sur l'empire des morts et, fait singulier, quand il mourait, chaque Égyptien devenait lui-même un Osiris. L'amant et frère d'Isis n'était qu'un dieu mâle vaincu dans un combat sans doute inégal avec un dieu étranger, Seth.

Osiris n'était que le dieu du néant.

L'irruption de ce dieu dans son imagination, depuis la conversation téléphonique avec Claus et la peinture qui en était née – et qu'un amateur allemand avait promptement achetée – troubla Siegfried.

Superstition peut-être, excès d'attention à ce qu'il croyait être des signes du destin. Mais surtout coïncidence : depuis la tentative d'assassinat à New York, sept ans auparavant, Siegfried avait progressivement renoncé à presque toute activité sexuelle. À quarante-six ans, les corps-à-corps qui avaient tant occupé ses rares loisirs lui semblaient désormais appartenir à un passé indéfini. L'obtention de sa nationalité britannique, pourtant attendue avec impatience, ne lui avait apporté qu'un soulagement modéré. Et la perspective d'une distinction officielle d'ici à deux ou trois ans, moyennant des dons à un parti politique, le faisait à peine rêver : « Sir Siegfried Alp », c'était tout au plus amusant et surtout utile, mais guère plus.

Il consulta son médecin et celui-ci diagnostiqua une dépression causée par le surmenage et lui conseilla des antidépresseurs. Ces drogues jetèrent Siegfried dans une alternance d'hébétement et d'agitation anxieuse et il y renonça promptement. « Je préfère vivre avec mes propres maladies ! » annonça-t-il au médecin déconfit.

« Lequel d'Isis ou d'Osiris croyez-vous m'a protégé de l'assassinat à New York ? » demanda-t-il à Lana Brock, désormais familière de l'histoire du couple divin, grâce à ce que lui en avait appris Siegfried.

L'expression de sa directrice révéla un tel désarroi que Siegfried éclata de rire.

« Je ne suis pas devenu fou, Lana. Je crois qu'il existe des protecteurs invisibles et je ne vois pas pourquoi Isis et Osiris ne pourraient compter parmi eux.

— Que faites-vous du Christ et de la Vierge ?

— Lana ! Ne voyez-vous donc pas que le Christ mort sur la croix n'est autre, sous une apparence différente, qu'Osiris sacrifié dans un duel avec son propre frère Seth ? Et que la Vierge n'est autre qu'Isis ?

— Parlez de blasphème ! s'écria Lana Brock en riant. Mais je crois que vous avez un point. D'après ce que vous m'avez dit de ce couple malheureux, je croirais plutôt que c'est Isis qui vous a protégé, parce qu'Osiris, lui, vous aurait plutôt entraîné sous terre. »

Siegfried hocha la tête et se retint de répondre que, d'une certaine manière, il était déjà sous terre. Le devinait-elle ?

« Je ne voudrais pas me mêler de ce qui ne me regarde pas, dit-elle. Mais je voudrais être sûre que vous ne faites pas une dépression. Depuis cet incident de New York, dont vous ne cessez de parler, d'ailleurs, vous me paraissez avoir moins d'entrain. »

Il acquiesça. Cela se voyait donc.

« Lana, nous avons tous besoin de quelqu'un qui nous nourrisse. J'ai longtemps cherché et je n'ai trouvé personne. Alors je me suis nourri moi-même. C'est comme ça qu'on devient narcissique. Mais depuis quelque temps, je manque de lait.

— Ça arrive aussi aux femmes, figurez-vous », dit-elle en quittant le bureau.

Soussou avait une fois de plus raison, il lui fallait prendre des vacances. Il eût volontiers suivi le conseil. Mais où irait-il ? Un tour des palaces du monde le laissait sans excessif désir d'en retrouver un de plus : toujours la même mise en scène convenue du luxe et le même splendide isolement. L'obséquiosité et le pourboire. Il téléphona à Sybilla Hammerley et lui demanda si d'aventure elle était libre à dîner. Elle se déclara heureuse de le voir, car leurs occasions de rencontre étaient trop rares. Il subit le reproche avec gêne : il lui devait tant, depuis leur première rencontre chez Sotheby's, mais il craignait d'affronter une veuve affligée.

Ses craintes furent vaines : à mi-chemin de la cinquantaine, Sybilla avait conservé sa grâce intacte et le temps avait affiné la tendresse et l'espièglerie de son regard. Dans un tailleur de lainage gris sur les épaules duquel tombait sa chevelure d'un blond pâli, elle semblait habiter une brume où ses yeux bleus perçaient comme des myosotis. Ils prirent place en face l'un de l'autre, sur la petite table que Siegfried avait fait dresser dans le grand salon. Avec ses boiseries de bouleau et ses pilastres de malachite, la salle à manger, achetée tout entière à un vieux Russe, eût été trop solennelle pour l'occasion.

« Connaissez-vous, lui demanda-t-il, quelqu'un qui pourrait assumer la direction de la galerie de New York pendant que je suis à Londres et qui m'éviterait de traverser l'Atlantique aussi souvent ?

— Et votre actuel directeur ?

— Trop conventionnel, manque de charme et d'humour, trop peu cultivé, incapable de déceler de nouveaux talents, plus fait pour vendre des voitures que des œuvres d'art. »

Elle réfléchit un moment.

« Vendre de l'art, Sybilla, surtout de l'art moderne, reprit-il, c'est de l'imaginaire. Il y faut le talent de persuasion de Méphistophélès s'emparant de l'âme de Faust en échange d'une promesse de l'éternelle jeunesse.

— C'est Peter Wilson lui-même qu'il vous faudrait ! s'écria-t-elle en riant. Et Lana Brock ?

— Elle conviendrait parfaitement. Mais elle m'est indispensable à Londres et n'a aucune envie d'aller vivre à New York. Je préférerais, de plus, quelqu'un que je puisse former. »

La proposition parut la laisser songeuse.

« Je n'ose vous suggérer Adam.

— Adam », répéta-t-il.

Le fils de Sybilla et d'Ismaïl Abou Soun. Une histoire ancienne, tellement ancienne que le parfum de scandale s'en était évaporé. Le temps est comme l'opium, il efface les souvenirs.

« Mais quel âge a-t-il ?

— Vingt et un ans. Il a obtenu une belle mention pour ses études sur l'histoire de l'art à Oxford. Je pensais demander à Peter de l'engager. Vous savez, Charles ne m'a pas laissé un grand héritage. Adam devrait trouver un travail.

— Il accepterait d'aller s'installer à New York ?

— Il en rêve, répondit-elle.

— Très bien. Dites-lui de prendre rendez-vous. »

Le maître d'hôtel les resservit de vin, changea les plats et apporta le dessert, un soufflé aux pêches et framboises.

« Vous avez un chef remarquable, observa-t-elle.

— Ne le répétez pas, mais son salaire est à peine moindre que celui de Lana Brock, commissions non comprises, bien sûr. Manger est l'un des derniers plaisirs du monde. Alors, s'il fallait se priver de celui-là aussi...

— Puis-je vous dire que vous me paraissez un peu las, Siegfried ?

— Je le suis. J'ai besoin de vacances, mais je ne sais pas où aller. Si je vois un autre palace, je meurs. »

Elle éclata de rire.

« C'est vrai, reprit-il. Je voudrais un endroit sauvage et amical tout à la fois, avec presque personne alentour.

— Vous aimez la mer ?

— Surtout quand il n'y a personne dedans.

— Adam a passé ses dernières vacances dans une petite île des Bahamas, peu connue et parfaitement tranquille, bordée de grandes plages désertes. Pas de luxe, pas de boutiques, pas de cinémas, pas de restaurants, sinon celui où les locataires de bungalows, prennent leurs repas. Il s'en est déclaré enchanté...

— Nassau est assommant, interrompit Siegfried.

— Pas Nassau, Siegfried. L'île s'appelle Long Island. Vous pouvez louer un bungalow à un prix très raisonnable. Ce ne sera pas un palace, mais un bungalow confortable au bord de l'eau. Vous passez la journée à la plage ou en bateau, dans l'anonymat, et tout le monde se couche tôt et se lève à l'aube pour entendre les merles chanter.

« — Rappelez-lui de m'en parler quand il viendra me voir », conclut Siegfried.

Quand, deux jours plus tard, Adam Hammerley franchit le seuil du bureau de Siegfried, le monde sembla pivoter en même temps que le battant de la porte que le jeune homme refermait derrière lui. Siegfried en eut l'intuition fulgurante, presque pénible dans son acuité.

Les sentiments les plus purs sont le plus souvent composés d'éléments troubles, et tel était le cas. Le plus brûlant de ces derniers fut que Siegfried crut voir apparaître Ismaïl Abou Soun, un peu plus jeune, et il revécut dans une fraction d'instant, si courte que les seuls les physiciens des particules eussent pu la mesurer, ces après-midi torrides du Caire, parcourus par la rêverie comme une tapisserie par un fil d'or et parfumées par les mangues, le réséda, les melons, le jasmin... Adam Hammerley lui ramenait sa jeunesse quelque dix-sept ans plus tard.

Un autre élément contribua au bref vertige de Siegfried Alp : Adam Hammerley était certes beau, il se situait à ce niveau de séduction où les comparaisons deviennent aussi futiles qu'entre une rose et l'autre. Mais il possédait un atout de plus que l'ordinaire des jeunes hommes qu'avait connus Siegfried : il ignorait visiblement qu'il était beau.

Un troisième élément, encore plus poignant, était le sens du risque. Adam Hammerley arrivait trop tard... Mais arrivait-il vraiment trop tard ?... À l'instant où il referma la porte du bureau de Curzon Street, il en ouvrit une autre.

Siegfried se leva, tendit la main au jeune homme et l'invita à s'asseoir.

Il enregistra leur conversation comme dans un rêve éveillé. Il savait qu'il se la rappellerait souvent. Adam Hammerley étudiait, non pas exactement l'histoire de l'art, mais la séméiologie de l'œuvre d'art dans l'histoire. Séméiologie ? demanda Siegfried. Science des signes, expliqua Adam. L'œuvre d'art avait revêtu des sens différents au cours de l'histoire. Chez les anciens Égyptiens par exemple – et Siegfried fut tout ouïe – l'art était essentiellement funèbre et destiné à prolonger l'illusion de survie dans l'au-delà. À la Renaissance, elle exaltait le pouvoir du mécène sur des thèmes sociaux, mythologiques ou chrétiens. À l'époque moderne, elle s'était vidée de son contenu mythique pour refléter l'anxiété de l'artiste et l'appartenance du propriétaire à une certaine classe sociale. Ainsi, le président des États-Unis ne pouvait plus commander une toile illustrant la prospérité américaine, comme un Médicis ou un Sforza eût jadis pu le faire pour glorifier Florence ou Milan.

« Mon sentiment, dit Adam Hammerley, pardonnez-moi de le dire, est que l'art ennuie les gens aujourd'hui. Étant donné que l'artiste s'est entièrement affranchi des contraintes sociales et qu'il est en même temps le récepteur des angoisses sociales, il est devenu insignifiant. L'art lui-même n'est plus destiné qu'à être un objet de surprise ou de scandale, comme *L'Annonciation* que vous avez exposée à New York... Ce n'est plus un objet destiné à survivre aux siècles, mais un événement plus ou moins fugace, un *happening*. »

Siegfried sourit. C'était depuis longtemps son sentiment. De plus en plus d'artistes auto-proclamés peignaient sur des toiles sans châssis, avec des pigments destinés à pâlir en quelques années, et d'autres se contentaient d'organiser ce qu'ils appelaient des « installations », c'est-à-dire des étalages d'objets insignifiants ou hétéroclites sur de grandes surfaces, impossibles à vendre à des collectionneurs.

« ... L'art est ainsi devenu une forme d'activité boursière essentiellement fondée sur le principe des *ventures*, les sociétés à risques », poursuivit Adam.

À se faire ainsi traiter de commerçant du néant par ce godelureau, Siegfried éclata de rire. Adam Hammerley parut à la fois flatté et surpris de sa réaction. Siegfried l'invita à déjeuner. Tout d'un coup, il se désennuyait.

« Et pourquoi voudriez-vous aller à New York ? lui

demanda-t-il, quand ils furent assis au grill du Dor-
chester.

— Monsieur Alp, quand on étudie l'histoire de l'art,
on se retrouve couvert de la poussière du temps. Je voudrais secouer cette poussière et New York est la ville
parfaite pour cela. Ce n'est pas, comme en Europe, "jadis
et naguère", c'est "maintenant et demain". Me comprenez-vous ? »

Siegfried hocha la tête. Il lui parut qu'il respirait plus
amplement. Il y avait donc des jeunes gens intelligents
et qui pensaient à autre chose qu'à acheter une autre
paire de mocassins de Gucci et un coupé BMW. Mais que
songeaient-ils donc à acheter, alors ?

« Monsieur Hammerley, demanda-t-il, croyez que
tout ce que vous venez de dire vous qualifie comme
directeur d'une grande galerie new-yorkaise ? »

Adam Hammerley leva vers son vis-à-vis un regard
aussi bleu que celui de sa mère, mais teinté de vert et
d'étonnement.

« Monsieur Alp, mon ambition n'était pas d'être
directeur de votre galerie à New York. Je croyais que
vous aviez besoin d'un assistant. Il me faudrait d'abord
acquérir au moins une partie de vos connaissances et
de votre clientèle. Mais je crois connaître le nouveau
public des galeries et plus particulièrement, l'américain.
Je me crois capable par la suite de l'exploiter commer-
cialement aussi. »

Beau, cultivé, original et pas prétentieux, se dit Siegfried. Adam Hammerley était la découverte de ces dernières années. Il hocha la tête.

« Monsieur Hammerley...

— Adam pour vous.

— Adam, je vous engage d'office. Vous ferez vos
classes avec moi trois mois à la galerie de Londres, puis
nous irons à New York pour un certain laps de temps,
afin que vous vous familiarisiez avec le marché new-
yorkais. Vous avez parfaitement raison de dire que l'art
moderne ennuie les gens. Laissez-moi vous complimen-
ter pour cette réflexion. Elle indique que vous êtes par-

faitement à même de saisir la nature du marché actuel de l'art. Je vous offre un salaire de quinze mille livres par an dès la première année. Cela vous convient-il ? »

Adam parut confondu ou peut-être le fut-il.

« C'est royal. Ma mère va me reprocher de manquer de modestie.

— Sybilla est trop intelligente pour faire ce genre de remarque. »

Adam leva vers Siegfried un regard difficilement déchiffrable, mais qui reflétait quand même de l'étonnement. Était-ce parce que Siegfried avait appelé sa mère par son prénom ? Ou bien parce qu'il semblait si bien deviner ses réactions ? Ou bien encore parce que cette réponse laissait entendre que Sybilla ne trouverait jamais que son fils était trop payé ?

Le déjeuner touchait à sa fin quand Siegfried évoqua l'île où Adam avait, selon sa mère, passé des vacances paradisiaques.

« On y vit, expliqua le jeune homme, comme sur une île déserte civilisée. Il y a de l'eau, de l'électricité et les draps sont propres.

— Comment y va-t-on ?

— Il existe un vol quotidien de la British Airways vers Nassau. Là, un petit avion de la propriété vient vous chercher.

— J'ai besoin de détente, dit Siegfried. Voudriez-vous donner tout à l'heure à ma secrétaire les indications nécessaires ? »

Et quand Adam Hammerley eut promis qu'il le ferait dès leur retour à la galerie, Siegfried lui demanda s'il voudrait l'accompagner. Adam Hammerley leva vers Siegfried un regard interrogateur, cette fois, cependant que ses lèvres disaient :

« J'en serais enchanté, vraiment enchanté... Oui. »

Une souffrance fulgurante traversa l'esprit de Siegfried. Il s'avisa qu'il s'éprenait d'Adam Hammerley et qu'il se trouvait, pour la première fois depuis longtemps en situation d'infériorité.

« Très bien, nous partirons samedi. »

Sans doute intriguée par les réservations pour deux personnes que la secrétaire avait faites auprès de British Airways et les appels téléphoniques de celle-ci à une île perdue des Bahamas, Lana Brock ne mit pas longtemps à saisir l'intérêt de Siegfried pour Adam Hammerley. Alors qu'elle se trouvait dans son bureau pour discuter d'une affaire financière, un client aux ressources inconnues qui demandait à payer une acquisition par mensualités, elle lui déclara tout à trac :

« Siegfried, vous vous intéressez toujours à la mythologie égyptienne ? » Et comme il hochait la tête, surpris, elle poursuivit, avec un éclat malicieux dans le regard : « Je voudrais vous informer qu'Isis et Osiris ont eu un enfant. C'est un garçon. Il s'appelle Horus.

— Et alors ?

— C'est un dieu protecteur, lui. »

15

Le Spectre de la Rose

« Madame el Istambouli ? »

Cet accent rond, un peu gras, chantant, presque parfumé. Le cœur de Nadia battit la chamade. Ismaïl.
Comment l'avait-il retrouvée ?

« C'est elle-même.

— Vous ne me reconnaissez pas ?

— Ismaïl ? »

Il éclata de rire. Elle se rappela que Loutfi figurait
dans l'annuaire et que, de surcroît, le consulat d'Égypte
disposait de leur adresse.

« Pardonnez-moi... Je ne m'attendais pas à votre
appel...

— Je suis de passage à Paris. Je serais heureux si
vous aviez quelques moments à m'accorder. »

Elle observa un silence volontaire.

« Je regrette de ne pas pouvoir vous convier chez
nous... C'est un petit appartement...

— Puis-je vous inviter à déjeuner ? »

Un autre silence. Puis la curiosité l'emporta.

« Très bien, déjeunons. »

Dans sa naïveté, et sans doute pour l'éblouir, il lui

avait donné rendez-vous au Grand Véfour ; elle se félicita
d'avoir choisi ses vêtements les plus élégants. En le
voyant se lever pour l'accueillir, elle fut saisie ; elle ne
l'avait pas revu depuis plus de cinq ans ; il avait épaissi.
Adonis était devenu Zeus. Il la mangea des yeux.

Heureusement que l'affaire ne s'est pas prolongée,
songea-t-elle et du coup, elle s'avisa que la pure sexualité
qu'elle avait pratiquée avec lui et à laquelle elle avait
tant rêvassé était aussi une question d'âge. Elle avait
mangé les derniers fruits de la jeunesse d'Ismaïl Abou
Soun. Pour le contrarier, elle choisit le plat le moins cher
de la carte.

Il s'enquit de son établissement à Paris, de son
mariage, de maints détails. De quoi vivait-elle à Paris ?
Et Loutfi ? Elle l'assura que, nanti d'un titre de séjour
français, Loutfi avait demandé la nationalité française et
que sa connaissance du monde arabe lui avait rapidement valu un poste de conseiller et des missions dans
divers organismes officiels. Il sembla n'y croire qu'à moitié et poursuivit ses questions ; or, celles-ci suivaient un
fil évident : était-elle disponible ? Renoueraient-ils la liaison interrompue ?

« Tu es la femme que j'ai toujours rêvé d'épouser »,
dit-il avec élan.

Il était donc passé au tutoiement ; c'était plus franc.
Elle songea à Sybilla et trouva le mensonge attendris-
sant. Il avait sans doute rêvé d'épouser Sybilla aussi. Et
il l'avait oubliée, ou bien avait renoncé à elle.

« Tu sembles oublier que j'ai quitté l'Égypte, dit-elle.

— Mais qu'est-ce que tu crois ? Que je t'aurais laissée à la maison en *melaya* ? Les Égyptiennes sont des
femmes modernes. »

Elle connaissait le discours ; les Égyptiennes étaient
autorisées à s'habiller à la manière occidentale et non
contraintes à la *melaya* noire et au châle sur la tête, le
charwal, elles avaient licence de faire leurs courses
seules, et le visage découvert. Quant au reste...

« Tu aurais été ambassadrice, reprit-il.

— Tu es ambassadeur ? » Et elle comprit qu'il

n'était pas encore marié et cherchait une épouse. La déclaration d'amour avait aussi un motif pratique.

« Je suis nommé à Djakarta.

— Je te félicite. »

En fait, c'était elle-même qu'elle félicitait de ne pas être son épouse. Paris avec Loutfi valait infiniment mieux que l'exil dans une capitale du sud-est asiatique, où selon Soussou chaque regard masculin était aussi lourd qu'une main sur la fesse.

« Tu es donc heureuse sans moi », constata-t-il sans même prendre la peine de cacher son dépit.

Ce qui la fit rire.

« Ismaïl, nous nous sommes vus quelques jours il y a plus de cinq ans. Tu parles comme un adolescent jaloux.

— Je suis sans doute un adolescent jaloux. Qu'est-ce qu'il a de plus que moi, Loutfi ? »

Elle résista stoïquement à cet assaut d'ardeur puérile et tardive. Tout homme qu'il fût, Ismaïl était donc pareil à elle ; il voulait être aimé et, comme les enfants, il était possessif. Sa sexualité était sans doute occidentale, comme on disait jadis, c'est-à-dire qu'à la différence des Égyptiens égyptianisants, il pratiquait des gourmandises sur le sexe de ses maîtresses, mais son caractère était possessif et dominateur autant que celui des *fellahin* de Tantah ou de Damanhour. Elle comprit aussi l'incident avec Sybilla Hammerley et les réflexions de Soussou sur les gigolos. Si Ismaïl avait été aussi pressant avec l'Anglaise, c'eût été miracle qu'il n'y eût pas eu d'incident diplomatique. Et si les gigolos étaient aussi collants, il y avait de quoi être nonne, en effet.

« Bon, je t'ennuie, dit-il. Dis-moi que je t'ennuie.

— Tu ne m'ennuies pas, ce sont tes questions infantiles qui s'en chargent.

— Tu n'as pas eu d'enfant de moi ?

— Non. »

Elle haussa les épaules.

« Tu n'as pas avorté, au moins ?

— Ismaïl, ce genre de questions montre que tu me

considères toujours comme une femelle idiote. Non, je
n'ai pas avorté.

— J'aurais aimé avoir un enfant de toi.

— Ça n'a pas été le cas et maintenant je suis mariée.

— Et alors ? Tu étais déjà avec lui quand nous nous
voyions au Caire.

— Je n'étais pas mariée. Parle-moi plutôt du Caire.

— Tout a changé. Il y a un monde fou. Le trafic automobile est insupportable. Les appartements coûtent un
prix d'or. La Villa Arsinoë a été achetée par des Kowei-
tiens. Ils ont construit une piscine dans le jardin.

— Comment le sais-tu ?

— Parce que j'y ai été invité. »

L'image d'Ismaïl Abou Soun à la Villa Arsinoë la
laissa rêveuse. Le destin s'amusait. Et une piscine dans
le jardin ! Le spectre du juge Abd el Messih devait y jeter
tous les soirs du poison !

« Tu ne veux pas revenir en Égypte ?

— Qu'y ferais-je ?

— Tu ne veux pas me revoir ?

— Je veux bien te revoir, en toute amitié. *Amitié*,
répéta-t-elle en le regardant dans les yeux.

— Mais de toute façon, tu ne me reverras pas avant
un long moment. Je vais en Indonésie. Je passerai juste
quelques jours à Londres, puis je m'en vais. »

Grâces fussent rendues au ciel, songea-t-elle. Le seul
sentiment que lui inspirerait désormais Ismaïl serait
sans doute la pitié, et c'est un sentiment qui blesse ceux
qui le ressentent autant que ceux qui en sont l'objet.
Ils se quittèrent à la porte du restaurant sur des adieux
déguisés en au revoir.

Il fallait retirer la rose du vase ; elle était fanée.
Nadia évoqua le ballet *Le Spectre de la Rose*, qui décrit
les évolutions d'un beau jeune homme, le fameux
spectre, autour d'une jeune femme qui, la veille, portait
la fleur à son corsage.

Mais aussi, se dit-elle en remontant l'avenue de
l'Opéra, c'était Nijinsky.

Beaucoup de grands événements adviennent sans bruit. La rencontre avec Ismaïl fit tourner sans bruit la rose des vents dans le cœur et l'esprit de Nadia. D'abord, elle se souvint qu'on lui avait proposé un travail modeste, mais poétique, qui consistait à assembler des fleurs artificielles pour une boutique du boulevard Haussmann. Le salaire était modeste, mais les ressources du couple l'étaient également. Deux mille francs représenteraient un appoint considérable à leur budget. Car les subsides, à vrai dire modestes, que lui envoyait régulièrement Soussou assuraient tout juste le minimum vital. De plus, c'était un travail qu'elle ferait chez elle, sans avoir à subir l'épreuve quotidienne du métro. Elle se rendit donc à la boutique pour accepter l'offre et, peu de jours plus tard, on lui livra des boîtes de fleurs et de tiges en tissu et en plastique, ainsi qu'un cahier des modèles à imiter.

Cela occuperait le temps libre qui lui restait après les travaux du ménage et qui, le plus souvent, s'effilochait en rêveries moroses et en soupirs. Car les tâches domestiques, jusqu'alors inconnues, n'étaient guère de nature à exalter la joie de vivre. Elle n'avait jusqu'alors jamais balayé, fait de lits, de lessive ni de vaisselle et encore moins fait les courses et la cuisine. Acheter un poulet (en France comme ailleurs, il sentait toujours le sauvagin, mais on éliminait l'odeur en le frottant de citron). Quatre côtelettes de porc (les moins chères sur l'étal). Deux kilos de pomme de terre (pas celles que les Français appelaient nouvelles, parce qu'elles s'effritaient, mais les roseval). Deux tartelettes aux amandes, celles que préférait Loutfi. Et rentrer, éplucher les pommes de terre et balayer au son de la radio ! Et des lamentos interminables qu'elle distillait.

« Je m'voyais déjà sur toutes les affiches… »

Ou encore :

« Non, rien de rien, je ne regrette rien,

ni le bien qu'on m'a fait, ni le mal,
tout ça m'est bien égaaaal… »

La France, comme l'Égypte, ne chantait donc que pour geindre, et en lavant la cuvette des WC, elle se demanda s'il y avait vraiment une différence entre Édith Piaf et Om Kalsoum, langue et corpulence mises à part. Au fond de tous les peuples existait sans doute une vieille femme éternellement en larmes ; était-ce pour la libérer que Loutfi avait voulu déclencher la révolution ?

La question la piqua comme une mouche. Elle se redressa, le torchon javellisé en main, et comprit soudain, fût-ce confusément, pourquoi Fatma el Entezami avait détourné son mari des ruminations et vitupérations révolutionnaires ; c'était à cause de la vieille femme.

« Si tu t'imagines, si tu t'imagines,
fillette, fillette, xa va xa vakça… »

Une sourire sarcastique lui creusa les commissures des lèvres. L'exil lui avait au moins enseigné cela. L'avait-il aussi enseigné à Loutfi ? Elle l'ignorait, mais se rappela que son mari ne parlait plus beaucoup de révolution, de Kropotkine ni de Bakounine.

La première fois qu'elle enfila les fleurs de plastique sur les tiges souples de fil de fer enrobé également de plastique – c'était pour reconstituer des branches de cerisier en fleurs –, elle fut soudain saisie ; elle prit conscience de la misère profonde de son travail : évoquer un faux printemps. Elle gagnait donc sa vie dans le mensonge.

« Une pute », murmura-t-elle, ignorant l'aveu qu'on avait jadis tenté d'arracher à son mari au bagne.

Des nuages noircirent le monde et Nadia se leva pour tourner le commutateur. La lumière jaunâtre prêta un aspect encore plus misérable aux fleurettes de plastique d'un blanc glaireux. Elle eût voulu, à ce moment-là, sous le ciel aigre de Paris, se retrouver à quelques années en arrière et danser le tango au Cercle de la jeunesse orientale, dans le parfum charnel des colliers de jasmin.

Mais le tango aussi avait été un mensonge. Pourquoi lui avait-on donc enseigné le goût de la vérité ? Elle se trouva soudain frivole et dérisoire, et tant qu'elle ne pourrait même pas susciter la pitié. Elle servait de compagnie à un homme, elle ne se servait pas à grand-chose et ne servait à personne, ni rien d'autre. Elle évoqua les propos de Fatma el Entezami sur l'exil. L'*estrangement* – elle pensa le mot en anglais car elle n'en connaissait pas d'équivalent français – commençait déjà à la ronger, comme une rouille qui s'accroche aux défauts infimes du métal pour lui arracher chaque jour quelques atomes et les transformer en une poussière roussâtre.

Elle frissonna et alla tâter le chauffage central, jaunâtre sous la fenêtre grise. Tiède. Elle haïssait cet accessoire métallique, pareil à la cage thoracique d'un squelette animal, qu'on aurait récupéré pour y faire circuler de l'eau chaude. De la fausse vie.

Mais elle préférait avoir froid qu'aller prier la concierge d'y remédier. Le regard de la pipelette en disait trop long. « *L'Égyptienne !* » Autant dire la Barbaresque. Et la manière circonspecte dont elle lui tendait le courrier le matin, la bouche pincée et l'œil baissé, comme si elle lui remettait de la pornographie, le regard et le pouce s'attardant sur les timbres exotiques. Elle l'entendait quasiment dire : « On n'est plus chez soi. »

Au début de leur installation, cette créature était venue sonner un matin.

« Vous avez un chat ? avait-elle lâché d'emblée.

— Non, avait répondu Nadia, interdite. Pourquoi ?

— Parce qu'il y a un pipi de chat dans l'escalier. » L'œil en vilebrequin, suintant la malveillance.

« Nous n'avons pas de chat. »

La malveillance s'était colorée de scepticisme.

« Ah bon, j'avais cru.

— Pas de chat ! » Et Nadia excédée avait claqué la porte.

En rentrant le soir, Loutfi ébahi l'avait trouvée miaulant doucement à travers la porte palière. Quand elle lui avait raconté la conversation avec la concierge, ils étaient tombés dans les bras l'un de l'autre, secoués de rire.

Peut-être était-ce ainsi qu'il convenait de vivre désormais, comme un oiseau maraudeur. Mais les oiseaux dépendent du vent, et celui-ci poussa Nadia un matin vers une librairie de la rue de Rivoli, à la recherche d'un roman d'Iris Murdoch en édition de poche. En sortant de là, elle passa devant l'Hôtel Meurice et, simultanément, elle entrevit les ors interdits et le visage d'un homme fatigué. Elle retint à la fois son pas et un petit cri.

Aldo !

Aldo.

Il ne la vit pas. Il coupa le trottoir pour s'engouffrer dans une voiture de maître. Quelques fractions de seconde suffirent à Nadia pour arracher au masque de l'ancien amant les signes révélateurs de son histoire. L'affaissement du menton et des commissures des lèvres, les bajoues, l'œil cerné, le cheveu gris clair. La cinquantaine. L'alcool, la bonne chère. Et le reste. Le temps. Était-il toujours marié à Natacha Starivetsky ? En tout cas, elle en eut l'intuition aiguë, presque douloureuse, qu'il avait des maîtresses.

Elle revit comme dans une miniature pornographique le couple qu'ils avaient formé dans sa voiture. La vraie jeune fille dont les seins se tendaient à exploser sous la robe de crêpe georgette à fleurs. Jamais auparavant, sans doute, ne comprit-elle aussi clairement que l'Égypte et sa jeunesse appartenaient au passé, autant dire à la mort.

Quelques jours plus tard, elle décida d'avoir un enfant.

Elle-même n'y aurait jamais cru. La décision lui fit l'effet d'un coup de vent dans un verger de vrais cerisiers, dépouillant tout à coup les branches de leur neige de printemps pour découvrir le noir terne des branches et la promesse des fruits. Le printemps avait été si court que ce n'avait été qu'un rêve, un rêve conçu dans un pays irréel et dans le décor, ô combien faux, elle le comprenait amèrement, de la Villa Arsinoë. Dans la fausseté de l'Égypte coloniale.

« Je me suis vécue jeune fille », dit-elle avec un sentiment violent qui ressemblait au dépit.

Comment l'exemple de Soussou ne lui avait-il pas dessillé les yeux ? Une femme n'existait que par un enfant. Soussou avait organisé son propre viol par un domestique, avec la complicité d'un médecin machiavélique et sage. Puis elle avait renoncé à l'amour, du moins à l'amour tel que leurs lectures le leur avaient dépeint. Si elle, Nadia, voulait exister de manière plus dense, il fallait qu'elle donnât à Loutfi un enfant.

Elle sortit sur le petit balcon garni, luxe inouï, de trois pots de géraniums blancs. Devant elle, des hectares de toits miroitaient sous la pluie. La mélancolie du monde n'en parut que plus grande.

16

Une question de paternités

Le premier jour à Long Island, ils revinrent épuisés de la plage de Cape Santa Maria. Un infini de sable blanc, personne alentour, une eau cristalline et tiède. C'était comme s'ils venaient d'inventer le monde. Ils avaient tous deux nagé à en perdre haleine. Ils avaient poursuivi des raies manta, cerfs-volants marins et familiers, qui jouaient à les distancer, puis faisaient demi-tour pour les rejoindre.

« Attention à la queue ! avait crié Adam. Elle est venimeuse ! »

Siegfried avait souri de l'avertissement.

Après s'être séchés au soleil, ils avaient repris la voiture pour regagner leur bungalow à travers des chemins rocailleux et broussailleux. Puis ils s'étaient jetés sur leurs lits respectifs, à bonne distance l'un de l'autre. Siegfried feignit de dormir et Adam sembla dormir. Mais au bout d'un moment il se retourna et vit que Siegfried l'observait dans la pénombre. Ils se firent ainsi face.

« Siegfried », dit Adam. Simplement cela.

Siegfried attendit la suite sans mot dire.

« Si tu veux venir sur mon lit, fais-le, ce sera plus simple. »

Siegfried se redressa à demi et s'accouda, le cœur battant.

« Ton attitude crée une tension, dit Adam. Ce n'est pas nécessaire. Je ne suis pas venu ici pour faire de la séduction. Viens. »

Siegfried, stupéfait, s'exécuta.

Une heure de passion écuma sa fièvre. Adam l'avait étonné, une fois de plus. Et plus encore lorsqu'il déclara, à la fin :

« Siegfried, tu dois savoir que je ne suis pas homosexuel.

— Ça ne se voit pas », observa ironiquement Siegfried, néanmoins empli d'appréhension. Ce qu'il craignait le plus était de soupçonner l'insincérité. Il n'avait jamais oublié un apophtegme de Louis Hanafi : « Dès qu'on parle, on pose son personnage en même temps que sa personne. Dès qu'on est écouté, c'est le personnage qui prend le pas. » Adam allait-il reprendre le don qu'il venait de faire ? Ou pis, allait-il en dire le prix ?

« Tout le monde est ceci et cela, dit Adam, un peu plus ou un peu moins et je ne vais pas jouer les vierges effarouchées. Mais tu es le premier homme avec qui j'aie fait l'amour... entièrement. Je veux que tu le saches. Ne t'alarme pas, je le referai. »

Pour la première fois depuis un temps indéfini, ce que Siegfried appelait sa « machine désirante » s'était remise en marche. Il tentait d'analyser cette première surprise quand la déclaration d'Adam survint. Il s'assit et considéra Adam.

« Je savais qui tu étais en acceptant de t'accompagner ici. Je prévoyais la situation qui en découlerait. Je pense que tu l'avais même espérée. Je sais donc ce que je fais », dit Adam.

Il s'assit aussi et alluma une cigarette, puis fit face à Siegfried.

« Je ne vais pas te faire de compliments sur ta personne, puisque je ne suis pas homosexuel. Tu n'es vraiment pas mal. Mais l'essentiel de notre relation est que tu es la plus grande chance de ma vie. Cela me fait plaisir de me donner à toi, dit-il avec une gravité que Siegfried ne lui connaissait pas.

— Par gratitude ? »

Adam alla à la salle de bains et cria :

« Non, pas au sens où tu l'entends. »

Siegfried attendit la suite avec anxiété.

« Tu me rends heureux. Je suis parfaitement conscient de ce que tu m'offres. Alors le sentiment que j'éprouve ressemble à l'amour, conclut Adam en revenant dans la chambre, vêtu d'un short. Finalement, on aime les gens qui vous rendent heureux. »

Siegfried, muet, s'adossa au lit.

« J'espère que je ne t'embarrasse pas ? » dit Adam.

Siegfried lui prit la main et y déposa un baiser. Il appréciait la sincérité : Adam lui avait déclaré avec autant de délicatesse que possible qu'il s'était donné à lui comme une jeune fille se donne à un parti avantageux.

« C'est moi qui devrais faire cela, dit doucement Adam en retirant sa main.

— Je fais faire du café », dit Siegfried en se levant, presque tremblant.

Ils portèrent leurs tasses sur la terrasse. L'Atlantique léchait les rochers de la grève, au bas de la maison. Le bref crépuscule tropical était passé inaperçu du côté de la mer des Caraïbes, enflammant sans doute la surface des marais. Le ciel prit la couleur de la mer. Le vent contraria les broussailles sous la terrasse et les vagues semblèrent impatientes de monter à l'assaut de la maison.

« Tu me rends au centuple ce que je te donne, dit Siegfried.

— Si cela ne te dérange pas, nous ferons la comptabilité dans quelques années », dit Adam.

Ils rirent.

« J'étais désespéré, dit Siegfried.

— Je l'avais compris, observa Adam, à l'extravagance de ton offre. Maintenant, je veux qu'il n'y ait plus de tension entre nous. Elle me rendrait malheureux.

— Horus, murmura Siegfried au bout d'un moment.

— Quoi ?

— Horus.

— C'est un dieu égyptien, le faucon, n'est-ce pas ?

— Oui.

— Pourquoi prononces-tu son nom ?

— Je te le dirai un jour.

— À propos d'Égypte, je veux que tu me dises une chose. »

La voix d'Adam était redevenue grave. Il mit un temps à poser sa question.

« Qui est mon père ?

— Charles Hammerley.

— Siegfried ! s'écria Adam soudain en colère. J'ai bien vu que lui et moi nous n'avions pas un seul trait en commun. Qui est mon père ?

— Ta mère a refusé de te le dire ?

— Je n'ai jamais voulu le lui demander.

— Alors, ne le lui dis pas.

— Je le jure.

— C'était un très bel Égyptien. Ismaïl Abou Soun. Il a fait une scène quand ta mère a refusé de divorcer pour l'épouser. Cela a causé un incident diplomatique. Ton père a quitté l'Égypte à cause de cela.

— Mais il m'a reconnu.

— Charles Hammerley était un homme de cœur. Il aimait ta mère. Elle ne l'en a aimé que davantage pour cela.

— Et mon vrai père, il sait que j'existe ? Que je suis son fils ?

— Je n'en sais rien », répondit Siegfried.

La nuit avançait à grands pas. Ils rentrèrent se doucher et se raser pour le dîner.

« En vérité, dit Siegfried en éclairant la maison, ton vrai père...

— Mon vrai père ?

— Ton vrai père, c'est Osiris. Cela aussi, je te l'expliquerai. »

Quand vint l'heure de se coucher, Siegfried ne put trouver le sommeil. Il se leva silencieusement et alla sur la terrasse. Il essaya de se rappeler celui qu'il avait été à l'âge d'Adam. Oui, il eût agi de même. Les images des maisons de son enfance et de sa jeunesse lui revinrent en mémoire. Celle de sa grand-mère, avec ses espaces qui lui paraissaient infinis et ses recoins pleins de fantômes et de parfums défigurés par le temps. Puis celle de ses parents et de sa mère tournant la manivelle du phonographe et changeant l'aiguille pour écouter un disque de Zarah Leander. Il l'entendit presque :

> *Ich stehe im Regen*
> *und wachte*
> *auf dich,*
> *immer auf dich.*
> *Der Steigen der Kirchtumuhr*
> *rückt from Streck zu Streck...*

Un flux de nostalgie le submergea. Aucune joie présente ne comble jamais les abîmes que le passé creuse inéluctablement. Un frôlement lui fit tourner la tête.

« À quoi penses-tu ? demanda Adam.

— Je pensais que je t'attendais. »

Ce n'était pas vrai. Enfin, pas tout à fait vrai. Il eût été plus exact de dire que les rêves se réalisent toujours trop tard.

17

Sur le symbolisme
d'une machine à écrire électrique

Rasé de frais, cravaté de neuf, Loutfi el Istambouli s'assit à son bureau du mensuel *Est-Ouest*, dont il venait d'être nommé rédacteur en chef adjoint. Le temps était froid et sec, et la veille, Loutfi avait appris de Nadia qu'à vingt-neuf semaines de là il serait père. L'un et l'autre faits tonifiaient son humeur. Tout compte fait, il n'avait jamais été aussi heureux depuis longtemps. Longtemps. Il considéra la pile de journaux de langue arabe déposés sur son bureau, puis la machine à écrire électrique neuve qui faisait partie de ses apanages et s'en émerveilla. Il appuya sur le bouton de mise en route et écouta l'imperceptible frémissement qui s'en dégageait. C'était bien autre chose que sa vieille Remington du Caire, effroyable machine à enfoncer des clous et dont le crépitement traversait les murs. Il se préparait à aller chercher un gobelet de mauvais café dans le couloir quand son directeur entra.

Karim Benhocein, quadragénaire au visage souriant, qui l'avait engagé quelques mois auparavant, le salua et alla s'asseoir en face de lui.

« J'ai bien lu l'article que tu m'as remis hier sur la question palestinienne », dit-il.

Loutfi comprit qu'un problème se posait.

« Il est remarquablement écrit, poursuivit Benhocein. Mais je ne peux pas le publier. Pas tel quel, tout au moins.

— Pourquoi ?

— Il te ferait du tort. »

Un silence.

« Pourquoi ?

— C'est un article révolutionnaire. Ou plus exactement, c'est un article *de* révolutionnaire. En fait, tu appelles à la guerre de tout le monde arabe contre Israël. Sous la plume d'un Français, il serait à peine publiable. Sous celle d'un immigré égyptien, il est impubliable. Tu écris que la question palestinienne n'est que le produit de cinquante ans de colonialisme occidental en Orient, ce qui est exact. Que l'État d'Israël a somme toute volé leur pays aux Palestiniens et les en a chassés. Que seules les armes leur permettront de récupérer leur patrie.

— C'est mon point de vue, dit Loutfi.

— Je ne le conteste pas. Mais c'est un appel à la guerre totale et à la destruction d'Israël. Il te classerait d'office parmi les Arabes les plus extrémistes, sans parler du fait qu'il classerait le journal parmi les partisans plus ou moins avoués de cet extrémisme. Il contrarierait beaucoup de pays arabes qui ne peuvent se ranger à ce point de vue, comme tu le sais, parce qu'ils n'ont pas les moyens de mener une telle guerre, parce qu'ils dépendent des subventions américaines, parce que leurs chefs ont conclu des accords avec les États-Unis, qui soutiennent Israël. Si je publiais cet article, il compromettrait la naturalisation française que tu as demandée et qui te sera sans doute consentie. »

Les deux hommes se dévisagèrent un instant. L'un et l'autre étaient impassibles. Loutfi soupira. Il songea à la naissance prochaine de son enfant.

« C'est la censure ? » dit-il enfin.

Benhocein haussa les épaules.

« Il y a toujours n'importe où une censure et tu le sais bien.

— Et alors ?

— Et alors je vais te demander de récrire cet article de façon moins violente et plus objective. Je vais te le demander au nom de l'amitié, parce que je souhaite garder ta collaboration. Parce que tu es un immigré qui a dû quitter son pays à cause de ses vues extrémistes, déjà. Et parce que tu te trouves aujourd'hui, ici, sous la protection de l'une des anciennes puissances colonialistes.

— Donc, parce que je suis toujours assujetti au colonialisme. »

Benhocein sourit.

« Moi aussi. Si tu veux défendre le point de vue que tu exposes dans ton article, il te faut quitter la France et rejoindre l'OLP. Et là, je te préviens, tu ne seras pas en grâce aux yeux d'Arafat. Pour lui, tu feras partie de la frange extrémiste. Tu porteras toujours une tare, parce que tu n'es pas palestinien, mais égyptien. Et qu'en Égypte, tu es considéré comme un extrémiste. Tu auras le reste de ta vie toutes les polices constamment à tes trousses. »

Loutfi pencha la tête. Il considéra la machine à écrire électrique. Elle venait de perdre sa neutralité. C'était un produit de la technologie américaine. Il ne pouvait pas s'en servir pour écrire ce qu'il voulait. Le monde dont elle était issue lui liait la langue.

« À quoi servons-nous ici, alors ?

— À informer, ce qui n'est déjà pas si mal, répondit Benhocein. Il y a une différence entre informer et influencer. »

Loutfi soupira de nouveau.

« Tu dois être conscient que tu as quitté l'Orient. Tu es ici en Occident. Tu parles une des langues de l'Occident, dit Benhocein. Cela n'est pas sans conséquences. »

Loutfi hocha la tête. René Guénon avait eu raison : être révolutionnaire était un métier d'esclave. Même quand on se retenait de faire la révolution. Il repensa à la phrase de son cafetier, qui lui avait jadis paru grotesque : « Aucune femme n'épouserait un communiste. » La vérité, c'était que tout révolutionnaire est d'abord marié à un flic. Il a toujours un flic collé aux fesses, qui peut entrer chez lui à n'importe quelle heure et lui bousiller la vie. Son statut social est celui d'une femme malhonnête. *Avoue que tu es une pute.* Ils en savaient un brin, ceux-là. Il émit un ricanement avorté. Et Cioran aussi avait raison : être exilé, c'était renoncer à son identité.

Il regarda par la fenêtre et, pour la première fois, détailla le rez-de-chaussée d'en face. Un vieil homme sortit avec un chien, referma la porte cochère d'un geste gauche et serra son foulard autour du cou. Avait-il une identité celui-là ? Il ne devinait sans doute pas la portée de la question. Il possédait un état civil et ça lui suffisait. En fin de compte, l'Occident n'était qu'une collection de papiers d'identité. Loutfi éprouva un sentiment inexplicable de supériorité.

« Bien, dit-il. Merci, Karim.

— *Don't mention* », répondit Benhocein, narquois. Et il se leva et quitta le bureau.

Demeuré seul, Loutfi jeta un regard malveillant sur sa machine à écrire électrique. Un instrument de la puissance occidentale. Il devrait s'en servir avec révérence pour l'Occident. Il n'était plus égyptien. Il n'était pas français. Il n'était rien. Quant à la révolution... Il se rappela une phrase de Simon Bolivar qui l'avait toujours intrigué : « Travailler pour la révolution, c'est labourer la mer. » Même pas quarante ans et déjà une vie. Il ne lui restait plus que Nadia. Son avenir avait migré en Nadia. Elle portait maintenant en elle la vie future du mari et de l'enfant. Puis il alla chercher son gobelet de café.

Tandis que la machine, une de plus, un luxe que Benhocein avait voulu offrir à la rédaction, dégouttait son breuvage dans le gobelet de carton, Loutfi se demanda comment faisaient donc Lénine en Suisse et Trotski au Mexique. Comment ils avaient pu rester révolutionnaires loin de leur pays.

La réponse lui apparut dans sa simplicité naïve : ils n'avaient pas été amoureux. Ils ne baisaient qu'avec des putes. Ou quasi. Un journaliste de l'Agence Tass avec lequel il s'était lié d'amitié lui avait révélé qu'à l'autopsie, Mme Lénine par exemple, la vieille Nadejda Constantinova Kroupskaia, était apparue vierge. Et que Lénine était mort de syphilis. À la stupeur de la secrétaire qui passait dans le couloir, Loutfi éclata de rire, un rire homérique.

18

À propos d'une citation de Kipling chez Harrod's

Ce fut dans un lieu plein de rumeurs joyeuses que le destin noua les derniers points de la mystérieuse tapisserie qu'il avait commencé à tisser bien des années plus tôt. Une foule de gens aisés, emmitouflés dans leurs pardessus en raison des frimas, effectuait ses emplettes pour la célébration prochaine du plus fameux des anniversaires de naissance : celui d'un juif dont le message d'amour serait promptement brandi par ses sectateurs comme l'oriflamme de la guerre. Les points furent noués sous l'un des personnages jadis les plus splendides de la tapisserie, Ismaïl Abou Soun. Le lieu était le dressoir de puddings de Noël chez Harrod's, à Londres. C'était le 21 décembre 1971.

Ismaïl considéra le prix d'un pudding pour six et le trouva exorbitant. Il calcula mentalement le nombre de puddings que son traitement d'attaché militaire lui permettrait d'acheter et secoua la tête d'incrédulité. Mais le calcul était académique : Ismaïl avait hérité la fortune des Abou Soun et Timmy lui en avait expressément fait la demande : elle ne voulait qu'un seul cadeau pour le nouvel an : deux puddings anglais, qu'il lui ferait envoyer par la valise diplomatique. Au moment où, dans la cohue, il se penchait vers la vendeuse pour lui commander les deux tourtes, il éprouva comme un vertige. Il avait vu une femme. Non, Sybilla. Il fut sûr de l'avoir reconnue. Vingt-deux ans plus tard ! Et c'était comme hier. Il scruta le visage : imperceptiblement empâté et conservant malgré tout la lumière de la jeunesse. La même coiffure avec la raie sur le côté... Son cœur battit la chamade. Il oublia deux décennies de silences réciproques. Ayant saisi le bon que lui tendait la vendeuse, il se rapprocha de la femme qu'il avait aimée, la première qu'il eût aimée. La seule, sans doute.

« Sybilla ! »

Elle tourna la tête et son expression se figea. L'aménité qui avait empreint son visage se dissipa et le céda à la gravité. Elle ne fut plus qu'un masque où les yeux d'agate bleue dardaient sur l'étranger un regard presque tragique.

« *Hullo* », dit-elle lentement, se ressaisissant.

Bousculés de part et d'autre, ils se dévisagèrent, inventoriant les griffures du temps, les pattes-d'oie, les affaissements aux commissures des lèvres, l'empâtement du menton, les fils d'argent dans la chevelure.

Un jeune homme près de Sybilla avait remarqué la rencontre. La vingtaine, élancé, lisse et beau. Lui aussi dévisagea l'étranger attentivement.

« Mon fils, Adam, dit Sybilla. M. Ismaïl Abou Soun, une vieille connaissance d'Égypte. »

Ismaïl tendit la main à Adam et le trouble qu'il avait cru maîtrisé resurgit.

« Harrod's est évidemment encombré à cette période de l'année, dit Sybilla, d'un ton dégagé. Mais vous avez trouvé, j'espère, ce que vous cherchiez.

— Et ce que je ne cherchais pas, murmura Ismaïl.

— *Mother*, dit Adam sans quitter Ismaïl des yeux, si tu n'y vois pas d'inconvénient, je vais aller faire mes emplettes au rayon de la parfumerie et je te rejoins dans une demi-heure au salon de thé ? »

Sybilla acquiesça et se retrouva seule avec Ismaïl. Elle le trouva soudain atone. Une femme près d'eux s'écria théâtralement :

« Heureusement que ce n'est qu'une fois l'an ! Je suis ruinée !

— Puisque j'ai rendez-vous avec mon fils au salon de thé, dit Sybilla, nous pourrions peut-être aller y prendre une tasse de thé ? »

Quand ils eurent trouvé une table et qu'ils se furent assis, face à face, devant une tasse de thé chacun et une assiette de scones, elle demanda :

« Il y a longtemps que tu es à Londres ?

— Cinq jours. Je dois rejoindre mon poste à Djakarta dans trois autres. Je suis nommé ambassadeur.

— Laisse-moi te féliciter. »

C'était la seconde fois qu'une ancienne maîtresse le félicitait. Il hocha la tête, décontenancé par l'aisance de Sybilla, mais aussi par un sentiment indéfinissable et angoissé. Il but une gorgée de ce thé fade et clair, qu'il connaissait déjà depuis le Guézireh Sporting Club et qui pour lui incarnait désormais l'Occident. Il regretta le thé noir égyptien auquel il s'était habitué à l'armée, qu'il relevait d'un jus de citron et buvait brûlant.

« Et ton mari va bien ? s'enquit-il.

— Charles est mort il y a bientôt deux ans.

— Je regrette. A-t-il beaucoup souffert ?

— Grâce au ciel, non. Il est parti en moins d'une demi-heure. Une attaque. Peut-être est-ce une forme de faveur du ciel. »

Il n'avait jamais imaginé pareille situation ; même les regrets tombaient en poussière. Pendant des années, il avait rêvé de prendre dans ses mains, comme jadis, les seins de cette femme, laisser glisser sa paume le long de ses hanches. Et là, il ne désirait plus rien.

« Pourquoi es-tu restée toutes ces années sans me donner de nouvelles. Une carte de Noël, je ne sais pas...

— Tu aurais voulu que je te souhaite un joyeux Noël ? demanda-t-elle avec un sourire ironique.

— La bonne année, alors.

— Je n'ai pas le sentiment que nos relations s'y prêtaient.

— Tu ne m'as jamais aimé », dit-il soudain.

Les mots lui avaient échappé et il eut trop tard
conscience de leur ridicule.

« Si c'est ce que tu penses, dit-elle, c'est que cela te
convient.

— Tu m'aimais ?

— Il me semble en avoir donné quelques preuves,
dit-elle d'un ton détaché.

— Et alors ?

— Et alors quoi ? J'étais jeune.

— Je ne comprends pas.

— Je ne savais pas. L'Égypte était un pays irréel.

— Qu'est-ce que tu ne savais pas ?

— Qu'il y a des choses plus importantes que de
prendre du plaisir dans un lit. Bref, tout ça.

— Ça !

— Ça, oui. L'ivresse, l'infatuation.

— Qu'est-ce qu'il y a de plus important ?

— La famille. Les amis. La culture », dit-elle en insistant sur ce dernier mot.

Il médita sur cette réponse et en mesura le bon sens.
C'étaient, en effet, la famille, les amis et la culture, sans
parler de l'armée, qui lui étaient venus en aide après sa
rupture avec Sybilla.

« On aime ce qui vous rend fort, Ismaïl. J'aime mon
pays. Sans lui, je n'étais rien. Et puis, souviens-toi de ce
qu'a écrit Kipling.

— Kipling ? *Le Livre de la Jungle ?* Qu'est-ce qu'il a
écrit ?

— *East is East and West is West and never the twain
shall meet.* »

Adam Hammerley les rejoignit et s'assit près de sa
mère.

« Je pense qu'une tasse de thé me fera du bien aussi », dit-il en posant des paquets enrubannés à ses pieds.

Ismaïl le dévisagea une fois de plus et une intuition
fulgurante le transperça : c'était son fils. La même

bouche ourlée, le même rapport du nez busqué à l'arc de la lèvre supérieure, les mêmes longs cils, les mêmes yeux verts... Un sentiment inconnu, proche de l'ivresse, l'inonda. Il résista au désir animal de prendre le jeune homme dans ses bras. Il ouvrit la bouche, comme pour crier. Mais un découragement brutal l'arrêta. La scène eût été grotesque. À quoi bon le revendiquer ? La vie avait pris une part de lui, l'avait mise dans une boîte et l'avait scellée à jamais. Sybilla, alarmée, observa le face-à-face du père et du fils. Son passé la rattrapait. Elle aurait dû s'en expliquer avec Adam... Mais soudain Ismaïl s'adossa, l'air triste, tandis qu'Adam Hammerley le fixait obstinément du regard. Ressemblerait-il à cet homme quand il en aurait atteint l'âge ?

« Vous vous plaisez à Londres ? » demanda-t-il.

Ismaïl se passa la main sur le visage et prit son temps pour répondre.

« C'est une ville superbe, répliqua-t-il lentement. Mais je pense qu'elle est surtout faite pour des Anglais », ajouta-t-il avec un sourire.

Il but une gorgée de thé en pensant à l'histoire du sexe perdu d'Osiris. Oui, vraiment, il était pareil à Osiris, il avait perdu son sexe avec les Anglais. Le Treizième Morceau était devant lui et c'était Adam et il était enfermé dans une boîte à tout jamais. À la fin, ces Anglais étaient anémiants. Nasser avait bien fait de débarrasser l'Égypte de ces gens.

« Bah, se dit-il, je retrouverai un autre sexe. »

Il reposa sa tasse. Pour la première fois de sa vie, il se sentit vieux.

« Je pense que tu as raison, dit-il en s'adressant à Sybilla, on aime ce qui rend fort. Je vous souhaite à toi et à Adam un joyeux Noël. »

Sur quoi, il prit congé en souriant et disparut dans la foule bruissante.

Le dernier point de la tapisserie était noué.

Adam observa sa mère ; elle regardait dans le vide. Puis elle se tourna enfin vers lui. Ils se dévisagèrent mutuellement.

« J'ai un cadeau de Noël pour toi », dit-elle enfin.

Et elle détacha de son cou une chaînette en or au bout de laquelle pendait un petit Osiris d'émail bleu turquoise et la laissa tomber dans sa main. Ç'avait été le cadeau qu'Ismaïl avait déposé chez elle juste alors qu'elle faisait ses valises, jadis, en 1949.

Adam eut la grâce de ne rien dire.

Les mots, finalement, rapetissent la réalité.

Épilogue

LE PREMIER ROMAN D'AMOUR

Un vent gris soufflait sur le Bosphore. Le linge s'agitait comme des âmes mortes sur les terrasses des maisons bleues et roses de Péra. J'avais dû boutonner mon imperméable pour aller visiter, dans les jardins de l'ambassade d'Allemagne, le cimetière des marins allemands rejetés sur ses rives lors de la Première Guerre mondiale. Je m'étais recueilli un moment devant ces dalles scellées dans les talus des jardins et derrière lesquelles reposaient des dizaines de jeunes hommes fauchés au début du siècle dans les combats ineptes d'États-nations ivres du délire territorial. Puis je pris un taxi pour me rendre à la villa Dur-i-yekta, « Perle incomparable ».

Debout dans les miroirs et les soies jaunes de son vaste salon, Rechideh Noureddine avança d'un pas vers moi pour m'accueillir et me fit le don, car c'était un don, d'un sourire. Dans un tailleur de faille noire et un chemisier de soie blanche, elle semblait comme toujours attendre une brillante compagnie.

« Nous sommes seuls pour un moment », dit-elle en souriant et, prenant de mes mains les pages que voilà, elle demanda : « Mon mari nous rejoindra tout à l'heure. Avez-vous trouvé un secret qui changera nos vies ? » Puis elle éclata de rire pour atténuer la solennité de la question.

« Telle n'était pas mon ambition, dis-je. Je voulais seulement satisfaire à votre requête et raconter l'histoire de six personnages que nous avons connus.

— Eh bien ?

— L'exil est une école périlleuse. Seuls ceux qui possédaient une grande ténacité y ont survécu. Mais les diplômes de cette école sont suprêmes. Nos amis ont assez remarquablement triomphé.

— Vous trouvez que Soussou a remarquablement triomphé ? Elle est certes devenue maharani, mais j'ai eu l'impression qu'elle s'ennuyait.

— Elle aurait souffert du même ennui mariée à un fonctionnaire obscur. Elle a un compagnon, sinon deux et elle a échappé à la médiocrité.

— Qu'est devenu cet individu qui a volé l'héritage de son beau-frère ?

— Marrani ? Il vit avec la conscience de l'abjection. »

Rechideh Noureddine médita ces informations, puis elle reprit :

« Mais Sybilla et Ismaïl n'ont pu poursuivre leur amour…, dit-elle, comme pour elle-même.

— Ils ont eu la chance d'en vivre la fleur et d'échapper à son déclin. C'est vous-même qui aviez exposé à Ismaïl l'absurdité de la situation, non ? Ni l'amour, ni l'argent ne tiennent lieu de culture. Et si Roméo et Juliette n'avaient pas trahi leurs familles, ils auraient sans doute vécu jusqu'à un grand âge.

— Et la révolution ?

— Elle n'a fait qu'accélérer et clarifier les destins. Ou bien ces personnages adoptaient la langue et les intérêts du pays, comme l'a fait Ismaïl, ou bien ils s'en allaient. Mais le monde artificiel et arrogant qui avait été le leur ne pouvait survivre. »

La princesse parut surprise.

« Artificiel et arrogant ? répéta-t-elle. Mais Farouk était le roi de fait de ce pays…

— De droit, pas de fait, princesse. Depuis que l'ambassadeur d'Angleterre, Sir Miles Lampson, avait fait cerner le palais d'Abdine par des tanks, en 1942, pour lui imposer sa volonté, la royauté était en sursis. Et il le savait. C'est lui qui avait dit un jour, à l'Automobile Club, qu'il n'y aurait bientôt plus que cinq rois au monde, les rois de carreau, de pique, de cœur et de trèfle et le roi d'Angleterre.

— Ce sont donc, selon vous, les Anglais qui ont entraîné la fin de notre monde ?

— Je le crains, princesse. »

Elle sembla rêver un instant.

« Est-ce que vous parlez de l'amour ? » demanda-t-elle.

Pourquoi mentionnait-elle ainsi l'amour ? En avait-elle manqué, elle, suprêmement belle, riche et princesse ? Je fus décontenancé.

« Pour eux, pour cette société-là, l'Égypte était un rêve, ils ont rêvé leurs vies. Ils ont aussi rêvé l'amour », dis-je.

Elle laissa filer un silence. Je songeai au vers d'Aragon, *Il n'y a pas d'amour heureux*.

« Étaient-ce eux qui rêvaient l'amour, ou bien n'est-il jamais qu'un rêve ? »

Elle n'attendait sans doute pas de réponse.

J'ouvris la bouche, une miette de syllabe en échappa.

« Vous alliez dire ? » demanda-t-elle.

Je soupirai.

« J'ai tenté de reconstituer le passé. C'est une entreprise de médium. Un écrivain est pareil à un sorcier qui convoque le peuple des morts. Le passé est le royaume des morts. Comme l'Égypte ancienne. Ismaïl, Soussou, Siegfried, Sybilla, tous les autres, ils sont certes vivants, mais les personnages qu'ils ont été sont morts. Les morts sont nos sujets. J'espère avoir été un bon roi. »

Elle réprima un rire.

« Vous vouliez placer l'histoire sous le signe d'Isis, m'aviez-vous dit. Pourquoi ? Et pourquoi ne l'avez-vous pas fait ?

— J'ai choisi un autre titre parce que l'adresse de Siegfried, 25 rue Soliman Pacha, me paraissait symboliser cette époque révolue où l'Orient et l'Occident se fondaient l'un dans l'autre sans préjugés religieux. Soliman Pacha, général de Mohamed Ali, le fondateur de la dynastie égyptienne, était un Français du nom de Joseph Sèves. Et René Guénon, philosophe français est allé finir sa vie au Caire sous un nom musulman. Nous ne reverrons plus cela. Je voulais placer l'histoire sous le signe d'Isis parce que son histoire résume celle de mes personnages. Et les nôtres aussi. »

Rechideh Noureddine m'interrogea du regard.

« C'est la recherche de l'amour, dis-je. L'amour sexuel en plus de l'autre. C'est l'un des premiers romans d'amour du monde. Et il se trouve qu'il est né en Égypte. Et qu'il est tragique. »

Elle hocha la tête. Puis elle posa sa main sur la mienne – et je me rappelai l'ivresse d'un tango avec elle, jadis :

« Vous avez raison, dit-elle comme à regret, et je vous l'avais dit : nous sommes tous les enfants d'Isis. Je vais lire votre livre. »

Table

Scène liminaire. Le Treizième Morceau...................... 9

I. DERNIERS NÉNUPHARS DE L'ÉTÉ

1. 1940 : des roses et du soufre............................... 17
2. 1951 : le musée du Caire.................................... 22
3. Sybilla et les magnolias.................................... 28
4. Tango 40
5. Nadia, jasmin et mensonges................................. 45
6. Le soleil du roi 64
7. La chute de la Pierre Philosophale........................ 73
8. Présages du crépuscule..................................... 78
9. Sortilèges et pantomimes 85
10. Le sac de dattes.. 99
11. La puissance des fantasmes............................... 112
12. Secrets et résédas....................................... 123
13. Armoiries et tragédies................................... 131
14. Petite sérénade nocturne 138
15. Valses et tangos 148
16. Lendemain de cotillon.................................... 162
17. L'homme tué par un bal 167
18. *The cruellest month* 178
19. Les tourments du jeune Siegfried 181
20. ... Et ceux du jeune Ismaïl 192
21. Thé noir, fèves et rumeurs............................... 199

22. Tara 209
23. La nuit de Tara 226
24. Premiers roulements du tonnerre 234
25. Le Bûcher 248

II. DES GRAINES DANS LE VENT

 1. Un enfant ! Un enfant ! 269
 2. Conversation déplaisante dans un palais 278
 3. 16 octobre 1953 : la protection d'Isis 284
 4. Inventaire avant liquidation 298
 5. « Avoue que tu es une pute ! » 303
 6. « Tu méritais mieux... » 317
 7. « Rien que le pouvoir ! » 324
 8. Un mauvais dîner rue de Lisbonne 334
 9. « J'ai pris la beauté, et je l'ai assise sur mes
     genoux... » 344
10. Le sourire dans l'hypogée 356
11. Osiris à Londres 364
12. La potion d'Eleni 371
13. Les vide-pots 376
14. L'apparition d'Horus 385
15. Le Spectre de la Rose 395
16. Une question de paternités 404
17. Sur le symbolisme d'une machine à écrire élec-
     trique 409
18. À propos d'une citation de Kipling chez Harrod's 414

Épilogue. Le premier roman d'amour 421

Impression réalisée sur CAMERON par

BRODARD & TAUPIN

GROUPE CPI

La Flèche
en avril 2001

Imprimé en France
Dépôt légal : avril 2001
N° d'édition : 14523 – N° d'impression : 7288